Sur les berges du lac Brûlé

TOME 1

Le vieil ours

Sur les berges du lac Brûlé

TOME 1

Le vieil ours

Guy Saint-Jean
ÉDITEUR

Guy Saint-Jean Éditeur
3440, boul. Industriel
Laval (Québec) Canada H7L 4R9
450 663-1777
info@saint-jeanediteur.com
www.saint-jeanediteur.com

· · · · · · · · · · · · · · · · ·

Catalogage avant publication de Bibliothèque et Archives nationales du Québec et Bibliothèque et Archives Canada
Major-McGraw, Colette
Sur les berges du lac Brûlé
Publié antérieurement sous le titre : Le vieil ours. Laval, Québec : Clermont éditeur, 2014.
L'ouvrage complet comprendra 3 volumes.
Sommaire : t. 1. Le vieil ours.
ISBN 978-2-89758-073-5 (vol. 1)
I. Major-McGraw, Colette. Vieil ours. II. Titre.
PS8626.A421S97 2016   C843'.6   C2015-942685-5
PS9626.A421S97 2016

· · · · · · · · · · · · · · · · ·

Nous reconnaissons l'aide financière du gouvernement du Canada par l'entremise du Fonds du livre du Canada (FLC) ainsi que celle de la SODEC pour nos activités d'édition. Nous remercions le Conseil des arts du Canada de l'aide accordée à notre programme de publication.

Financé par le gouvernement du Canada | **Canadä**   SODEC Québec   Conseil des Arts du Canada   Canada Council for the Arts
Funded by the Government of Canada

Gouvernement du Québec – Programme de crédit d'impôt pour l'édition de livres – Gestion SODEC

© Guy Saint-Jean Éditeur inc., 2016

Édition : Isabelle Longpré
Révision : Lydia Dufresne
Correction d'épreuves : Véronique Desjardins
Conception graphique : Christiane Séguin
Photographie de la page couverture : Balazs Kovacs Images/Shutterstock.com

Dépôt légal – Bibliothèque et Archives nationales du Québec, Bibliothèque et Archives Canada, 2016
ISBN : 978-2-89758-073-5
ISBN EPUB : 978-2-89758-074-2
ISBN PDF : 978-2-89758-075-9

Imprimé et relié au Canada
1re impression, mars 2016

Guy Saint-Jean Éditeur est membre de l'Association nationale des éditeurs de livres (ANEL).

À TOI, ALAIN MOREL

Parce que tu m'as écoutée attentivement
Parce que tu as cru en ma réussite

Mais plus encore,
Parce que tu m'as permis d'être ton amie!

LA FAMILLE POTVIN

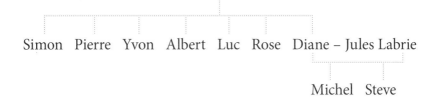

Ernest Potvin – Pauline Cloutier Potvin

Simon   Pierre   Yvon   Albert   Luc   Rose   Diane – Jules Labrie

Michel   Steve

PROLOGUE

Sur le chemin Ladouceur au lac Brûlé, à quelques milles de la ville de Sainte-Agathe-des-Monts dans les Hautes-Laurentides, la vie s'écoule paisiblement au gré du temps et des saisons.

Les habitants y sont en majorité des cultivateurs qui élèvent quelques bêtes pour nourrir leur maisonnée, troquent le surplus d'aliments avec les voisins ou en marchandent avec les touristes. Ils se suffisent à eux-mêmes et n'achètent que le strict nécessaire aux quelques magasins du village.

D'un niveau de vie assez modeste, ils n'en sont pas moins heureux. Chaque jour représente un cadeau du ciel et, pour la plupart, avoir une famille en santé symbolise la richesse. On se contente de peu et l'on se réserve le dimanche pour remercier le Créateur de ses bienfaits et même des épreuves rencontrées.

Le bonheur est une raison de vivre presque partout, sauf chez celui qui grogne sa hargne du matin jusqu'au soir.

CHAPITRE 1

Le bois de corde

(Mai 1959)

Ernest se faisait attendre pour le repas du soir et sa femme commençait vraiment à s'inquiéter. C'est que, depuis toujours, son mari était ponctuel comme le chant du coq et il n'acceptait aucun retard d'autrui, pas même de la part de monsieur le curé, les rares fois où il franchissait la porte du confessionnal. Jamais il n'avait dérogé en ce qui a trait à l'heure où il se présentait à la maison pour se restaurer, ce qui avait préséance sur toutes choses. On aurait pu croire que son estomac était réglé comme une horloge et Pauline, en épouse soumise, se faisait un devoir de dresser son couvert bien avant qu'il ne foule le sol de la cuisine. C'était sa façon à elle de prévenir un tant soit peu les critiques acerbes de cet homme discipliné, mais surtout très impatient.

Il avait consacré sa journée à charroyer du bois vers la cabane à sucre, au volant de son vieux tracteur Cockshutt rouge, dont il était fier et derrière lequel il traînait une antique remorque cabossée et délavée par l'usure du temps. Il préparait ainsi une large réserve pour le prochain printemps et c'est toujours à cette période de l'année qu'il effectuait cette tâche, tout comme son père l'avait fait bien avant lui. Il avait été mis à contribution très tôt dans la vie et pour ce qui était de ses fils, n'eussent été l'obligation d'aller à l'école et sa femme qui les couvait mieux qu'une poule, ils auraient été à ses côtés pour accomplir l'ouvrage ce jour-là. Malgré tout, ils devraient participer en soirée, dès que le repas serait terminé. Albert et Yvon n'auraient pas le choix et ils devraient se joindre à lui pour corder la montagne de billes de bois qu'il avait entassées devant la bâtisse au cours des dernières heures.

La corvée serait exécutée selon les exigences d'Ernest, car il ne tolérait pas que l'on conteste ses méthodes de travail. Il n'était pas rare qu'il rabroue la moindre initiative de changement, même si cela aurait pu simplifier ou améliorer une tâche ou une autre. Il lui fallait toujours avoir le mot final en tout et pour tout.

Une panne de tracteur avait cependant prolongé son dernier circuit et lui et ses fils devraient besogner beaucoup plus tard que prévu afin que tout soit terminé dès ce soir. Travailleur acharné, Ernest imposait à ses enfants la même cadence.

En le voyant se pointer dans la cour arrière, Pauline se hâta de déposer son assiette au bout de la table, la place du paternel que personne n'oserait s'attribuer sous peine de représailles. Une grande catalogne était également installée de l'entrée jusqu'à sa chaise, afin qu'il n'ait pas besoin de se déchausser avant de s'asseoir.

— T'arrives donc ben tard, dit Pauline sur un ton

calme, sachant que c'était sûrement contre son gré qu'il était en retard.

— Le batinse de tracteur m'a lâché comme j'arrivais à la cabane, répondit-il de sa voix autoritaire que personne n'aurait songé à défier. C'est une maudite *hose* qui a pété; je l'avais pourtant réparée le mois passé. Je pense que cette fois icitte, y faudra que je change le morceau pour un neuf; on finira jamais à prendre le dessus dans nos affaires, continua-t-il sur un ton vraiment dépité.

C'est qu'il était plutôt radin et restaurait tout avec des pièces usagées qu'il ramassait un peu partout. Il ne mettait du neuf qu'en tout dernier recours, et ce, toujours à contrecœur. On disait de lui au village qu'il coupait une cenne en quatre. Aldège, le maître de poste et la commère du coin, en rajoutait, spécifiant avec une légère mimique que s'il avait une si grande famille, c'est qu'il rapiéçait ses vieilles capotes.

— Y sont où Albert pis Yvon? Leur as-tu fait penser qu'on cordait le bois à soir?

— Y sont en haut en train de finir leurs devoirs. Tu sais que ça va être ben vite la période des examens; si on veut qu'ils aient de l'avenir un p'tit brin, y faut leur donner la chance de s'éduquer un peu. Il y a ben assez de nous autres qui avons pas pu aller à l'école assez longtemps.

— Est-ce que je te fais honte, la femme? demanda Ernest de but en blanc. J'ai rien qu'une cinquième année, pis je pense que je te fais assez ben vivre.

— Maudit que t'es susceptible, on peut pas rien dire qu'aussitôt tu te sens visé. Je veux juste que nos enfants réussissent leurs classes ; qu'ils aient un gagne-pain moins dur que le tien. Tu ne trouves pas que tu travailles fort à faire cinquante-six métiers ? J'aimerais que nos garçons gagnent leur vie moins difficilement que t'as eu à le faire. Ils n'auront peut-être pas la santé que tu as eue pour passer à travers tout ça. Regarde juste notre petit Pierre qui est si feluette malgré ses six ans. Si au moins il avait une bonne éducation, plus tard, il pourrait travailler dans un bureau.

Ernest ne répliqua pas ; c'est à croire qu'il ne l'avait même pas écoutée. Dès le tout premier jour, Pauline avait appris à se taire la plupart du temps en sachant qu'il ne prenait de toute manière jamais en considération son opinion. Quand il était question du bien-être des enfants, elle tentait cependant de s'imposer, mais elle n'avait pas souvent gain de cause.

Ernest dévora son repas gloutonnement et quitta la table sans aucun commentaire et, bien entendu, sans un seul mot de remerciement. Il tenait pour acquis que c'était le devoir de sa femme de lui servir la nourriture qu'il gagnait à la sueur de son front. Il sortit de la maison en maugréant :

— Envoie-moi les gars au plus vite. Y a de l'ouvrage à faire et y faut que ça se fasse au plus batinse.

— C'est correct, mais essaye de me les ramener de bonne heure ; y ont de l'école demain matin. Quand bien même que ça prendrait quelques jours de plus pour rentrer le bois. Y disparaîtra quand même pas de la cour pendant la nuit !

— C'est à soir que je veux finir ça. L'école, l'école,

y a pas juste ça dans la vie ; c'est pas ça qui va chauffer la cabane l'hiver prochain. Même si tes p'tits gars se couchent un peu plus tard une fois dans la semaine, ça les fera pas mourir. Si tu continues à les couver comme ça, tu vas en faire des tapettes, pas des hommes !

Et il claqua la porte, sans écouter les répliques de Pauline qui, encore une fois, parlait dans le vide. Pour éviter des discussions inutiles, elle monta dans la chambre de ses fils et demanda à Albert et à Yvon de se dépêcher à rejoindre leur paternel pour l'exécution des travaux prévus.

— C'est la journée pour corder le bois à la cabane et votre père est pas mal fatigué. Si vous vous étiez moins amusés en chemin après avoir débarqué de l'autobus, vos devoirs seraient terminés depuis longtemps. Je vous réveillerai de bonne heure demain matin, pis vous les finirez. Vous savez que la fin d'année arrive et j'voudrais pas vous voir redoubler votre année. L'école, c'est important, c'est ça qui va décider quelle sorte de vie vous ferez plus tard.

— C'est toujours nous autres qui faisons tout icitte, répliqua Yvon, fulminant. Luc est ben chanceux d'être parti en ville, lui. Je te dis que j'ai hâte d'être en âge pour sacrer mon camp, moé itou.

Yvon, qui avait à peine douze ans, essayait de faire valoir ses droits, mais c'était le plus souvent avec sa mère qu'il tentait ces manœuvres. Il craignait son père qui avait la main leste quand on se rebellait contre son autorité.

Bien qu'il n'en était qu'au début de son adolescence, il avait déjà une bien piètre opinion de la gent féminine. À force de voir Ernest dominer son épouse, la traiter comme une servante, une subalterne, il avait une conception selon laquelle l'homme ordonnait et la femme exécutait et ça lui semblait tout à fait normal. Son paternel était pour le moment son idole et il comptait bien lui ressembler plus tard. Il se permit donc de répliquer à sa mère et ainsi lui dire le fond de sa pensée.

Pauline ne lui en tint pas rigueur, il était encore bien jeune. Elle aurait aimé cependant qu'il la respecte un tant soit peu.

— Luc a fait son temps lui aussi; il nous envoie de l'argent tous les mois. La vie coûte cher sans bon sens; à part de ça, j'ai pas dans l'idée de discuter de ça avec vous autres. Si votre père dit que c'est à soir qu'on fait cet ouvrage-là, ça sera pas demain ou la semaine prochaine.

— Viens, Albert. On y va si on veut se débarrasser de c'te maudite job-là au plus sacrant. Pas moyen de s'amuser, on travaille comme des nègres.

Albert était pour sa part plus docile; il avait deux ans de plus. Il n'aimait pas qu'Yvon soit arrogant avec leur mère qui était si bonne avec eux. Il incita donc son frère à cesser de discuter et ramassait déjà ses affaires pour rejoindre son père le plus tôt possible.

Yvon passa devant Pauline sans lever les yeux sur elle et il ferma la porte de la cuisine de toutes ses forces, sachant que ça l'horripilait au plus haut point.

Pierre, le cadet de la famille, avait assisté à la scène sans dire un mot. Il était encore trop frêle pour défendre celle qu'il aimait le plus au monde, mais il pouvait tout au moins la réconforter. Il s'approcha de sa mère et vint se blottir contre sa grosse bedaine sans se douter qu'elle lui donnerait bientôt un petit frère ou une petite sœur. On ne parlait pas de ça aux enfants, on considérait que ça ne les regardait pas. De toute façon, ils poseraient toutes sortes de questions auxquelles on ne saurait répondre.

Pauline ne connaissait rien à la sexualité en se mariant et elle avait quand même bien fait sa vie. Ils ne seraient pas mieux ou pas pire qu'eux, se dit-elle. De plus, avec la radio et les journaux, on apprenait parfois des mots qu'on n'avait jamais entendus avant ; qui sait, un jour on parlerait peut-être de ce qui se passe dans la chambre à coucher comme on jase de la pluie et du beau temps ? Le simple fait d'avoir pu imaginer cela lui donna le rouge aux joues et son doux visage s'illumina d'un sourire coquin. Impossible de croire que c'étaient des choses dont on pourrait discuter sans, à tout le moins, être mal à l'aise. Elle trouvait déjà cela gênant de le faire, alors si on devait en plus y ajouter des mots… Il ne faudrait tout de même pas charrier, songea-t-elle.

Quand le petit Pierre se lovait contre elle, c'était un moment de pure tendresse qui occupait son cœur qu'elle imaginait quelquefois tari par tant de mépris et d'indifférence. Chacune de ses neuf grossesses s'était déroulée péniblement et c'était du premier au dernier mois qu'elle se consacrait à la maisonnée, sans jamais faillir à la tâche. Mais cette fois-ci, elle qui croyait la ménopause bien en place à cause de ses règles quasi inexistantes s'était vue obligée d'admettre, après quelques semaines, que sa fertilité lui avait joué un très mauvais tour. Un autre petit être innocent allait se greffer à sa progéniture dont l'aînée, Diane, était déjà mariée.

Elle aurait préféré passer le flambeau et finir d'élever ses enfants calmement. Prendre le temps de regarder grandir les plus jeunes et attendre que sa plus vieille lui donne un petit-fils ou une petite-fille. Mais la nouvelle génération était moins pressée à fonder une famille. Sa fille Diane et Jules, son gendre, travaillaient tous les deux pour la compagnie de téléphone située sur la rue Principale à Sainte-Agathe-des-Monts, et ils avaient dessein de bien s'établir avant d'avoir des bouches à nourrir. C'était peut-être eux qui avaient la bonne méthode, qui sait?

— Viens, mon petit Pierre, t'es assez grand pour m'aider asteure. On va finir de tout ramasser dans la cuisine et faire la vaisselle ensemble. Après, tu monteras pour te laver et mettre ton pyjama. Comme les gars rentreront plus tard, on en profitera pour jouer une partie de paquet voleur. C'est toi qui m'as battue la dernière fois et je veux absolument me venger.

— Si papa arrive et que je suis encore debout après sept heures?

— T'en fais pas, et si toutefois il revenait plus tôt, je lui dirais que ta fièvre est réapparue et que j'ai dû te lever pour éviter que tu tousses à t'époumoner[1]. Ce serait juste un innocent péché véniel.

Le cadet de ses garçons était chétif comparativement aux autres. Il avait eu six ans en avril dernier, mais il

---

1   S'époumoner: se fatiguer les poumons.

semblait beaucoup plus jeune. De beaux cheveux blonds bouclés et des yeux bleu ciel lui donnaient l'allure d'un petit roi. Il avait toutefois une santé précaire et au moment où l'hiver touchait à sa fin, on aurait dit que c'était encore pire. La moindre toux ou le plus léger reniflement inquiétaient la mère. Elle craignait toujours les longues nuits à veiller ce rejeton qui, sans ses remarquables soins, n'aurait déjà plus été de ce monde. Le bon docteur Lavallée venait quand elle ne pouvait dompter les microbes qui semblaient habiter en permanence ce petit corps qui refusait de grandir normalement. Une injection dans la fesse, un sirop spécial et des louanges à la maman pour les traitements adéquats ; voilà ce que le praticien apportait lors de ses visites. Celles-ci faisaient tout autant de bien à la mère qu'à l'enfant.

Encore fallait-il avoir l'argent pour payer ces consultations médicales et Ernest se plaignait toujours comme s'il était très pauvre. Pauline n'avait pas la moindre idée de la somme qu'il pouvait gagner mensuellement, mais jamais elle n'aurait abordé le sujet avec lui, sachant fort bien qu'il était terriblement cachottier et qu'il ne tenait pas à ce que sa femme se mêle des finances de la maison.

— Manques-tu de quelque chose ? Je te donne de quoi faire la *grocery* toutes les semaines pis j'te demande pas ce que tu fais avec. De l'argent, j'en chie pas, moé.

— Oui, mais pour le docteur, on est en dette avec lui. Ça fait déjà deux visites qu'il nous fait ce mois icitte et tu remets ça à plus tard chaque fois. Je suis rendue quasiment gênée de l'appeler.

— Quand il ne voudra plus venir, on s'en passera.

Je l'ai toujours payé avant ; il a rien qu'à nous attendre un peu. Le jour où j'aurai de l'argent, j'y en donnerai. Tu le sais que j'ai de l'ouvrage, mais pas à plein temps tout l'été. C'est pas avec mes jobines alentour que je peux tout régler.

Pauline était mal à l'aise quand il était question de problèmes financiers et elle pensait à sa grossesse qui serait bientôt à terme. Ce serait une autre dépense à couvrir maintenant qu'on allait à l'hôpital pour accoucher et là-dessus, le docteur avait été très pointilleux, voire insistant.

— À votre âge, Madame Potvin, il ne faut pas prendre de risques. Vous savez que ça a été difficile pour le petit Pierre et puis une complication, c'est bien vite arrivé. Si vous aviez été à la maison pour celui-là, vous ne l'auriez peut-être pas réchappé et puis vous auriez même pu y laisser votre vie. Comme c'est probablement votre dernière grossesse, pourquoi ne pas faire ça en grand ?

Il avait dit cette courte phrase pour lui soutirer un joli sourire, mais Pauline avait de moins en moins le goût de rire. Elle qui était gaie comme un pinson dans ses jeunes années avait parfois l'impression de s'éteindre tout doucement. Quelle était la cause de ce flagrant manque d'énergie, ou plutôt, qui avait soufflé sur la flamme jour après jour ?

En allant coucher son petit Pierre, elle lui fit réciter ses prières, comme elle le faisait tous les soirs. Il devait dire un Notre Père, trois Je vous salue Marie et un Gloire soit au Père. Ensuite, il ajoutait son oraison personnelle pour ses demandes spéciales :

— Bon Jésus, veillez sur mon père et sur ma mère. Veillez aussi sur mes frères, sur mes sœurs et surtout sur mes grands-parents parce qu'ils sont vieux. Protégez-moi du péché et dirigez-moi vers le bon chemin. Ainsi soit-il.

Et dans sa tête, Pauline compléta : « Et faites en sorte que je retrouve la santé afin que je ne quitte pas cette terre, car ma mère en mourrait. »

Comme elle craignait de perdre ce gamin qu'elle avait tant soigné depuis sa venue au monde ! Il était magnifique et délicat comme le plus beau des bibelots, mais tellement unique et fragile.

* * *

De retour dans la cuisine, Pauline prit place dans sa vieille chaise berçante et elle en profita pour continuer ses dévotions. Dimanche dernier, à la messe, monsieur le curé avait mentionné que Sa Sainteté le pape Jean XXIII avait béatifié Marguerite d'Youville, en lui attribuant le titre de Mère à la Charité universelle.

Il avait raconté en chaire que cette femme, née à Varennes, près de Montréal, en 1701, avait fondé l'institution des Sœurs grises que l'on nommait à cette époque les Sœurs de la Charité de Montréal. Il avait insisté sur le fait que celle-ci n'avait pas eu la vie très facile, mais qu'elle avait toujours conservé une foi solide comme le roc. Quand elle avait prononcé ses vœux privés, elle avait même spécifié qu'elle souhaitait consacrer toute son existence aux pauvres et elle n'y avait jamais fait la moindre entorse. À la manière dont celui-ci s'exprimait, on aurait pu croire qu'il l'avait connue personnellement, alors qu'elle était décédée depuis près de deux cents ans.

Pour Pauline, qui trouvait la vie parfois si cruelle, le fait de prier cette grande dame ne pourrait que lui apporter quiétude et réconfort. À peine quelques minutes plus tard, entre deux Je vous salue Marie, la mère de famille exténuée avait laissé tomber son vieux chapelet sur ses genoux et elle s'était assoupie, accédant rapidement au monde fantastique du rêve.

Au pays des songes, il lui semblait avoir longtemps marché dans une clairière caressant les superbes fleurs roses et blanches qui s'offraient à ses yeux émerveillés. Elle avait déambulé lentement pour finalement se retrouver assise sur la berge du lac Brûlé, contemplant cette immense étendue d'eau que le soleil inondait de ses rayons lumineux. Ce magnifique miroir naturel lui permettait d'admirer le reflet d'un bel homme au regard perçant qui venait embraser son cœur fragile. Le souffle du vent dansait dans ses cheveux et délicatement elle touchait cet adorable visage du revers de la main quand soudain, elle se réveilla.

Des bruits de pas sur la galerie l'avaient rapidement tirée de son sommeil. Elle revint durement à la réalité en entendant son mari entrer dans la cuisine, disputant et jurant après ses enfants.

— Si tu regardais où tu te mets les doigts aussi, tu te serais pas fait mal. Tu travailles comme un pied. C'est pas de même que je te l'ai montré, pourtant. Lave-toi les mains, le visage pis va te coucher. Tu t'en sentiras plus le jour de tes noces.

En descendant l'escalier, Pauline vit Albert face à l'évier de cuisine. Elle devina qu'il avait mal en constatant qu'il grimaçait dès que l'eau entrait en contact avec sa blessure.

— Qu'est-ce que tu t'es fait, mon grand?

— C'est ça, répliqua Ernest en beuglant, chouchoute-le un peu, pis tu vas en faire une femmelette. Il s'est juste écrasé le dessus de la main droite parce qu'il s'est pas poussé assez vite. Ça prend pas la tête à Papineau pour corder du bois. Quand le morceau est placé sur la corde, d'habitude, tu t'enlèves de là pour que le prochain mette le sien; et lui y avait encore la main sur la bûche. C'est pas cassé, il a même pu continuer à travailler. Y a juste commencé à chialer quand y é arrivé proche de toé. J'ai pas été élevé de même chez nous, j't'en passe un papier!

Et il ressortit en claquant la porte comme son grand Yvon l'avait fait à l'heure du souper; tel père, tel fils. C'est dans son hangar ou dans son garage qu'il finirait sa soirée en fouillant dans les mille et une cochonneries qu'il avait ramassées le long des routes durant les dernières semaines.

Ce fut un soulagement pour Pauline de se retrouver seule avec les enfants. Il ne lui restait plus qu'à désinfecter, panser la blessure de son fils et lui apporter un peu de réconfort avant qu'il ne se couche. Elle appréciait ces moments d'intimité avec les siens et elle avait l'impression de leur procurer à petite dose le bonheur nécessaire à leur croissance.

— Les gars, mettez vos pyjamas et ne faites pas de

bruit pour pas réveiller votre p'tit frère. Je vais revenir dans quelques minutes pour vous dire bonsoir.

Travailler jusqu'à dix heures, un soir de semaine, quand on doit se rendre à l'école le lendemain matin, ça méritait bien un léger goûter. Deux bons verres de lait et un délicieux morceau de gâteau aux épices, ça effacerait la douleur de la main du plus vieux et amadouerait le plus jeune qui pourrait bavasser à son père.

— Merci maman, lui dit Albert quand elle lui donna sa collation.

Yvon ne prononça pas un mot, mais il mangea lui aussi avec avidité. Les émotions semblaient ne pas exister pour lui ; comment un fils pouvait-il tellement ressembler à son paternel ?

Pauline alla ensuite se coucher seule, comme la plupart du temps. Quand Ernest se mettrait au lit, elle dormirait profondément depuis déjà plusieurs heures ; et si toutefois il avait envie d'avoir son nanane[2], comme on dit, il le prendrait sans égard pour l'heure, la situation de son épouse enceinte et encore moins son opinion ou son désir. Elle était « sa femme » pour le meilleur et pour le pire et si elle ne voulait pas qu'il aille ailleurs, elle devait se soumettre.

Pauline croyait cependant qu'elle dormirait bien cette nuit, car le tracteur occupait toutes les pensées d'Ernest. Il devait être en train de fouiller dans ses boîtes de vieux morceaux pour trouver une pièce qui lui servirait à

---

2 Nanane : faveurs sexuelles.

raboudiner[3] à peu de frais l'engin dont il avait tellement besoin à ce temps-ci de l'année.

Le malheur de l'un fait parfois le bonheur de l'autre !

---

3   Raboudiner : rapiécer, rafistoler.

CHAPITRE 2

L'accouchement

(Juin 1959)

L'année 1959 s'écoulait à la vitesse de l'éclair. On en avait déjà parcouru près de la moitié et avec les classes qui s'étaient terminées la veille, il serait désormais difficile de prendre quelques minutes de repos dans la maison du lac Brûlé. À partir de ce jour, toute la famille serait à table, matin, midi et soir, mais, en contrepartie, il n'y aurait plus de boîtes à lunch à préparer tous les matins. La routine serait différente pour Pauline, laquelle était lasse de sa grosse bedaine. Elle refusait maintenant de se rendre au village pour faire ses courses.

Prévoyante, elle avait le nécessaire dans la maison et, advenant un oubli de sa part, elle ferait tout son possible pour se passer de ce qui pourrait lui manquer, plutôt que d'aller exhiber son corps difforme aux yeux des habitants avides de ragots. Elle ne voulait surtout pas nourrir l'esprit tordu des méchantes commères. Si encore elle avait eu des vêtements à sa taille, mais, à force de repousser le bouton de sa jupe de maternité, elle avait l'impression de ressembler à un épouvantail à moineaux. Quoique très peu soucieuse de sa personne, elle se disait qu'il y avait tout de même une limite à faire rire la populace.

Pauline se doutait bien que le bébé arriverait bientôt, car la peau de son ventre était étirée au maximum et paraissait tout aussi mince qu'une feuille de papier. Jamais elle n'avait été grosse comme ça précédemment et pourtant elle avait mené à terme six grossesses, en plus de trois fausses couches alors qu'elle était enceinte de plusieurs mois.

Quel était donc le mystère qui faisait en sorte qu'un enfant soit prêt à naître ? Sa mère, Rose-Aimée, répétait toujours que la pomme tombait du pommier quand elle était mûre et à voir la peau lisse de son ventre, elle se disait que la récolte aurait dû avoir lieu depuis déjà belle lurette.

C'est ainsi que ce matin-là, tout comme les femmes de sa génération le faisaient, elle donnerait un coup de main à la nature en nettoyant ses parquets à quatre pattes. On racontait que le fait de s'allonger les bras pour laver les travées du plancher, ça facilitait l'amorce du travail et faisait comprendre au bébé qu'il était temps de quitter son nid douillet. Elle entreprit alors de récurer son prélart qui était pourtant usé jusqu'à la corde. À certains endroits, on pouvait même apercevoir les planches par les trous d'usure, notamment devant l'évier de la cuisine et le poêle, où se déroulait la plus grande partie des tâches domestiques. Du motif d'origine, on ne voyait plus que peu de détails et aucun éclat. Il fallait donc décrasser et cirer régulièrement celui-ci, afin de pouvoir l'entretenir un tant soit peu. Elle savait également qu'elle serait moins alerte à son retour de l'hôpital et que le bébé demanderait beaucoup d'attention les premières semaines.

Vite qu'il arrive, afin qu'elle soit en forme pour la récolte des petits fruits et la mise en conserve. Chaque pot rempli de confitures qu'elle rangeait dans la cave lui apportait un réconfort, une assurance de bien nourrir ses marmots pour la prochaine année et à peu de frais. Sans vouloir se vanter, elle savait qu'elle était une bonne cuisinière même si elle n'attendait pas de compliment pour autant.

C'est en ramassant sa chaudière et ses guenilles qu'elle ressentit les premières douleurs, qu'elle mit sur le compte d'une simple fatigue à la besogne qu'elle venait de terminer. Les sueurs du labeur s'ajoutèrent à celles de l'enfantement à venir, et c'est sans aucun avertissement qu'elle eut une violente contraction qui lui fit plier l'échine.

— Oh bonne sainte Anne, faites que ça se passe vite ! dit-elle en faisant son signe de croix.

En vieillissant, il lui semblait qu'elle avait la couenne moins dure et que la douleur lui transperçait la chair. Elle savait ce qui l'attendait et souhaitait pouvoir se rendre à l'hôpital assez rapidement, afin que le docteur l'examine et qu'on l'endorme au plus tôt. Des souffrances, elle en avait eu suffisamment dans les dernières années. Elle désirait avant tout donner la vie dans le calme et surtout, profiter de la détente provoquée par l'anesthésie.

— Ernest! cria-t-elle depuis la porte de moustiquaire. C'est le temps d'y aller, viens-t'en. Chu prête.

Mais pas un mot en provenance du hangar ou du garage. Se trouvait-il au moins à proximité, lui à qui elle avait demandé de ne pas s'éloigner ces jours-ci? Elle lui avait même fait une remarque ce matin, alors qu'elle n'avait pas été en mesure de prendre une seule bouchée à l'heure du déjeuner.

— Ernest, j'aimerais ça que tu restes alentour aujourd'hui; je n'ai pas besoin de t'expliquer pourquoi, mais ça se pourrait ben que le temps soit arrivé.

— Pense-tu que j'va niaiser icitte toute l'avant-midi, assis dans la cuisine, pour attendre le bébé avec toi? maugréa-t-il, comme d'habitude.

— C'est pas ça que j'ai dit, mais pourvu que je puisse envoyer les gars te chercher. J'me rappelle que la dernière fois, ça avait été assez vite.

Mais Ernest était sorti comme si sa femme n'avait pas émis un traître mot. Sa journée était planifiée et il souhaitait bien faire l'ouvrage qu'il avait prévu. Elle n'avait pas été surprise outre mesure, mais elle savait bien que dans les circonstances, il ne partirait pas pour le village sans faire en sorte qu'elle en ait connaissance. Il faisait son rebelle, mais il n'était quand même pas suffisamment niais pour prendre le risque que sa femme accouche seule à la maison, surtout après la sérieuse mise en garde que le médecin lui avait faite au début de la grossesse.

— Albert, Yvon, hurla-t-elle, courez chercher votre père et dites-y que j'ai affaire à Sainte-Agathe pour voir le docteur. Il va comprendre.

Avant de ramasser sa petite valise, Pauline se passa une débarbouillette rapidement et évita de se laver les organes génitaux afin de ne pas accélérer le travail ou nuire au bébé. Malgré ses nombreuses grossesses, c'était encore mystérieux pour elle de donner la vie et elle ne voulait d'aucune manière entraver le processus normal. En faisant ses ablutions, elle songeait souvent qu'elle aimerait ne plus avoir cette partie de son corps tout simplement ; ça l'intimidait et l'importunait en même temps. Maintenant que la famille était suffisamment grande, cet orifice ne pourrait-il pas guérir comme une simple plaie et lui permettre de vivre sereinement les années qu'il lui restait ? Comme elle apprécierait de pouvoir dormir dans un lit juste à elle, que la nuit puisse au moins lui appartenir, sans crainte qu'Ernest demande à satisfaire ses besoins.

On klaxonna devant la maison, finie l'introspection. Voilà Ernest qui, au lieu d'entrer dans la cuisine, la sommait de venir le rejoindre dans le camion. Quand la politesse était passée, son homme devait être bien loin dans les bois. Elle prit donc son maigre bagage et marcha lentement jusqu'au véhicule de son cher mari.

— Monte pour qu'on se rende au plus batinse. J'ai d'la job sans bon sens et il fallait que ça arrive aujourd'hui.

— C'est quand même pas moé qui décide. As-tu dit aux enfants de s'en aller chez pépère en attendant que tu reviennes ?

— Ben oui, mais y doivent finir l'ouvrage au jardin avant le dîner, c'est pas des fous. Quand la faim va les pogner, y sauront ben où aller. Ton Pierre était parti avant pour trouver sa mémère parce que je l'avais chicané un peu. Y est pas fait fort celui-là, surtout que tu lui avais déjà demandé de rester dehors pendant que tu lavais le plancher. Si c'est pas dans les jupes de sa mère qu'y braille celui-là, c'est dans celles de sa grand-mère.

Mais Pauline fit la sourde oreille, c'était une forme d'autodéfense. Elle n'aurait sûrement pas pu survivre si elle avait porté attention à toutes les critiques acerbes qu'Ernest faisait sur ses gamins et particulièrement sur Pierre, qu'il négligeait ouvertement et même volontairement. C'est à croire qu'il ne pouvait les aimer ou alors il s'en acquittait très difficilement. Ses priorités étaient bien établies. Sa petite personne passait en tout premier lieu, son père et sa mère occupaient le deuxième rang et femme et enfants étaient bons derniers. Il disait parfois en riant qu'ils n'étaient pas, comme lui, des « Potvin, pure race ».

Tout avait commencé lorsqu'il avait appris que son aînée serait une fille. Sa déception avait été telle qu'il n'avait pas accepté que Pauline laisse le berceau dans sa chambre, prétextant qu'il avait besoin de dormir toutes ses nuits pour être en mesure de vaquer à ses occupations le matin.

Lorsque Rose était née, moins de deux ans après sa sœur Diane, il avait fait une terrible colère après le départ de la sage-femme, accusant Pauline de ne lui apporter que des problèmes.

— C'est pas avec une trâlée de filles que j'va venir à bout de grossir mon butin !

Finalement, en 1941, il avait eu son premier fils, Luc, en qui il fondait ses espoirs, mais celui-ci était beaucoup trop timide pour lui succéder et dès qu'il avait été suffisamment mature, il avait quitté la maison pour aller gagner sa vie à Montréal. Il ne lui restait qu'Albert et Yvon qui travaillaient un peu avec lui.

De par son physique frêle et ses manières délicates, Albert ne lui inspirait aucune confiance et pour ce qui était d'Yvon, il était déjà grand et plutôt costaud, mais il tentait tant bien que mal de le cerner. Peut-être qu'en prenant de l'âge, il pourrait se confier à lui. Pour l'instant, il était beaucoup trop jeune. Il se contentait de le laisser marcher dans ses traces en attendant de savoir s'il serait le dernier mâle de la famille, celui qui hériterait des biens.

Il réfléchissait à tout cela en se demandant ce que la vie lui réservait comme surprise. Il souhaitait de tout cœur avoir un fils qui lui ressemblerait et qui serait vraiment le dernier, car il trouvait que sa marmaille était suffisamment grosse. Pauline avait maintenant quarante et un ans. Il aimerait bien savoir à quel moment ça arrivait le fameux retour d'âge dont les femmes discutaient à mots couverts.

La route entre le lac Brûlé et le village de Sainte-Agathe-des-Monts était sinueuse et les rigueurs de l'hiver avaient laissé de nombreuses cavités dans la chaussée. Ernest, qui était brusque en tout, ne faisait rien pour éviter les trous et Pauline se mordait les lèvres pour se retenir de se lamenter. Ça s'était passé comme ça pour la dernière grossesse, pourquoi est-ce que ça aurait changé?

En arrivant à l'hôpital, Pauline récupéra sa vieille valise de carton brun dont les coins étaient usés à la corde même si elle en prenait terriblement soin. C'était un souvenir de sa mère décédée à tout juste trente-sept ans et en la tenant ainsi contre elle, elle avait l'impression de pouvoir sentir sa présence à ses côtés.

Elle se présenta à la réception de l'établissement, suivie par Ernest, qui n'avait même pas pris soin de se laver les mains avant de partir. Elle devait dire que c'était son mari, mais elle aurait souhaité être seule et pouvoir vivre ce moment en toute intimité avec ce petit être qu'elle avait senti grandir en elle pendant tous ces longs mois.

— Bonjour, ma sœur, c'est pour le docteur Lavallée, je vais accoucher et c'est lui qui s'est toujours occupé de toute ma famille.

— Suivez-moi Madame. Monsieur, veuillez patienter ici pendant que je conduis votre épouse en salle d'examen. Je reviendrai vous voir pour faire l'ouverture du dossier.

La religieuse, une oblate, regarda Ernest d'un œil austère. Sans le connaître, elle jugea l'homme distant, vu qu'il n'avait eu aucun geste de solidarité envers sa femme qui souffrait en attendant la délivrance.

Ernest ne dit pas un mot, car il était soulagé de ne pas avoir à se rendre dans la chambre avec Pauline. Les hôpitaux, il n'aimait pas ça et de plus, toutes ces histoires d'accouchement, ça l'horripilait. Bien sûr, il ne lui souhaitait pas consciemment de la douleur, ni à elle, ni même au bébé à naître, mais il éprouvait un réel malaise dès qu'il était en contact avec la maladie, quelle qu'elle soit. À son niveau, c'était beaucoup plus simple lorsqu'il était question de machinerie ou de bois et pour ce qui était du corps humain, il trouvait ça doublement compliqué quand il s'agissait des femmes. Il se demandait pourquoi c'était aussi embarrassant alors qu'avec les animaux, c'était si naturel.

S'il avait pu décider de sa vie, il n'aurait eu qu'un ou deux enfants et des garçons de préférence. Aujourd'hui, ils seraient grands et ils travailleraient avec lui. Plus tard, l'un des deux aurait pris la relève et lui aurait assuré une belle vieillesse. Mais avec sa trâlée de marmots, six et bientôt sept, il avait de la misère à joindre les deux bouts et il avait l'impression qu'ils étaient la source de toutes les chicanes et les discussions orageuses.

Son père lui avait pourtant bien dit que le mariage ce n'était pas facile, mais s'il voulait suivre la tradition familiale, il devait se marier et avoir un fils afin d'obtenir en héritage la maison paternelle, et Dieu seul savait combien il l'avait convoitée. En retour, il se devait de veiller sur ses parents et c'est ce qu'il avait fait en les installant dans une petite chaumière qu'il avait halée d'un rang voisin. Il l'avait aménagée sur un solage fabriqué à partir de simples billots de bois, à la limite nord de son lot de terre. Quand ils décéderaient, il prévoyait d'y loger alors un de ses fils avec sa famille afin d'avoir de l'aide autour de chez lui.

Il se sentait mal à l'aise, assis tout fin seul dans la petite salle d'attente. Il pensait à tout et à rien, mais il réalisa soudain que ça faisait un temps fou qu'il était là.

Qu'est-ce que la bonne sœur pouvait donc bien faire ? Si c'était pour s'éterniser, elle pourrait à tout le moins venir le prévenir et il pourrait s'en aller, quitte à revenir après sa journée d'ouvrage. Ces histoires d'accoucher dans un hôpital… songea-t-il, c'était tellement plus simple quand le médecin passait régler tout ça à la maison.

— Monsieur Potvin ? Il était plus que temps que vous arriviez, lui dit la religieuse qui se présentait au bureau de la réception d'un pas franc et décidé. Sur un ton impérieux, elle rajouta à l'intention de celui qu'elle regardait de bien haut :

— Saviez-vous que votre femme était dans les grosses douleurs et qu'elle aurait pu enfanter sur le pavé ? Ça ne vous est pas passé par la tête de nous l'amener plus tôt ?

— Comment je pouvais m'en douter moé ? C'est pas moé qui le porte cet enfant-là. Quand chu parti travailler après le déjeuner, elle avait l'air pas pire. Elle voulait même laver ses planchers.

— Vous ne pensiez tout de même pas qu'elle pouvait devenir plus ronde qu'elle ne l'était ou bien vous êtes complètement aveugle ! lui lança-t-elle d'un ton avoisinant l'ironie.

Elle abhorrait déjà cet individu quand elle l'avait vu laisser sa pauvre femme porter sa valise usée. Elle s'en débarrassa donc sans politesse, après avoir noté les seules coordonnées nécessaires pour l'établissement d'une facture, qu'elle souhaitait avoir la jouissance de lui remettre en main propre.

— Nous communiquerons avec vous dès que le bébé sera là et ça ne devrait pas tarder, conclut-elle, lui tournant le dos immédiatement pour retourner à ses occupations.

Les religieuses avaient l'habitude de ces hommes durs auxquels elles auraient aimé faire vivre les douleurs de l'enfantement afin de les amadouer.

— Merci ma sœur, répondit-il d'un ton plus conciliant. J'va attendre votre appel.

* * *

Dans la salle commune où Pauline avait été conduite, quatre jeunes femmes étaient déjà alitées. L'une d'entre elles dormait, car elle avait donné naissance à une belle petite fille dans le courant de la nuit, la deuxième avait malheureusement fait une fausse couche la veille et les deux autres avaient été hospitalisées plus d'une semaine avant l'accouchement afin de recevoir du sérum pour prendre des forces. Depuis que l'on prodiguait autant de soins aux futures mamans, le nombre de femmes mortes en couche avait considérablement diminué, tout comme les décès de nouveau-nés.

Pauline ressentait beaucoup de douleur, mais elle était soucieuse de ne pas apeurer inutilement ses compagnes de chambre. Elle prenait garde de ne pas se lamenter même si elle aurait voulu clamer toute sa souffrance. Elle se souvenait trop bien de son dernier accouchement alors qu'une dame Desroches avait hurlé et même blasphémé pendant toute une nuit. Comme cette femme l'avait effrayée par ses paroles tenant du délire.

Heureusement, ce jour-là, une gentille sœur oblate

était venue s'asseoir à côté de son lit et avait récité le chapelet qu'elle entrecoupait de litanies chrétiennes, ce qui avait calmé ses appréhensions quant au temps requis pour enfin être délivrée. Ces bonnes religieuses avaient discrètement remplacé les sœurs de la Providence quand celles-ci s'étaient vues dans l'obligation de vendre l'hôpital en 1954, n'étant plus en mesure de le gérer sainement. On avait depuis modernisé et agrandi l'établissement sous la direction des docteurs Albert Joannette et Gilles Grignon.

Pour Pauline, qu'il s'agisse d'une congrégation ou d'une autre, c'était du pareil au même. Enfanter n'était pas de tout repos, mais en songeant que la Vierge Marie avait traversé les mêmes affres, elle se disait qu'elle se devait d'être à la hauteur si elle voulait un jour bercer un petit ange contre son sein.

La période de délivrance fut quand même laborieuse à cause de la grande faiblesse de Pauline, mais celle-ci demeura, néanmoins, d'une sérénité exemplaire, comme si les pensées pieuses avaient anesthésié son âme et libéré son esprit, le temps que le médecin accomplisse son boulot.

— Vous avez un beau gros garçon, Madame Potvin. Il doit peser dans les dix livres, la félicita le bon docteur Lavallée.

— Est-ce qu'il est ben correct, il lui manque rien ? demanda Pauline d'une voix somnolente, mais fière à l'idée du nouveau petit être que le mystère de la vie lui octroyait encore une fois.

— N'ayez aucune crainte. C'est un robuste bébé que

vous avez là et il est bien en forme. Je pesais dix livres à la naissance moi aussi et regardez de quoi j'ai l'air aujourd'hui, dit l'homme de haute taille dont la carrure imposait le respect.

— Merci docteur, répondit-elle enfin rassurée, avant de fermer les yeux pour profiter pleinement du sommeil réparateur.

Bien avant sa venue à l'hôpital, Pauline était déjà épuisée par ses longues journées à la maison et elle n'avait que très rarement le loisir de dormir à satiété. Elle entendait bien prendre tout le repos nécessaire avant de retourner chez elle, où elle devrait rapidement reprendre la charge de la famille.

* * *

Quand le bébé fut bien emmailloté dans le petit lit de la pouponnière et que la mère eut reçu tous les soins requis par son état, la religieuse entreprit de communiquer par téléphone avec le père.

— Monsieur Potvin, c'est sœur Cécile de l'Hôpital de Sainte-Agathe. Votre épouse vient de donner naissance à un gros garçon.

— Ouais, c'est ben correct, ma sœur. Dites-y que je suis ben content que ce soit un gars, ajouta-t-il sur un ton qui en disait long sur ses convictions discriminatoires en ce qui avait trait aux hommes et aux femmes.

— Ça a été très difficile, Monsieur Potvin, ajouta celle-ci d'un ton réprobateur. Vous devez être conscient qu'elle aurait pu y rester. C'est le Seigneur Dieu qui a veillé sur elle; vous devrez le remercier grandement.

— Oui ma sœur. Asteure, est-ce que je peux aller la voir une minute? demanda-t-il, coupant court au discours de la religieuse. Il avait hâte de faire savoir à Pauline combien il était heureux d'avoir un fils.

— Votre femme dort pour l'instant, mais vous pourrez revenir à l'heure des visites à compter de sept heures ce soir, répliqua-t-elle froidement, frustrée que l'homme l'ait empêchée de parler, et ce, de façon si cavalière.

— C'est correct ma sœur, dit-il à son tour d'une voix tranchante. Il détestait se faire dicter sa conduite et il se voyait maintenant forcé d'attendre l'heure prévue par les règlements pour se rendre à l'hôpital.

Un fils. Il aurait à nouveau un descendant et il entendait bien ne pas le laisser gâter par sa mère celui-là. Il lui semblait qu'il n'avait jamais ressenti une telle sensation de plénitude. Ce soir, il aurait l'occasion d'aller visiter son garçon, le benjamin de la famille, celui à qui il pourrait tout montrer et surtout, celui qui prendrait sa relève plus tard.

Pour le moment, histoire de faire passer le temps, il pouvait retourner au travail pendant une heure ou deux. Comme les fois précédentes, ses vieux parents prendraient soin de ses enfants en attendant que sa femme revienne à la maison.

Ernest n'avait maintenant qu'une seule idée en tête, soit celle de se rendre fouiller dans son garage ou encore mieux, dans celui de monsieur Thompson pour y trouver de beaux morceaux de merisier avec lesquels il façonnerait un joli petit cheval de bois pour que son fils puisse se balancer quand il serait un peu plus grand. Il utiliserait son talent pour sculpter les planches et leur donner vie à travers chaque coup de gouge.

Il sentait déjà qu'il aimerait cet enfant-là comme il n'avait jamais aimé les autres. Il ferait tout ce qu'il pourrait pour le former de manière à ce qu'il ait une existence de qualité sans avoir à trimer aussi durement que lui.

CHAPITRE 3

Les grands-parents

(Juin 1959)

Mémère Potvin avait vu arriver à travers le champ Pierre, son petit-fils, celui pour qui elle avait une affection toute particulière. On disait qu'un bambin frêle et malade avait besoin de plus d'amour et elle faisait en sorte de lui en donner en grande quantité. Elle savait que ce n'était pas son fils Ernest qui gâtait le plus sa progéniture.

— Je me demande où est-ce que j'ai été le pêcher celui-là, pour qu'il soit aussi égoïste avec ses propres enfants ? Ernest se regarde le nombril un peu trop à mon goût ; ça me dit qu'il ne sera pas chanceux dans la vie !

— T'en fais pas pour ça, ma vieille, Pauline pis les enfants ont pas l'air trop maltraités. En tout cas, elle se plaint pas pis les jeunes manquent de rien, répliqua le vieux qui avait la fâcheuse habitude de défendre son fils.

La bonne grand-mère entreprit de faire chauffer du lait pour son petit-fils préféré. Elle le sucrerait avec du sirop d'érable du printemps dernier. Elle ne répondrait pas aux interprétations de son époux, ayant appris depuis longtemps à garder pour elle ses états d'âme.

— Rentre mon homme, viens voir mémère. Assis-toé, pis raconte-moé comment ça va chez vous à matin.

— Ben y a pas grand-chose, à part que maman a commencé à laver son plancher de bonne heure après le déjeuner. Comme d'habitude, a nous a demandé de rester dehors pour pas qu'on le pilote[4].

— Je faisais la même chose avec les miens autrefois. Pis tes frères, qu'est-ce qu'y bardassent?

— Albert et Yvon travaillent dans le jardin, mais y veulent pas de moi et à part de ça, papa m'a chicané. C'est pour ça que j'ai décidé de m'en venir icitte, répondit Pierre sans entrer dans les détails, car tous les enfants Potvin étaient bien avertis de ne pas colporter ce qui se passait dans leur famille.

— Si ta mère a des idées de grand ménage dans son état, c'est signe que les Sauvages[5] vont bientôt nous visiter. Toutes les femmes ont la même manie. Ton père est-tu alentour?

— Oui, il était dans le garage, mais je viens de le voir partir avec son *truck*. Il ne doit pas être content. C'est certain que maman l'a pas laissé rentrer dans la maison lui non plus, affirma le petit garçon avec un sourire narquois et un regard rempli de complicité pour sa grand-mère.

---

4   Pilote: piétine.
5   Signe que les Sauvages vont bientôt nous visiter: À cette époque on ne disait pas aux enfants comment les enfants naissaient. Quand ils découvraient un nouveau bébé à la maison, on leur disait qu'il avait été apporté par les Sauvages.

— C'est correct mon grand, dit la vieille dame en souriant également à l'idée que son fils n'avait pas le droit d'entrer dans sa propre demeure pendant que sa femme achevait de récurer le plancher de la cuisine. Ce serait bien là tout ce qu'elle lui refuserait.

Au-delà de tous les problèmes familiaux, elle appréciait les beaux moments qu'elle vivait avec ses petits-enfants, qu'elle avait la chance de côtoyer au jour le jour, étant donné la proximité de leurs résidences respectives.

— Tu vas passer la journée avec moé aujourd'hui ; on va faire des bons beignes poudrés. Édouard, veux-tu te rendre chez Ernest ? D'après moé, les jeunes sont tout seuls. Tu me les ramèneras pour le dîner. J'ai une grosse omelette au lard et, c'est certain qu'y en a pour la gang.

Et Édouard, de plus en plus docile avec les années, acquiesça à la demande de sa chère épouse. Dieu sait qu'il lui en avait fait vivre des moments difficiles au cours de ces quelque soixante années de vie commune, mais il essayait maintenant de ne pas penser à cela, car ça l'attristait. Lui qui n'avait pas versé une larme avant la mort de sa mère, il avait tendance à avoir les yeux de plus en plus humides en prenant de l'âge.

Amanda, maintenant seule avec le petit, lui servit une bonne tasse de lait chaud et sucré. Ce n'étaient pas ces petites gâteries qui gâcheraient son repas.

Elle aurait parfois eu le goût de le garder avec elle celui-là, pour l'engraisser un peu. Mais ce serait au risque d'offenser sa bru et elle la respectait beaucoup trop pour cela. Avant de poser un geste de la sorte, elle se demandait toujours comment elle aurait réagi dans la même situation et ainsi, elle évitait de froisser les autres.

Bien qu'elle allait avoir bientôt soixante-dix-huit ans, elle était contente de pouvoir se rendre utile pendant que sa belle-fille était hospitalisée. Avec tout le travail qu'elle avait à la maison, c'était bien mieux pour elle de rester quelques jours de plus avec les sœurs à l'hôpital. Un peu de repos lui permettrait de recouvrer des forces avant de reprendre le flambeau.

Elle savait de quoi elle parlait, elle qui avait mené à terme huit grossesses en plus de subir quatre fausses couches. Il n'y avait qu'une femme pour en comprendre une autre, surtout quand elle avait épousé un Potvin du lac Brûlé. Des gars intelligents, habiles, travailleurs acharnés et qui ne buvaient pas ou très peu, mais ce n'est pas parce qu'on évite la boisson que l'on a un bon caractère pour autant. À son avis, la joie de vivre, le rire, la musique, c'était aussi important que le pain quotidien ; mais dans la famille Potvin, les faces de bois étaient de mise. Ils riaient de leurs farces seulement et elles étaient parfois cyniques. On aurait dit que le monde tournait autour d'eux exclusivement.

Quand elle avait rencontré Édouard, en 1898, elle était jeune et ne connaissait pas grand-chose à la vie. Sa mère, qui avait peur de tout, avait éduqué ses enfants dans la crainte, qu'il s'agisse de la noirceur, du feu, de l'orage, de l'eau, du diable ou des punitions du Bon Dieu. Bien naturellement, elle n'avait pas omis de mettre ses filles en garde contre les hommes, qu'elles se devaient de craindre en tout temps. Elle leur avait dit qu'ils avaient tous les mains longues et que la vertu d'une demoiselle était difficile à conserver.

Pour ce qui était de ce cher Édouard, sa mère en faisait une exception, car il s'agissait du fils de son cousin préféré et elle le voyait dans sa soupe. C'est donc elle qui avait en quelque sorte organisé les visites du jeune homme avec Amanda, et quelques mois plus tard, la grande demande avait été faite, et le mariage célébré, avant la venue de l'hiver. Quand on avait plusieurs filles et qu'elles ne semblaient pas avoir la vocation, il était de bon ton qu'elles se marient en bas âge. Elles évitaient alors de « se faire pogner » et de se retrouver en famille avant d'avoir dit « oui » devant monsieur le curé. Ce qu'on voulait également prévenir, c'était qu'elles restent célibataires et collent à la maison. Amanda avait été rapidement charmée par cet homme de caractère qui avait une allure racée. Elle l'avait épousé sans véritablement connaître sa personnalité, qui s'était avérée plutôt autoritaire.

Elle n'avait pas de regret, mais elle avait dû trimer dur pour se faire une petite place sous son toit. Au fil des ans, elle avait analysé les comportements de cet individu prompt et avait su le manipuler, de façon à ce qu'il croie prendre les décisions quand c'était elle qui l'avait mis sur la piste. C'est ainsi que l'homme de la maison avait délégué beaucoup de pouvoirs à sa femme en présumant qu'il gérait la crise, et Amanda en avait profité avec les années pour s'occuper de ses enfants à sa guise. Si les premières années avaient été terribles, au fil du temps, elle avait réussi là où bien d'autres auraient abandonné.

Mais on ne peut abolir l'hérédité et Ernest avait été le plus rebelle de ses rejetons. Encore à ce jour, elle avait de la difficulté à le cerner et son époux, Édouard, se voyait souvent menacé depuis que tous les biens avaient été transférés à leur fils cadet. Ils se devaient d'être diplomates afin de maintenir l'harmonie et vivre leurs vieux jours comme ils l'entendaient. Ils clamaient donc haut et fort qu'Ernest était maintenant le seul maître à bord. Plus on complimentait le paon, et plus il se faisait beau et docile.

À l'horloge sonnante de la cuisine, on annonçait midi. Il fallait vivement dresser la table pour recevoir la marmaille. Elle se réjouissait d'avoir l'occasion de partager ce repas avec trois de ses petits-enfants en même temps. Ça mettrait de la vie dans leur modeste chaumière et sans leurs parents, les jeunes étaient souvent plus attachants. Ils oubliaient qu'ils devaient être performants et devenaient naturels.

À une bonne omelette levée tout juste à point, Amanda ajouterait des patates réchauffées avec des oignons et le restant de la brique de lard de la veille au soir. Les enfants aimaient toujours la nourriture chez mémère et c'était ainsi de génération en génération. Il semblait surtout que la mère n'était jamais à la hauteur d'une aïeule au chapitre des desserts et particulièrement du sucre à la crème.

Yvon et Albert arrivèrent en courant vers la maison, laissant le vieux grand-père marcher seul en arrière. Tout le monde s'attabla et commença à piailler.

— Qu'est-ce qu'on mange ? crièrent-ils tous ensemble.

— Des bines pis du «bœuf à *spring*», répondit pépère Potvin en riant, comme il le faisait à chaque fois que quelqu'un posait cette question.

Et c'est avec le cœur rempli d'allégresse que la grand-maman sortit la poêle de fonte du fourneau et servit de généreuses portions aux enfants, qui avaient des appétits d'ogre après un avant-midi à travailler dehors. Il n'y avait que le petit Pierre qui mangeait comme un oiseau, mais personne ne savait qu'il s'était gavé de gâteries avant leur arrivée. Il garderait le secret, comme il était habitué à taire tout ce qui se passait chez lui, même les dures corrections que lui donnait son père en l'absence de sa mère.

— Mémère, avança Albert d'un ton affectueux, monsieur Bouchard est-tu venu vous dire la nouvelle?

— Ben oui, j'en reviens pas. La pauvre Adéline doit être toute à l'envers, répliqua la grand-mère qui semblait tout à coup fort attristée.

— De quoi vous parlez? demanda Édouard qui était curieux comme une belette. J'en ai sûrement manqué des bouts!

— Monsieur Bouchard est passé chez Adéline à matin et il l'a trouvée ben accablée. Elle venait d'apprendre une mauvaise nouvelle. Tu sais que la sœur d'Adéline a marié un gars du Nouveau-Brunswick, un dénommé Martin.

— Tu veux parler de l'homme qu'on avait rencontré aux funérailles de son mari, celui qui avait les cheveux noirs comme un corbeau?

— C'est ben ça et en plus, on avait de la misère à le comprendre tellement y parlait vite!

— J'me rappelle qu'il nous appelait Potvan au lieu de Potvin.

— Oui, il avait un gros accent, mais j'aimais ça. J'te dis qu'il avait de la jasette celui-là. J'aurais pu l'écouter pendant des heures tellement y était intéressant.

— Dis-moi pas qu'y est mort! Y était pourtant pas vieux.

— Ben non, laisse-moi parler. C'est tout un drame que ces gens-là doivent vivre à ce temps icitte. Tu te souviens qu'y nous racontait que sa famille, c'était en grande majorité des pêcheurs?

— Oui je me rappelle, mais explique-nous qu'est-ce qui s'est passé! demanda Édouard impatient de connaître la suite de l'histoire, les nouvelles de l'extérieur étant beaucoup moins fréquentes quand on demeurait à la campagne.

— Ben y est arrivé un gros naufrage pis y en a trois de la même famille qui sont disparus en mer. Dans le lot, y avait son filleul de douze ou treize ans, à peu près de votre âge les p'tits gars!

Les enfants n'étaient pas habitués d'intervenir lorsque les adultes discutaient sérieusement, mais ce récit les intéressait particulièrement. Quand il était question de l'océan, ça relevait du mystère et ils souhaitaient toujours en apprendre plus.

Pourquoi n'y avait-il que des lacs dans le Nord alors qu'ailleurs, les gens avaient un cours d'eau si immense avec de grosses vagues?

Lorsque les jeunes entendaient parler de lointains pays, ils s'imaginaient que là-bas, les personnes vivaient toutes dans l'abondance et que leur décor était extraordinaire alors qu'ici au lac Brûlé tout était d'une grande simplicité.

On pouvait toujours envier son voisin, mais c'était sans connaître le confort de son mobilier.

Dans les principaux journaux, on rapportait que dans la nuit du 19 au 20 juin, lors d'une violente tempête, vingt-deux navires étaient disparus en mer au large d'Escuminac, dans le comté de Northumberland au Nouveau-Brunswick, et trente-cinq pêcheurs de saumon et de maquereau avaient péri.

— C'est toujours triste quand ça touche du monde qu'on connaît, même si c'est pas des parents proches, pis surtout quand y a des enfants en cause.

— Comment ça se fait qu'y pêchent en pleine nuit? demanda Yvon sur un ton méprisant, ne démontrant aucune empathie pour les gens éprouvés.

— T'apprendras mon jeune que les pêcheurs, c'est des personnes qui travaillent dur pour faire vivre leur famille. Il faut qu'ils se rendent au large, en plein milieu de la nuit, beau temps, mauvais temps, pour installer leur gréement et y savent jamais si la pêche sera bonne. Toi quand tu t'assis sur le bord du quai pour pêcher, c'est pour te sauver de l'ouvrage que ton père te demande de faire! Tu devrais avoir un peu plus de respect pour les autres, pis surtout quand y vivent des épreuves de même!

— C'est correct Édouard, on va pas faire un argument avec ça. Mais à soir, on dira notre chapelet pour tout ce monde-là qui a disparu. On priera aussi pour ceux qui restent. Je trouve qu'y sont souvent plus à plaindre.

Amanda pensait qu'elle parlerait plus longuement de cet événement quand ils ne seraient que tous les deux. Pas nécessaire de troubler l'harmonie de ce dîner avec des discussions qui, de toute façon, étaient généralement réservées aux adultes.

Le repas du midi se déroula par la suite sans chicane, comme ça se produisait habituellement dans cette maison, leur grand-mère ne tolérant pas qu'on hausse le ton.

Pierre se demandait souvent pourquoi c'était si différent lorsqu'ils étaient chez eux, avec leurs parents. C'était à croire qu'il y avait des esprits malins dans leur demeure et qu'il devenait impossible d'agir autrement. Aucune journée ne se passait sans qu'on entende des cris et des larmes quand ce n'était pas des coups ou des jurons. Les enfants semblaient pouvoir s'adapter à tout et ils apprenaient par l'exemple. Qu'adviendrait-il de ces gamins au moment où ils devraient à leur tour jouer leurs rôles de parents avec toutes les responsabilités que ça impliquerait?

Le dessert terminé, tous aidèrent à ramasser leurs couverts et mémère leur donna congé en leur disant qu'elle allait garder Pierre avec elle pour qu'il participe à la corvée de vaisselle. On peut faire de chaque tâche un moment unique et c'est ce que la grand-maman tentait de faire vivre à ses petits-enfants.

Elle avait promis à son petit-fils qu'ils feraient ensuite des beignes, que ce serait lui qui les taillerait avec un verre enfariné et qu'il ferait lui-même les trous avec un dé à coudre. Elle se réservait la cuisson dans la graisse et là, il n'était pas question que les enfants approchent du poêle, de peur qu'un accident se produise. Elle se souvenait d'une petite fille du village qui avait reçu un plein chaudron d'huile sur la jambe et depuis, elle prenait doublement ses précautions pour éviter qu'un malheur n'arrive à l'un des siens.

Elle souhaitait continuer de s'amuser avec les plus jeunes en les intégrant à son train-train quotidien. Elle tenait à leur accorder du temps de qualité. Pour certains, c'était si simple, alors que d'autres s'acharnaient à vouloir tout compliquer.

Amanda aimait ses petits-enfants et avait rapidement développé une complicité avec eux. Jouer avec ceux-ci lui permettait de conserver sa vivacité d'esprit et ainsi d'oublier les moments de tristesse ancrés solidement dans sa mémoire. C'était toutefois réciproque, ils avaient besoin les uns des autres pour être heureux.

Ses premières années de mariage avaient été très difficiles. Alors qu'elle avait été enceinte au tout début de sa vie de couple, elle avait fait une fausse couche après tout juste cinq mois, ce qu'Édouard lui avait amèrement reproché, disant qu'elle avait été imprudente et même négligente durant cette période.

Au moment de sa deuxième grossesse, elle était à la fois contente et anxieuse. Dès qu'elle eut atteint les douze semaines, elle perdit à nouveau le bébé et ce fut la même chose à deux autres reprises. Le destin semblait ne pas vouloir lui permettre d'enfanter et son mari n'hésitait jamais à lui en imputer toute la responsabilité.

Elle avait prié jour et nuit, demandant au Bon Dieu de lui accorder la grâce de donner un fils à son époux et elle fut exaucée en 1905, alors qu'elle donna naissance à un petit garçon qui ne pesait que six livres. Édouard jubilait et reprenait confiance en la vie lorsque après tout juste trois mois, on avait trouvé le bébé mort dans son berceau, comme s'il avait décidé simplement de ne plus jamais se réveiller.

Le couple avait été très attristé par ce décès et n'eût été leur grande foi, ils n'auraient pu continuer à croire que c'était encore possible. En 1907, Amanda donna naissance à une belle petite fille prématurée, mais celle-ci ne vécut que quelques jours. C'était le coup de grâce pour eux qui se disaient punis sans savoir ce qu'ils auraient pu commettre comme péché pour être si durement éprouvés par la vie.

Sur les conseils de son curé, Amanda avait entrepris une neuvaine à Sainte-Agathe-des-Monts, la patronne des nourrices, tandis qu'Édouard, pour sa part, avait cessé de se rendre à l'église malgré les critiques acerbes de sa famille. Il affirmait ne plus croire en Dieu, ce qu'Amanda lui interdisait formellement de répéter.

Le samedi 5 février 1910, fête de Sainte-Agathe, peu après neuf mois de la fin de ses litanies, Amanda donna naissance à un vigoureux garçon de neuf livres. Édouard était tout aussi heureux qu'anxieux et, craignant les foudres de son Dieu, il était retourné à la messe dès le lendemain matin pour se confesser, après quoi il avait repris ses prières quotidiennes avec ardeur.

On avait appelé cet enfant Victor et ses parents l'avaient protégé comme un trésor inestimable. Par la suite, Amanda avait pu donner naissance à cinq autres rejetons et bien qu'elle les aimât tous, elle avait un attachement très spécial pour son aîné qui avait un jour permis que la grande blessure de son cœur de mère puisse finalement commencer à guérir.

En 1943, elle avait compris que les enfants ne nous sont que prêtés par Dieu. Son fils Victor était mort au combat durant la Deuxième Guerre mondiale. Quand elle avait appris la nouvelle, elle aurait souhaité pouvoir partir le rejoindre, n'ayant plus de jeune à la maison ; on n'avait plus besoin d'elle ici-bas, se disait-elle.

Pendant plusieurs années, elle n'avait été que l'ombre d'elle-même. Heureusement, la proximité avec ses petits-enfants lui avait permis de reprendre tranquillement goût à la vie.

Lorsque Pierre était venu au monde, elle avait ressenti quelque chose de très particulier qu'elle avait interprété comme un message de l'au-delà. Elle avait encore une fois une mission à accomplir : elle serait la gardienne de cet enfant né dans la tourmente. Depuis, la vie avait repris son cours et le soleil lui avait paru beaucoup plus étincelant.

Des dîners comme celui d'aujourd'hui étaient des moments remplis de magie et cette réflexion lui permit de prendre une décision bien éclairée.

Elle allait demander à Pauline de garder Pierre cet été, le temps que sa belle-fille reprenne du poil de la bête. Un de moins ne « paraîtrait » pas pour eux et pour elle, ce serait encore un cadeau que la vie lui accorderait. Déjà, elle imaginait tout ce qu'elle pourrait faire avec son petit-fils préféré. N'aime-t-on pas plus ceux qui sont faibles ou démunis ?

Il lui faudrait jouer d'astuce pour laisser entrevoir à Ernest que la décision lui revenait de droit et que Pauline n'avait rien à redire. Elle en discuterait en temps et lieu avec sa belle-fille et elles établiraient un scénario digne d'un grand écrivain.

On peut manipuler un homme en flattant son ego, et elle l'avait démontré depuis fort longtemps avec son vieux mari ; ça marcherait à coup sûr avec le fils.

CHAPITRE 4

Monsieur Thompson

(Juillet 1959)

Déjà une semaine que la belle Pauline était revenue à la maison avec son petit dernier. Des complications durant son séjour à l'hôpital avaient fait en sorte qu'elle avait dû subir une grosse opération peu de temps après l'accouchement. Une hémorragie persistante n'avait pas donné le choix au médecin traitant et avant de perdre la mère, il avait cru bon d'effectuer immédiatement une hystérectomie. Avec ses dix grossesses, dont sept menées à terme, elle avait suffisamment contribué à la société québécoise et le docteur Lavallée savait que la pauvre femme était au bout de ses forces. Un seul autre enfantement aurait pu lui être fatal. C'est donc ce qu'il avait expliqué à Ernest, sans jargon technique, afin qu'il autorise l'intervention qui était nécessaire, mais qui, cependant, n'était pas gratuite, tout comme l'hébergement pour la convalescence de la patiente.

— Encore moé qui paye dans tout ça ! s'était exclamé Ernest, pour qui l'argent était toujours une source d'intenses conflits.

— Monsieur Potvin, est-ce que vous préféreriez accoucher à la place de votre épouse? lui avait candidement suggéré en réflexion le bon docteur pour apaiser sa colère et lui faire entendre qu'il n'était pas le plus à plaindre.

Ernest encaissa la boutade sans toutefois répliquer. Il était suffisamment intelligent pour ne pas entreprendre une discussion avec quelqu'un qui pourrait avoir avantage sur lui.

Bien que son avarice lui tordît les tripes, il réfléchit tout de même au fait qu'il n'aurait ainsi plus d'accouchement à payer à l'avenir et ça lui sembla de bon augure. Et qui sait si sa femme n'allait pas devenir un peu plus résistante à la maladie en étant à jamais stérile?

Ernest tenta cependant de négocier avec le médecin afin que son épouse revienne à la maison le plus rapidement possible pour terminer sa convalescence, prétextant que les enfants s'ennuyaient atrocement. Le docteur, connaissant bien son interlocuteur, fut intransigeant et mentionna qu'il ne laisserait sortir la mère que lorsque son taux d'hémoglobine serait satisfaisant. Il ne voulait prendre aucun risque, sachant que dès que sa patiente remettrait les pieds chez elle, elle aurait l'obligation de reprendre la charge des tâches ménagères, lesquelles étaient trop lourdes pour une personne dans sa condition.

Le père de famille n'eut pas le choix. Il dut se plier à ces recommandations, se consolant cependant de n'avoir pas perdu complètement la partie. Il y avait de toute façon une autre femme, en l'occurrence sa propre mère, qui assurerait la continuité en attendant le retour de Pauline. Après tout, n'était-ce pas lui qui avait installé ses parents à proximité de sa demeure et qui avait fait en sorte qu'ils aient, jusqu'à la fin de leurs jours, un toit sur la tête ? Il était donc normal que celle-ci lui soit redevable de sa générosité.

C'est sans la mère que le petit bébé fut conduit, quelques jours après sa naissance, à l'église de la paroisse de Notre-Dame de Fatima, pour y recevoir le tout premier sacrement requis par la religion catholique. Il fallait à tout prix protéger l'enfant qui risquait de se retrouver dans les limbes pour l'éternité, si toutefois il mourait avant que la pratique de ce rite ait eu lieu. L'aînée de la famille, Diane, et son mari étaient dans les honneurs et c'est Amanda, la grand-mère paternelle, qui porta fièrement le benjamin des Potvin. On le baptisa sous le prénom de Joseph Victor Simon, en souvenir du frère d'Ernest, Victor Potvin, décédé durant la Deuxième Guerre mondiale alors qu'il n'avait que trente-trois ans. Les croyances populaires voulaient qu'en donnant le nom d'un homme brave à un enfant, ce dernier soit doté de la même force de caractère. Pour son dernier fils, Ernest mettait ainsi toutes les chances de son côté.

* * *

Pauline avait été hospitalisée un peu plus de deux semaines et à son retour à la maison, elle semblait enfin ragaillardie. Elle vaquait à ses tâches journalières, prenait soin du nouveau bébé, mais trouvait toujours du temps pour aller cueillir des petits fruits des champs afin d'en faire des confitures et des desserts. C'était sa fierté et elle profitait de ces courts moments de solitude dans la nature pour se ressourcer. Entre le ciel et la terre, elle ramassait délicatement avec ses mains fines les récoltes que le Créateur lui offrait et, comme un rituel, elle le remerciait fréquemment d'une douce pensée sous forme d'une profession de foi.

— C'est vous, Seigneur, qui me donnez aujourd'hui la force de venir cueillir les fruits qui nourriront ma famille.

Et elle récitait, du plus profond de son cœur, sa prière préférée, le Notre Père. Consciemment ou non, elle mettait chaque fois beaucoup plus d'intensité sur certains mots :

Notre Père, qui êtes aux cieux
Que votre nom soit sanctifié
Que votre règne arrive
Que votre volonté soit faite sur la terre comme
au ciel
Donnez-nous aujourd'hui notre pain quotidien
Et pardonnez-nous nos offenses comme nous
pardonnons à ceux qui nous ont offensés
Et ne nous laissez pas succomber à la tentation
Mais délivrez-nous du mal
Ainsi soit-il

Elle souhaitait avidement qu'Il accède à sa demande et qu'Il puisse exaucer ses nombreuses prières, surtout en ce qui avait trait à ses enfants, qu'elle adorait. Avec le temps, ces conversations avec Dieu lui avaient apporté une sérénité essentielle à la poursuite de ses activités quotidiennes. Elle dialoguait avec Lui comme avec un ami, un confident.

Et puis, comme la sœur Alfred, religieuse de la congrégation des Filles de la Sagesse, le lui avait si bien enseigné, n'était-Il pas le seul qui voyait tout, qui entendait tout et qui savait tout ?

En terminant sa longue réflexion, elle ramassa sa petite chaudière de framboises et, avec un sourire en coin, elle regarda le ciel et dit à voix basse :

— Mon Dieu, et dire qu'en remerciement je ne pourrai même pas vous envoyer un petit pot de confiture !

* * *

De son côté, avec l'arrivée des beaux jours, Ernest devait mettre les bouchées doubles pour finaliser les travaux qu'il avait entrepris à la maison de monsieur Thompson, dont il avait l'entière responsabilité depuis plusieurs années.

Cette charmante demeure, située à quelques acres de celle des Potvin, avait été acquise par monsieur Douglas Thompson en 1909, soit l'année où l'hôpital Mont-Sinaï avait été construit à Préfontaine. Celui-ci avait découvert ce coin de pays grâce à ses nombreux amis médecins. Ce qui avait été au tout début un camp de chasse et de pêche réservé aux hommes avait été transformé au fil des ans en un magnifique chalet d'été ; son épouse, madame Thompson, venait y passer la belle saison avec leurs enfants. Au décès du paternel, c'est au fils aîné, William, qu'il avait été légué. Depuis le tout premier jour, les Potvin en étaient les gardiens, les « hommes engagés » de la famille anglophone, laquelle était plutôt bien nantie. Celle-ci occupait la grande maison tout l'été, et ce, jusqu'à tard l'automne. Depuis cinq ou six ans, ils ouvraient également celle-ci pour venir y célébrer le jour de l'An et monsieur Thompson en profitait pour amener des amis afin de faire du ski de randonnée, ce qu'il appelait communément du *cross-country skiing*. Ils sillonnaient allègrement les sentiers Maple Leaf et Gillespie qui, depuis les vingt dernières années, étaient très populaires dans ce coin de pays où la neige avait préséance pendant de longs mois.

Tout comme son père l'avait fait avant lui, Ernest devait annuellement réparer les cadres des moustiquaires brisés, les repeindre et les réinstaller après avoir enlevé les châssis doubles. Il devait également nettoyer le terrain des branches et du bois mort qui jonchaient le sol. Tout devait être impeccable à leur arrivée. Cette année, le grand balcon couvert donnant accès sur le lac avait des planches pourries et il devait les remplacer, avant de lui redonner son éclat en appliquant une nouvelle couche de peinture à l'huile grise, comme il le faisait tous les ans.

— Ça prend juste un Anglais pour dépenser autant d'argent après une maison, ronchonnait Ernest un jour qu'il parlait avec son père. J'vous mens pas, y a quasiment aussi épais de peinture qu'y a de bois sur cette galerie-là.

— Tu ne devrais pas te plaindre, mon garçon, parce que, depuis plusieurs années, cette famille-là nous a apporté beaucoup d'eau au moulin. J'ai toujours eu pour mon dire qu'on ne mord pas la main qui nous nourrit.

— Y faut quand même pas charrier, le père, le bonhomme Thompson nous donne rien. On travaille assez pour chaque piastre qu'on ramasse.

— Mais si t'avais pas cet ouvrage-là, tu serais peut-être obligé d'aller gagner ta vie en dehors pis tu trouverais ça moins drôle.

— Vous y avez assez liché les bottes à Thompson. Moé, j'ferai pas la même erreur. J'ai pas l'intention de me faire traiter comme un esclave parce que j'suis né pour un p'tit pain. En tout cas, c'est pu votre *business* asteure, c'est la mienne.

— Si tu prends ça de même, t'as juste à pas venir me bâdrer[6] avec ça. Mène ta barque comme tu veux, mais avise-toé pas de revenir brailler la journée où t'auras pu d'ouvrage.

Et la conversation entre les deux vieux ours prenait toujours fin sur une rebuffade de l'un ou de l'autre, à croire qu'ils étaient trop semblables pour parvenir à s'entendre, et ce, même s'ils avaient été en parfait accord.

Monsieur Thompson, quoique très exigeant, payait également plutôt bien ses employés. Cette maison, achetée par son père et où il gardait de si magnifiques souvenirs de vacances, avait à ses yeux une valeur sentimentale énorme. Habitué au rythme effréné de la ville,

---

6 Bâdrer : Embêter, déranger quelqu'un.

il se faisait un devoir de venir se ressourcer au cœur de ses belles Laurentides, où, disait-il, les gens prenaient le temps de vivre et où l'air était d'une si grande pureté.

C'est donc de père en fils, autant du côté des Potvin que des Thompson, qu'on faisait des affaires ensemble. Il s'agissait d'un important revenu pour la famille d'Ernest, étant donné que c'était tout près de chez lui et que son patron était la plupart du temps absent, ce qui agrémentait l'ambiance et minimisait les possibilités de conflits.

* * *

Pauline aimait bien l'allure de monsieur Thompson, cet homme distingué qui ne manquait jamais de venir la saluer à son arrivée dans la région. Il la charmait littéralement avec son air fier et la façon dont il s'exprimait en français. Son doux timbre de voix et les jolies phrases qu'il disait lui faisaient penser aux acteurs Humphrey Bogart ou Marlon Brando, dont on parlait dans les journaux et que sa fille Diane avait vus au théâtre Roxy, à Sainte-Agathe-des-Monts.

Il était rare qu'elle se permette de rêvasser ainsi, mais lorsqu'on annonçait l'arrivée des touristes, elle sentait son cœur qui battait la chamade. Son esprit faisait un retour en arrière, au beau milieu de son jardin secret... bien avant qu'elle ait connu Ernest.

Les enfants, Yvon et Albert, la tirèrent de sa rêverie en entrant dans la maison en trombe. Il n'y avait pourtant pas une minute à perdre si l'on désirait que tout soit prêt à temps.

— Monsieur Thompson arrive cette semaine et puis votre père a encore pas mal d'ouvrage à faire ; il veut être là de bonne heure demain matin.

— On est supposés d'être en vacances nous autres aussi, répliqua Yvon qui ne pouvait s'acquitter d'une tâche sans rouspéter.

— Yvon, toi pis ton frère vous êtes assez grands asteure pour donner un coup de main. Vous savez comment ça se passe à la dernière minute quand il faut mettre l'électricité, *primer*[7] la pompe à eau pis finir de ramasser toutes les cochonneries autour de la maison.

— Ben oui maman, rassura Albert qui était obéissant de nature. On a l'habitude de ces jobs-là, c'est toujours pareil d'une année à l'autre. Pis de toute façon, si on avait le malheur de pas aller aider papa, ajouta-t-il avec un léger sourire, ça irait mal à la *shop* comme nous dit souvent Roméo, le bon ami de notre grande sœur Rose.

— Il va être ben content de vous voir arriver tous les deux, invoqua-t-elle pour les encourager. Il parlait à matin qu'il voulait aussi donner la couche de peinture finale sur la galerie pour que ça ait le temps de sécher avant d'être piloté.

Et avant que Pauline ait fini sa phrase, Yvon avait déjà claqué la porte de la maison sans ajouter un traître mot, suivi d'Albert qui avait pris soin de faire un petit signe de tête à sa mère laissant entendre qu'il désapprouvait entièrement l'attitude désinvolte de son jeune frère.

Les garçons étaient encore à portée de vue quand

---

7 *Primer :* amorcer.

Pauline retourna dans le monde des songes qu'elle avait quitté trop brusquement à son goût.

Dans ses plus profondes pensées, Pauline se disait que ça devait être plaisant de vivre auprès d'un homme de classe tel que monsieur Thompson, qui semblait aimer et respecter grandement son épouse. Même lorsqu'il parlait avec elle et sa belle-mère, madame Potvin, il avait toujours un langage dans lequel on pouvait percevoir toute la considération qu'il leur témoignait. Quand monsieur Thompson adressait la parole à une femme, les sons étaient mélodieux et chaleureux. C'était un doux baume au cœur de se sentir importante, et ce, même si ce n'était en fait que pour une courte période.

Chez les hommes de la famille Potvin, le ton était majoritairement monocorde, dur et sec. Ernest gagnait la palme avec son allure froide, teintée de très peu ou d'aucune émotion. Même s'embrasser était un acte d'une rareté extrême. Il ne se gênait pas pour se moquer de ceux qui se bécotaient quand ils se rencontraient ou se visitaient.

« C'est rien qu'une gang de licheux », qu'il disait ; et il ne s'avançait que rarement pour présenter la joue. De toute façon, sa froideur créait une espèce de barrière que les gens n'avaient pas le goût de franchir. Une poignée de main pouvait faire l'affaire et à la limite, un signe de tête suffisait.

Pendant qu'elle était en convalescence à l'hôpital, Pauline avait fait un rêve qui, encore à ce jour, la hantait. Lors d'une visite de monsieur Thompson, alors qu'Ernest était absent et qu'elle devait le faire patienter, elle se voyait lui offrir une tasse de thé et un morceau de gâteau aux épices. Ils discutaient ensemble de l'été à venir et des projets ambitieux qu'il faisait pour moderniser son chalet et, de but en blanc, il la complimentait sur ses longs cheveux bouclés et ses yeux rieurs. Elle rougissait comme une pivoine et il en remettait en lui disant, avec les plus jolis mots, qu'elle était une femme unique et exemplaire. Chacune de ses paroles faisait battre le cœur de Pauline à tout rompre. Finalement, il quittait la maison, évoquant que le temps lui manquait, mais il lui demandait d'avertir Ernest qu'il voulait le voir le plus tôt possible. Il remerciait son hôtesse pour les bonnes attentions; l'embrassait affectueusement sur la joue, tout en tenant délicatement ses épaules de ses grandes et belles mains soignées, dans une caresse prometteuse. Elle le regardait s'éloigner en croisant les bras, pour maintenir la sensation de chaleur qu'il avait insérée si profondément en elle, et tout à coup le soleil vif provoquait une période d'éblouissement qui aveuglait son esprit tourmenté.

À son réveil, elle s'en était amèrement voulu d'avoir pu songer à des moments si intimes avec un homme marié. Devait-elle s'en confesser à son curé, au risque qu'il y ait fuite et que ça vienne aux oreilles de son mari? Rien que d'y penser, elle en avait froid dans le dos.

Pourquoi la vie était-elle si aride pour certaines personnes alors qu'elle pouvait se faire tellement favorable pour d'autres? Heureusement qu'elle avait ses enfants qu'elle chérissait plus que tout. Elle se disait qu'au contact de gens tels que ces voisins nantis, ils apprendraient peut-être les bonnes manières. On n'en sait jamais trop, avait-elle l'habitude de leur répéter, et la source du savoir se trouvait non seulement dans les établissements scolaires, mais également dans chacun des êtres que l'on côtoyait au jour le jour.

* * *

À l'heure du dîner, Ernest surgit dans la cuisine en grondant les enfants qui s'étaient amusés en route. Une vieille bicyclette, découverte dans le hangar des Thompson, avait été remise en état par Yvon et Albert et au lieu de travailler, les deux adolescents avaient fait des courses dans le chemin de la cabane à sucre, ce qui avait occasionné un retard sur les travaux que leur père les avait impérativement sommés d'accomplir.

— Deux grands fendants, que tes gars, dit-il à Pauline. Pas de jugeote pour cinq cennes. À force de les couver comme tu le fais, y pensent rien qu'à jouer ; y réalisent pas que je suis tout seul pour faire l'ouvrage icitte.

Et encore une fois, la mère était blâmée pour les gestes posés par les garçons. Quand il s'agissait de bons coups, c'était ses enfants à lui, mais dès qu'il y avait des embûches, Pauline était l'unique responsable de leur attitude.

— Voyons Ernest, il faut quand même qu'ils s'amusent un peu. À douze et quatorze ans, c'est normal qu'ils pensent à avoir du fun un peu. Le temps passe vite sans bon sens et dans quelques semaines y vont déjà être obligés de retourner en classe.

— À force d'user leurs culottes sur les bancs d'école, ils n'apprennent qu'à faire des niaiseries. Je devrais les garder icitte avec moi pour les dompter et pour en faire des hommes.

Quand il était question d'éducation, Pauline devenait alors intransigeante et se permettait à son tour de lever un tant soit peu le ton.

— Tu ne vas pas me les sortir de l'école avant qu'ils aient au moins un p'tit diplôme. Si l'on veut que nos enfants réussissent mieux que nous autres, ils auront besoin de plus d'instruction. Je trouve que tu travailles ben trop pour ce que tu gagnes.

— Arrange-toi juste pour qu'ils me donnent un coup de main de temps en temps. Ça les fera pas mourir.

C'était le même discours qui revenait chaque fois. Ernest savait qu'en menaçant de sortir Yvon et Albert de l'école, Pauline agirait de manière à ce qu'ils soient plus dociles et surtout à ce qu'ils acceptent, sans trop rechigner, d'aider aux travaux de la maison et du jardin. Il n'existait que très peu de temps pour les loisirs dans cette famille – le jeu et l'oisiveté menaient directement au vice, et l'enseignement était répété de père en fils.

* * *

Le lendemain après-midi, monsieur Thompson arriva à bord d'une toute nouvelle voiture. Une magnifique Chevrolet bleue, modèle familial, dont la partie arrière était remplie de valises, de sacs et de boîtes de toutes sortes. On aurait pu croire à un déménagement en règle.

Il était en compagnie de sa femme Irène et de sa fille unique, Catherine, laquelle venait tout juste d'avoir douze ans.

Yvon s'était caché dans le sous-bois, car il n'avait pas envie que son père l'oblige à travailler cet après-midi-là. Il regardait cependant la belle voiture avec convoitise et il observait ces individus différents, mais quand même gentils. Il se questionnait entre autres sur le contenu de toutes ces boîtes. Lui qui était conscient de la pauvreté de sa famille, se demandait comment il était possible que des gens partent de Montréal et qu'ils apportent autant de marchandises juste pour passer l'été dans un chalet. C'était intrigant et aberrant à la fois.

Tout comme l'année précédente, Ernest avait exigé que son fils Albert l'accompagne pour rentrer les bagages des Anglais. Il s'en remit donc à lui pour transporter les multiples colis dans la résidence et les déposer dans les endroits indiqués par la dame de la maison. Il n'était pas à l'aise de manipuler tous ces paquets qui contenaient des articles fragiles et dispendieux. La délicatesse n'était pas sa qualité première et il préférait laisser Albert prendre les risques.

Madame Irène, douce comme la saison, aimait bien le jeune fils Potvin. Bien qu'il ait un corps manifestement disproportionné, avec de longs pieds, de petites jambes et une tête de taille supérieure à la moyenne, elle lui trouvait une certaine candeur et il lui apportait inconsciemment un certain réconfort. Elle lui prêtait les nombreuses revues de décoration et de mode qu'elle apportait et au fil du temps, elle avait su développer avec lui un lien particulier qu'elle ne montrait pas devant son père. Elle avait déjà perçu le type d'homme sévère qu'il était et craignait qu'Albert n'en souffre ou tout simplement soit privé des visites qu'il pouvait occasionnellement lui accorder. Il s'agissait quand même de travail à accomplir par l'adolescent, mais à un rythme tellement différent de celui habituellement exigé.

Pour sa part, William appréciait le jeune garçon qui avait beaucoup d'affinités avec sa femme et qui la distrayait avec ses discussions juvéniles. Ils échangeaient en ce qui avait trait à l'aménagement de la maison, à la musique ou même à la littérature. L'enfant rendait à Irène mille et un services, déplaçant des bibelots ou des cadres au gré de son humeur, laquelle était extrêmement changeante. À deux, ils réinventaient certaines pièces de la grande demeure. Le caractère taciturne d'Irène quand elle était dans sa résidence de Westmount devenait subitement plus gai, presque enjoué, dès qu'elle mettait les pieds au lac Brûlé. Ça ne durait pas tout au long des vacances, mais l'enthousiasme qu'elle exprimait à son arrivée faisait oublier qu'il y aurait inévitablement une rechute.

Pendant qu'Albert s'occupait du déchargement, Ernest, à l'extérieur, faisait le tour des bâtisses et expliquait à monsieur Thompson les corvées qu'il avait accomplies et celles qui seraient nécessaires dans les prochains mois. Il avait tendance à amplifier considérablement la lourdeur des tâches à exécuter de façon à justifier par la suite un plus fort prix.

Ernest était très adroit pour tout ce qui concernait les

travaux manuels, qu'il s'agisse de plomberie, d'électricité, de menuiserie ou de peinture. Il avait appris de son père tous les rudiments des divers métiers. Il était très rare qu'il fasse appel à qui que ce soit pour effectuer une réparation. À la limite, il s'informait astucieusement à une personne qualifiée et en revenant chez lui, il faisait le boulot. Ça ne lui coûtait pas un traître sou et il ne se gênait pas pour en réclamer les frais à son client.

Monsieur Thompson était très peu bavard. Il se hâta donc de demander à Ernest de faire les comptes des derniers mois et de venir le rencontrer le lendemain afin qu'il puisse le payer.

— J'ai tout ça avec moé, dit Ernest en plongeant la main dans la poche arrière de son pantalon, pour en ressortir une feuille pliée en quatre. Je peux vous donner tous les détails, drette là.

— Laissez-moi le temps d'arriver mon bon Ernest et revenez me voir demain après-midi après ma sieste. J'aurai ainsi les idées plus claires et je pourrai vous faire part de ce que j'ai planifié de vous faire faire cet été ; si vous êtes disponible, bien entendu !

— Pour vous, Monsieur Thompson, je peux toujours me libérer, répondit-il sur un ton qui sonnait faux et avec un sourire niais, pour masquer sa fureur de ne pas retourner à la maison avec une belle somme d'argent. Encore une nuit à attendre pour grossir son butin.

— Je garde votre fils pour quelques heures afin qu'il aide mon épouse à placer tout ce barda. Mais ne vous inquiétez pas, je vais vous dédommager pour le travail qu'il aura accompli. Les femmes ont besoin de tellement de choses pour être heureuses, ajouta monsieur Thompson en riant.

— Aucun problème, mais comme d'habitude, vous me réglerez ça directement à moi, spécifia Ernest. Vous savez, les enfants d'aujourd'hui ne connaissent pas la valeur de l'argent.

— Ce sera comme vous l'entendez, c'est vous le chef de famille. Vous demanderez également à votre dame si elle accepterait de venir rencontrer mon épouse en début de semaine. Ma femme m'a spécifié qu'elle voulait discuter avec elle de légers travaux de couture et de cuisine. Il y a bien madame Gagnon pour les repas, mais madame Potvin a des recettes dont on aime bien profiter lors de notre séjour à la campagne.

— Je lui ferai le message, dit-il sans plus.

Ernest repartit chez lui jaloux jusqu'à l'os. William Thompson l'avait encore une fois dominé. Du haut de ses six pieds, il lui avait donné des consignes. Comme il aurait souhaité posséder la stature de cet homme, lui qui était de si petite taille.

Comment être au même niveau que l'autre quand on ne peut le regarder dans les yeux? Il devrait vivre avec ce complexe toute sa vie. Il avait même eu peine à trouver une compagne qui ne le dépasse pas d'une tête, et elle avait été bien avisée de ne pas s'affubler de ces talons hauts que les femmes de la ville portaient fièrement.

À tout le moins, à la maison, c'était lui le plus grand et ça devait le rester. Il découvrirait bien un moyen de prendre le dessus sur son patron d'une tout autre manière.

Il avait rencontré durant la semaine Lazare, un vieux copain, et il avait comploté avec celui-ci pour s'approprier quelque chose qui ferait l'objet d'envie de son cher bourgeois...

CHAPITRE 5

Un nouveau-né capricieux

(Août 1959)

L'été filait bon train, le soleil ayant brillé à satiété pendant toute la belle saison. Une fine pluie, à l'odeur d'hydrangée, était venue rafraîchir agréablement cet après-midi du mois d'août 1959.

Nostalgique à l'idée de rentrer en ville prochainement, Irène Thompson passait de longues heures assise dans le nouveau solarium vitré que son mari lui avait fait construire, à l'arrière de la maison. Avec une vue directe sur le lac, elle retrouvait dans cette pièce un calme qu'elle voulait mettre dans ses bagages pour le revivre en se recueillant durant l'interminable saison hivernale. Elle appréhendait la solitude de sa froide résidence de Westmount et angoissait à la simple pensée d'y être à nouveau recluse. Elle aurait de loin préféré s'installer à la campagne pour toujours, mais il était impensable que sa fille Catherine s'exile ainsi alors qu'elle pouvait fréquenter de si bonnes écoles à Montréal.

Irène avait le don de noter tous les changements de teintes que la nature effectuait au jour le jour. Elle constatait que les habitants de la région faisaient rarement mention des paysages magnifiques qui les environnaient. Il était dit que «lorsqu'on est trop proche de la forêt, on ne voit pas les arbres» et c'était propre à l'être humain.

Elle avait demandé à madame Ernest Potvin de venir prendre le thé cet après-midi-là et elle l'avait priée d'amener son petit dernier, Simon, que sa fille Catherine adorait. La jeune adolescente pourrait ainsi cajoler le bébé à volonté, sous le regard protecteur des deux femmes. C'est donc sans parure, mais plutôt avec un souci de simplicité que madame Thompson avait dressé une table, afin qu'on partage la collation dans cette nouvelle pièce de sa résidence qu'elle affectionnait particulièrement.

Elle aimait bien cette gentille paysanne qu'elle n'entrevoyait que de temps à autre. Elle lui trouvait une allure distinguée et se disait que celle-ci aurait très bien pu marier un homme de classe comme son mari si elle était née ailleurs que dans cette contrée éloignée. Elle s'occupait du grand ménage avant son arrivée au printemps et elle prenait également soin de l'entretien de leur chalet tous les mercredis. Pour ce qui était des repas, monsieur Thompson engageait depuis plusieurs années Adéline Gagnon, une veuve de moins belle apparence avec laquelle elle avait personnellement moins d'affinité, mais qu'elle trouvait tout de même très gentille. Cette dame demeurait seule dans une toute petite maison sur le rang. Bien que madame Thompson puisse faire la cuisine à l'occasion, son mari insistait pour qu'elle ne se fatigue pas trop, elle qui avait une santé si fragile. Elle avait été hospitalisée à quelques reprises, mais personne ne connaissait la nature exacte de sa maladie. On la savait cependant frêle et délicate et elle ne fréquentait personne dans la région, tout comme elle ne recevait que peu de visiteurs.

Très mal à l'aise, Pauline aurait préféré avoir été mandée au chalet pour travailler et non pour prendre le thé. Que pourrait-elle dire à cette dame qui n'était pas de son rang, si ce n'est qu'elle l'estimait beaucoup ? À sa connaissance, elle n'avait jamais rencontré une femme plus généreuse. Comme elle n'avait pas beaucoup d'instruction, elle craignait de devoir répondre à des questions dont elle ne comprendrait pas la teneur. Outre cette inquiétude, elle adorait la chaleur humaine que cette élégante personne dégageait. Partager son univers l'espace de quelques heures s'avérait un privilège dont elle ne se croyait pas digne.

Au tout début de l'été, son fils Albert était revenu à la maison avec une importante quantité de coupons de tissu que la dame avait rapportés de la ville tout spécialement pour elle, qui, disait-on, maniait si bien l'aiguille. Elle saurait faire de nombreux vêtements pour les siens, remplacer des rideaux et avec toutes les retailles, elle ferait des carreaux pour ses courtepointes. Rien ne serait perdu, c'était certain. Ça représentait une fortune d'avoir autant de choix pour créer des habits à toute la famille !

Plus jeune, elle avait été la risée du village avec ses bas rapiécés et ses jupes trop grandes ou trop petites.

Comme beaucoup de gens démunis à cette époque, elle portait ce qui ne faisait plus à ses cousines plus âgées. Bien que ses parents n'avaient eu que deux enfants, un garçon et ensuite une fille, ils n'étaient pas riches pour autant. Elle portait des habits neufs seulement lorsque sa mère avait la capacité de lui en fabriquer et qu'elle avait eu l'occasion d'avoir des morceaux de tissu à moindres frais. Elle s'était bien juré qu'elle mourrait en guenilles, mais que ses gamins auraient des hardes bien à eux pour se rendre à l'école ou au travail. L'immense générosité de la famille Thompson avait fait en sorte qu'elle avait été en mesure de réaliser son souhait.

— Entrez donc, Madame Potvin. Venez vous asseoir, la pria madame Thompson avec une simplicité surprenante pour une dame de son rang. On croirait que vous nous amenez le soleil après la douce pluie de ce matin.

— Vous êtes trop gentille Madame Thompson, répliqua Pauline, intimidée. Je vous ai apporté deux douzaines de beignes et une tarte au sucre, ajouta-t-elle en remettant à son hôtesse les desserts qu'elle avait préparés en vue de sa visite. Une attention à la mesure de ses moyens, mais que la bourgeoise était capable d'apprécier.

La jeune Catherine, assise en retrait, attendait impatiemment que Pauline lui offre de voir son tout petit bébé.

— Bonjour, Catherine, toujours contente d'avoir congé d'école? dit Pauline à la fillette qu'elle trouvait tout à fait charmante et particulièrement polie.

— Oui, Madame Potvin, même si j'aime beaucoup aller en classe, répondit l'adolescente obnubilée par l'être mignon qui sommeillait dans son vieux landau à l'extérieur, et mue d'une envie folle de le réveiller afin de pouvoir s'en occuper.

— Tu as terriblement grandi depuis l'été dernier, tu as maintenant l'air d'une petite femme. Est-ce que tu voudrais promener Simon en carrosse maintenant qu'il fait beau? Il pourrait continuer à dormir et ça éviterait qu'il se mette à chigner et à crier à pleins poumons. Je ne sais pas ce qu'il a celui-là, mais il est terriblement gâté et il pleure comme un veau aussitôt qu'il n'a pas toute l'attention pendant quelques instants.

Elle ne pouvait faire plus plaisir à l'enfant, qui prit rapidement la route en poussant le vieux berceau à grandes roues, s'imaginant déjà être une jeune maman faisant une sortie avec son poupon. Si elle n'avait pas été gênée devant madame Potvin, elle aurait enfilé un de ces déguisements qu'elle arborait quand elle jouait toute seule dans sa chambre. Des souliers à très hauts talons aiguilles et aux bouts plus pointus que ses crayons à mine et une jupe de velours que sa mère ne portait plus, qu'elle se nichait sous les aisselles pour en faire une robe longue. Afin de compléter son allure de petite madame, elle coiffait un chapeau à large bord orné d'une fleur légèrement défraîchie. Jamais, au grand jamais, elle n'aurait osé mettre le nez dehors ainsi affublée de crainte qu'Yvon ne la taquine sournoisement. Elle craignait celui-ci qui avait toujours un regard à la limite de la décence avec elle. Sa grand-mère paternelle lui avait fait de sérieuses recommandations l'année précédente.

— Tu sais ma belle fille, tu dois te méfier de ces

jeunes hommes de la campagne qui auraient tôt fait de te blesser et d'abuser de toi. Ce sont quasiment des sauvages, tu peux me croire.

— Vous n'exagérez pas un peu mamie?

— Pas du tout, et surtout en ce qui concerne la famille Potvin que j'ai bien connue. Édouard Potvin avait les mains pas mal longues! On n'avait pas avantage à marcher devant lui ou à le croiser dans un couloir, avait-elle ajouté afin de ne pas avoir à expliquer plus longuement la menace qui planait sur l'adolescente à l'aube de découvrir sa féminité.

Jamais la grand-mère n'avait eu le courage d'avouer à son époux que son employé, en qui il avait terriblement confiance, la mettait mal à l'aise en tenant devant elle des propos qu'elle jugeait déplacés. De plus, à deux occasions, en transportant des boîtes, elle était convaincue qu'il lui avait volontairement frôlé les hanches, ce qu'elle avait tout de suite interprété comme des attouchements impudiques. Si elle avait raconté cela, elle aurait dès lors été jugée. Elle avait préféré prendre ses distances plutôt que de laisser planer un doute.

Était-ce de la fabulation ou bien la pure vérité? Il n'y avait que deux versions et la sienne avait été tenue secrète jusqu'à ce jour où elle tentait de protéger sa petite-fille qu'elle voyait grandir très rapidement.

Pour sa part, Catherine avait bien remarqué l'attitude perfide d'Yvon et elle entendait bien respecter les consignes de sa grand-mère à la lettre, mais elle se refusait d'agir de la même manière avec Albert, qui était si sympathique et réservé. Ce ne sont pas tous les chiens qui mordent, avait l'habitude de dire son père pour dédramatiser les discours des gens qui exagéraient inutilement ou qui alimentaient constamment leurs propos de négativité.

Si elle considérait Albert comme un bon garçon, elle constatait cependant qu'il avait plus d'affinités avec sa mère et qu'il ne lui portait pas tellement d'attention, la traitant tout simplement comme une enfant.

Celui que Catherine aurait aimé voir plus fréquemment, c'était Luc, qui était son aîné d'un peu plus de six ans. Elle trouvait qu'il ressemblait à un acteur avec son petit nez fin et ses yeux couleur noisette. Il portait toujours des pantalons fièrement pressés, des chemises sans aucun mauvais pli et des souliers très propres. Il avait un style bien à lui. Quand elle savait qu'il venait à la campagne, elle s'asseyait souvent sur une grosse roche en bordure du lac Brûlé, et elle lisait un livre tout en souhaitant qu'il s'y rende pour faire une baignade ou pour pêcher la truite. Il était toujours très gentil avec elle et prenait quelques minutes pour s'enquérir de la santé de sa mère et de ses études à elle. Il disait alors aimer se retrouver au bord du lac où il avait passé son enfance. Bien que ces conversations soient courtes et anodines, elles faisaient en sorte que longtemps après son départ, Catherine s'inventait de longs scénarios où elle s'imaginait devenir madame Luc Potvin.

Les deux femmes entendaient au loin Catherine chantonner une berceuse que madame Irène reconnut aisément : *Good Evening, Good Night*, du compositeur et pianiste Johannes Brahms, pièce qu'elle adorait jouer au piano. Une mélodie toujours populaire qu'elle avait elle-même fredonnée à sa fille lorsqu'elle était toute jeune.

Pour Pauline, c'était tout simplement la trame sonore d'une magnifique boîte à musique que Diane, son aînée, avait reçue en cadeau de noce. Le titre de même que l'auteur lui étaient totalement inconnus. La preuve qu'entre les deux dames il y avait tout un monde de connaissance et de culture.

La fillette jouait son rôle à merveille et les deux femmes se réjouissaient du naturel de la scène. Il n'en fallait pas plus pour que l'atmosphère soit détendue et qu'une sensation de bien-être se crée entre elles.

Pauline se sentait soudainement heureuse d'être assise là, dans cette magnifique pièce, et elle éprouvait une fierté indescriptible en songeant que dans les dernières semaines, c'était son homme qui avait réalisé ces travaux. Au fond de ses prunelles, on pouvait voir un éclair de bonheur à la pensée qu'Ernest puisse être si habile de ses mains. Était-ce de l'amour ou de la vanité, elle n'en savait rien, mais elle était enthousiaste à l'idée de pouvoir lui faire part de son opinion dès ce soir pendant le souper. Elle répéterait ces éloges à son mari dimanche, alors qu'il y aurait de la visite. Il se gonflerait ainsi d'orgueil, ce qu'il aimait tout particulièrement.

— J'avais bien hâte de voir votre nouveau solarium terminé, mais je n'osais pas vous déranger, mentionna simplement Pauline, qui avait toujours peur d'être jugée pour ses faits et gestes.

— Il est tout à fait normal que vous veniez prendre un peu de répit, vous qui travaillez si fort. Vous devrez me dire comment vous faites pour survivre à un rythme de vie si effréné. J'ai tout juste emménagé pour l'été ici et ça m'a quasiment demandé deux longs mois pour m'en remettre.

— Vous partez tout de même de Montréal avec tout votre barda, ce n'est pas rien, répliqua Pauline qui s'efforçait toujours d'utiliser les bons mots ou du moins les meilleurs qu'elle connaissait en présence des notables.

— J'ai des employés qui font le plus gros du travail à Montréal comme au chalet. Par exemple, cette année, votre fils Albert m'a beaucoup aidée dans l'aménagement du salon, de la bibliothèque et du bureau de mon époux.

— Mon Albert aime beaucoup travailler pour vous. Il m'a dit que vous lui apprenez beaucoup de choses sur la décoration et la mode. Chez nous, vous savez, on connaît pas autant d'affaires que vous autres qui vivez en ville, mais ça ne nous empêche pas de vouloir nous éduquer quand on a la chance et surtout d'être capables d'apprécier ce qui est beau.

— Ne vous abaissez pas autant, ma chère Pauline. Si vous imaginiez juste un peu comme j'aimerais avoir tous les talents que vous avez, qu'il s'agisse de faire la cuisine, la couture et même de l'éducation de vos enfants. J'ai beaucoup d'estime pour vous.

— Vous allez me gêner, Madame Thompson, dit Pauline qui était mal à l'aise d'être ainsi louangée alors qu'elle n'en avait pas l'habitude. Elle changea le cours de la discussion en parlant de son jardin qu'elle envisageait d'agrandir en prévision de la prochaine année.

Après avoir fait une tournée dans le grand salon

où madame Thompson souhaitait montrer à son hôte deux magnifiques assiettes décoratives en porcelaine de Limoges récemment acquises, les deux femmes retournèrent dans la toute nouvelle pièce de la maison où il faisait si bon de relaxer en ce magnifique mois d'août. Tout en sirotant une tasse de thé que madame Thompson avait insisté pour servir elle-même à son invitée, celle-ci continuait à vanter les vertus de la vie au sein des montagnes.

— Mon beau-père avait raison quand il nous racontait que ses amis médecins ne juraient que par l'air pur des Laurentides pour guérir bien des maux. Pas étonnant que vos enfants soient si solides et vaillants. Il ne fait nul doute que ce petit Simon sera lui aussi tout un gaillard.

— Sûrement, car c'est le dernier et les grands m'aident beaucoup. Heureusement que j'ai du renfort, parce qu'il est plutôt capricieux; on doit l'avoir dans les bras quasiment tout le temps. C'est le premier qui me fait ça.

— Entre vous et moi, répondit madame Thompson en plaisantant, c'est un garçon et il aime se faire dorloter. Il aura besoin d'une femme plus tard pour le remettre bien à sa place.

Il n'en fallut pas plus pour que Pauline rie un bon coup avec cette dame si sympathique pour qui elle avait tellement d'admiration. Une énergie nouvelle inondait son cœur si souvent maltraité.

* * *

Sur le chemin du retour, Pauline poussait son vieux carrosse en ressassant chaque minute passée avec sa bourgeoise. Elle se disait que c'était comme un cadeau du ciel, car pendant tout le temps où elle était avec madame Thompson, le serrement qu'elle avait si fréquemment dans la poitrine s'était effacé au profit d'une béatitude sublime. Elle flottait sur un nuage de douceur et de liberté. C'était à croire qu'Irène était un ange coiffé de grâce et de beauté. Pauline avait cependant décelé une lueur de tristesse au fond de son regard au moment où elle l'avait quittée. Que pouvait-il manquer à quelqu'un qui vivait dans une si belle maison avec un époux attentionné et une gentille fillette? Elle conclut qu'elle avait certainement mal interprété un simple épisode de fatigue de la bourgeoise.

Pauline, très dévote et pieuse, prit donc quelques minutes pour remercier le Créateur de lui avoir procuré un moment d'une telle qualité ce jour-là. Le Bon Dieu, à qui elle confiait ses souffrances, avait sûrement eu pitié d'elle et il voulait lui redonner espoir. En récitant un autre Notre Père, elle lui demanda de prendre également soin de madame Thompson, dont la santé était d'une précarité évidente pour qui la côtoyait un tant soit peu.

Elle réalisa soudain qu'elle serait en retard pour le souper si elle continuait à traîner de la sorte et que son mari n'hésiterait pas à réinstaller la négativité et le mépris dans son sillon. Le petit Simon, bien installé dans son carrosse, buvait la bouteille de lait que sa mère avait délicatement inclinée avec une couverture. Il dormirait au moins pendant toute l'heure du repas.

Ce dernier-né faisait, depuis son arrivée à la maison, l'objet de l'adoration de son père ; conduite plutôt étrange de la part de celui-ci. Ernest n'avait pratiquement jamais porté attention aux enfants avant qu'ils ne soient capables de travailler. Elle avait trouvé difficile cette attitude, surtout lorsque Pierre était bébé et qu'il lui faisait passer d'interminables nuits blanches. À cette époque, Ernest était demeuré de glace, priorisant son sommeil comme il le faisait depuis toujours avec sa petite personne.

Pour ce qui était de sa manière d'agir envers Simon, c'était comme le jour et la nuit. Était-ce parce qu'il savait que ce serait le dernier ou du fait qu'il lui ressemblait en tout point, particulièrement en ce qui avait trait au caractère colérique ? En tous les cas, elle profitait du répit salutaire qu'Ernest lui accordait en berçant le benjamin, alors qu'elle faisait le raccommodage ou le repassage. Elle avait assez catiné dans sa vie pour laisser sa place à son mari pour celui-là.

Quand le docteur Lavallée lui avait appris qu'elle n'aurait plus de bébé, elle avait été soulagée. Les grossesses plus ou moins rapprochées lui semblaient pénibles et année après année, c'était de mal en pis. Anémique depuis sa tendre enfance, elle avait l'impression de devoir mettre deux fois plus d'énergie pour parvenir à effectuer les mêmes tâches. Les nuits de sommeil étaient courtes et souvent entrecoupées par l'un des petits qui faisait un cauchemar ou qui était fiévreux. Après trois fausses couches, elle craignait toujours pour la santé du prochain bébé à naître. Elle se croyait en partie responsable de la fragilité constante et de la petitesse de Pierre, qu'elle avait porté alors qu'elle perdait connaissance si fréquemment.

Sa belle-mère disait qu'elle en avait fait un bel ange et elle le préférait ouvertement à tous les autres. Pauline laissait donc le jeune Pierre passer beaucoup de temps auprès de ses grands-parents qui le gâtaient à leur manière : de copieux repas de foie de veau pour lui redonner des forces, ainsi que des légumes en très grande quantité. Il aurait peut-être ainsi la chance d'arriver à s'en sortir. Sa belle-mère avait même fait l'achat de vitamines proposées par un représentant de la compagnie Familex, des capsules de foie de morue qu'elle lui donnait tous les jours en plus d'une bonne cuillérée d'Infantol. Ernest se moquait bien de la vieille dame qui ne jurait que par ce vendeur itinérant qu'il qualifiait de « faux docteur ». Cependant, comme il n'avait rien à débourser, il laissait faire sa mère qui, à chacune des visites de celui-ci, trouvait un nouveau produit susceptible de procurer de la vitalité à cet enfant si délicat de nature.

Le repas du soir avait déjà été cuisiné par Pauline, ainsi elle n'aurait qu'à dresser les couverts et faire réchauffer une fricassée qu'elle avait concoctée tout de suite après son dîner, en sachant qu'elle pourrait être à court de temps pour tout préparer.

Elle était tiraillée, car elle ne voulait pas déplaire à madame Thompson en la quittant à un moment impromptu, mais elle comprenait également qu'elle devrait subir les foudres de son mari si le souper n'était pas sur la table à l'heure prévue. Ces sautes d'humeur répétitives agressaient Pauline et elle faisait tout son possible pour les éviter.

Elle imaginait sans peine qu'Ernest n'avait pas dû être un bébé facile, tout comme Simon. Tel père, tel fils, disait-on. Elle essayait alors de corriger jour après jour le caractère du petit dernier afin de le rendre un peu plus docile, car deux grognons sous le même toit, ce serait assurément invivable. Elle sourit à l'image qui lui traversa l'esprit.

À l'arrivée de son mari à la maison, elle s'empressa de lui servir son repas; sa sortie de l'après-midi ne pourrait donc être le sujet de critiques. Elle prit également la parole rapidement afin de le louanger pour l'ouvrage réalisé chez les Anglais, comme on les appelait, bien que madame Thompson soit d'origine canadienne-française et que son époux s'exprime dans un excellent français.

— C'est une vraie belle job que tu as fait là, Ernest. T'es vraiment doué pour travailler le bois, j'ai jamais rien vu d'aussi impressionnant et je te dis que madame Thompson te vante sans bon sens.

— Ça va assez ben quand t'as des bons matériaux pis toutes les outils nécessaires, répondit Ernest qui grandissait à vue d'œil dès qu'on le complimentait de la sorte. Il a bien des défauts, monsieur Thompson, mais il est jamais regardant lorsque j'y demande ce que j'ai besoin pour besogner. As-tu remarqué les grandes vitres qu'il m'a fait installer dans son solarium?

— J'ai ben vu que c'était des fenêtres flambant neuves, mais tu sais que je ne connais pas grand-chose là-dedans.

— Ben y a pris ça chez Jean-Thomas Cloutier en bas du village. Ils appellent ça des Bolac ; c'est tout nouveau.

— Qu'est-ce qu'ils ont de particulier ces châssis-là ?

— Il y a deux vitres en haut pis deux en bas. C'est comme des espèces de poulies qui les font monter pis descendre. Ils disent « des guillotines » eux autres et ça a l'air, en tout cas, c'est ça qu'y est écrit sur les papiers, qu'on aura plus besoin de châssis doubles. D'après moé, ça a dû lui coûter une méchante beurrée et on sait même pas si c'est vraiment bon. Tu imagines toé, pas de châssis doubles icitte dans le Nord ! Dans le pire du mois de janvier, je gagerais que le frimas sera peut-être aussi épais que dans les nôtres.

— C'est pas des farces. Si quelqu'un nous avait dit qu'un jour ça existerait. Nous autres, on va continuer à mettre les *screens*[8] au printemps pis les changer pour les châssis doubles avant l'hiver. C'est pas pour les pauvres des belles affaires de même.

— On dirait que t'as le goût de te plaindre à soir Pauline ? Ça t'a pas faite de passer l'après-midi avec ta madame riche. Si jamais c'est nécessaire, j'va te remettre les idées à la bonne place pis assez vite à part de ça. J'travaille trop fort pour qu'on rie de moi dans ma propre maison.

Et voilà qu'Ernest cherchait à nouveau la pomme de discorde. Impossible de discuter calmement avec lui et d'exprimer son opinion. Il était le maître pour trouver un élément déclencheur qui créerait à coup sûr une

---

8 *Screens* : moustiquaires.

crise au sein de son couple ou de sa famille immédiate.

— J'dis pas qu'on est pas ben, mais si y fait frette, c'est certain qu'avec des châssis neufs, ça doit faire toute une différence. Tu le sais qu'en haut c'est pas ben ben chaud pour les enfants, surtout quand ça arrive sur le matin. Y a pas de chauffage pantoute au deuxième étage, même pas une petite chaufferette. Si le poêle est mort dans la cuisine, c'est long sans bon sens avant que la chaleur se rende jusque-là. Pierre a eu le rhume quasiment tout l'hiver passé.

— On dirait que ça revient toujours à Pierre. C'est pas à cause du frette qu'il est malade celui-là, c'est parce que tu le catines trop ; y a pas de couenne sur le corps. Penses-tu que j'ai pas gelé moi aussi dans ma vie ? Si tu savais les hivers pourris que j'ai passés, pis chu pas mort.

Pauline décida encore une fois de se taire, de ne pas répliquer afin de finalement mettre un terme à cette discussion.

Ernest, heureux d'avoir encore eu le dernier mot, prit le petit Simon dans ses bras et entreprit de le bercer. On aurait dit un ours qui enfilait des gants blancs.

Pauline, rouge de colère, sortit sur la galerie pour secouer la nappe et par-dessus tout pour se permettre d'évacuer un long soupir empreint de rage intérieure. Si elle ne s'était pas retenue, elle aurait crié, hurlé sa fureur de vivre dans une prison avec un homme qui ne l'aimait pas et qui usait de son statut de chef de famille pour la violenter verbalement et parfois même physiquement. Qu'avait-elle fait au Bon Dieu pour hériter d'une telle existence, n'avait-elle pas droit au bonheur sur cette terre?

Elle se demandait si la vie était la même pour les filles qui étaient parties s'installer en ville. Comment sa belle-mère avait-elle pu réussir à passer au travers de tant d'années de souffrance et être si calme et sereine aujourd'hui? Elle craignait pour sa part de ne pas en avoir la capacité.

Ce soir-là, quand elle se mit au lit, elle fit la prière suivante: «Mon Dieu vous qui êtes si bon, si généreux et vous en qui j'ai placé toute ma confiance, donnez-moi la force de continuer à porter la croix que vous m'avez confiée. Je suis épuisée de me battre jour après jour. Je crains de ne pouvoir continuer bien longtemps. Pour l'amour de mes enfants, donnez-moi le courage et la santé de vivre au côté de cet homme que j'ai épousé pour le meilleur et pour le pire. Aidez-moi à l'aimer et à l'accepter jour après jour. Ainsi soit-il.»

CHAPITRE 6

Le terrain de la veuve

(Octobre 1959)

Ernest s'était levé de bon matin pour aller rencontrer monsieur Thompson qui fermait sa maison de campagne comme tous les ans après l'Action de grâce. C'est à ce moment-là que celui-ci lui transmettrait les directives finales et qu'il le paierait pour les nombreux travaux effectués durant le dernier mois. Il lui aurait pourtant été possible de régler son dû au cours des jours précédents, mais c'était ainsi année après année, et jamais il ne dérogeait à sa façon de faire. Le matin, avant son départ à l'automne, l'homme d'affaires donnait une enveloppe à Ernest dans laquelle il avait mis le compte et pas un sou de plus.

Néanmoins, il avait toujours un cadeau à remettre à Pauline de la part de sa femme : un savon d'odeur, un petit foulard ou de superbes taies d'oreillers brodées. C'était comme si elle savait que la pauvre dame ne verrait pas l'ombre d'un cent reçu par Ernest, même si c'était elle qui avait exécuté les travaux de ménage, de couture et parfois même de cuisine, et ce, pendant toute la belle saison.

— Merci Monsieur Potvin, pour tous les ouvrages effectués durant l'été et surtout pour mon magnifique solarium.

— C'est toujours un plaisir de travailler pour vous, Monsieur Thompson. Avez-vous des jobs en particulier que vous aimeriez me faire faire cet automne, avant que la neige nous tombe dessus ?

Ernest utilisait un ton plus doux avec monsieur Thompson qu'avec n'importe quelle autre personne, mais la sincérité n'y était pas pour autant. Il était conscient qu'il devait agir ainsi s'il voulait conserver ce poste tout de même bien rémunéré et surtout à proximité de sa maison. L'avantage de cet emploi était qu'il pouvait effectuer les travaux au gré de son humeur et sans nuire aux occupations qu'il avait ailleurs. Son employeur ne trouvait rien à redire là-dessus et de plus, il ne négociait jamais les prix.

Si monsieur Thompson avait su ce qu'Ernest pensait de lui en réalité, il aurait vite fait de se chercher un autre homme de confiance. Tout cela ne tenait qu'au respect des traditions des deux familles.

— Eh bien comme à l'habitude, tout ce qui a trait à la fermeture de la maison, à l'entretien du garage et des clôtures tout autour de mon lot. Il faudra également ramasser les chaloupes, les peinturer à nouveau et les remiser. Bien entendu, vous veillerez à ce que personne ne vienne sur mon terrain pour se rendre pêcher au lac, à part vos fils à qui je fais tout à fait confiance.

— C'est bien Monsieur, de toute façon, je passe chez vous tous les jours et si je voyais quelqu'un, il saurait comment je m'appelle.

— Je ne suis pas inquiet, je connais votre réputation par ici et je ne pense pas qu'on ferait l'affront de vous provoquer.

— Je ne veux pas me vanter, mais j'ai pas peur de ça un homme, surtout quand il se trouve où il n'a pas d'affaire.

— Quand vous aurez terminé ces travaux, vous pourrez commencer à ramasser le bois mort sur le terrain voisin.

— Pourquoi faire l'ouvrage des autres? Vous en avez pourtant assez à faire icitte, demanda Ernest surpris de cette demande qui lui semblait inconsidérée.

— Ah, j'avais probablement oublié de vous en parler, avec mes projets de solarium j'avais la tête ailleurs. Dernièrement, j'ai acheté la maison et le lot de madame Therrien. Comme c'est adjacent au mien, ça me permettra d'agrandir considérablement mon domaine et ainsi ça évitera que j'aie des voisins trop proches.

Ernest était stupéfait de cette dernière nouvelle et se demanda s'il avait bien entendu. Le terrain de la bonne femme Therrien aurait déjà trouvé preneur! Comment se faisait-il que Lazare, le neveu de la défunte, ne lui ait rien dit? Il était pourtant allé veiller au corps au salon mortuaire chez J.H. Vanier, la veille des funérailles, dans le seul but de le rencontrer et de lui rappeler les termes de leur entente.

— Êtes-vous ben certain de pouvoir avoir ce terrain-là, Monsieur Thompson; est-ce que c'est un projet ou ben ça a déjà été fait? Ça fait juste une couple de semaines que la vieille est morte.

— Je le sais bien, mais ne vous inquiétez pas. J'ai en main tous les documents légaux bien enregistrés. Tout est en règle, vous n'avez pas à craindre de travailler sur ce lot.

— Vous avez les papiers signés ? s'informa Ernest, fortement décontenancé par la nouvelle.

— Oui, répondit M. Thompson, surpris de l'insistance de son employé qui semblait mettre sa parole en doute. Il ajouta :

— J'ai demandé au notaire Lucien Talbot de venir chez la bonne dame afin de finaliser la transaction, et ce, tout juste quelques jours avant sa mort. C'était son homme de loi, comme elle disait, et je savais qu'elle avait en lui une confiance inébranlable. Elle est sûrement partie la tête tranquille.

Ernest n'en croyait pas ses oreilles. Il s'était fait damer le pion par nul autre que ce citadin, de surcroît un maudit Anglais, songea-t-il. Sa rage n'en était que décuplée. Il y avait bientôt plus de deux ans qu'il complotait avec Lazare Therrien, le neveu qui venait visiter sa tante malade dans le but bien précis d'hériter de ses maigres biens. Que s'était-il vraiment passé ? Il prendrait les moyens pour le savoir et le plus tôt serait le mieux.

Monsieur Thompson lui expliqua les travaux qu'il envisageait de faire exécuter sur ce lot pendant la saison froide et au printemps suivant, mais son interlocuteur n'écoutait que d'une seule oreille, tout tourmenté qu'il était de la nouvelle qu'il tentait tant bien que mal de digérer.

— Commencez par ramasser les arbres tombés et récupérez ceux que vous jugerez corrects pour en faire du bois de corde. Faites ensuite des tas de branches que vous pourrez brûler. J'aimerais conserver les plus beaux érables et après on aménagera un joli sentier dès que la neige aura fondu. Ma femme adore marcher dans la forêt, mais elle craint les animaux… Avec sa santé fragile, je veux lui créer une oasis de paix qui lui appartiendra, avec des bancs et des fleurs sauvages. Mais n'en dites rien, c'est une surprise que je souhaite lui faire à notre retour le printemps prochain.

— C'est bien, répondit Ernest d'un ton monocorde. Je travaillerai sur le terrain cet automne et cet hiver. Qu'est-ce que vous pensez faire avec la maison de la veuve ?

— On la laissera telle quelle pour le moment et plus tard, on avisera. Ce serait peut-être un bel endroit pour aménager un pavillon que je pourrais utiliser pour aller écrire ou simplement pour en faire un lieu de recueillement.

— Un pavillon vous dites ? demanda Ernest, choqué qu'on songe à accaparer une résidence pour bêtement s'y recueillir. Il y avait suffisamment d'églises pour cela dans la région, pensa-t-il.

— Vous m'excuserez, mon cher Ernest, mais on reparlera de cela une autre fois. Pour le moment, le temps me presse et je dois partir, car on m'attend au bureau ce matin. Les vacances sont aujourd'hui terminées et je dois mettre les bouchées doubles pour reprendre où j'ai laissé en quittant mon poste. C'est bien intéressant de profiter de longs week-ends tout l'été, mais si l'on veut continuer de si bien jouir de la vie, il faut également travailler. Heureusement qu'on a maintenant une belle autoroute entre Saint-Jérôme et Montréal. Fini de rouler à la file indienne sur la 117 tous les dimanches soir.

En août 1959, on avait effectivement mis en service un nouveau tronçon de l'autoroute 15 qui s'étendait sur vingt-neuf milles de long, soit entre la ville de Montréal et celle de Saint-Jérôme.

— Saviez-vous Ernest qu'il y avait jusqu'à vingt-cinq mille véhicules par jour qui circulaient sur la 117 par les week-ends d'été? C'était pas un luxe, surtout si la Ville veut faire de la promotion touristique. En tout cas, moi je ne me plaindrai pas! Je suis tellement heureux de pouvoir gagner du temps en prenant une voie rapide pour retourner à Montréal. Ça fait longtemps que c'est comme ça aux États-Unis! Il était temps qu'on se modernise un peu.

— C'est bien ça, embarquez sur l'autoroute, Monsieur Thompson, marmonna Ernest avec dégoût, alors qu'il ne tenait plus à maintenir une discussion avec lui. Moi je vais continuer à rouler sur mon rang de campagne, termina-t-il sur un ton faible que son patron ne pouvait entendre.

La surprise avait été tellement grande qu'il avait peine à regarder son supérieur dans les yeux sans lui laisser voir sa rancœur profonde. Il avait préféré lui tourner le dos, le temps qu'il quitte les lieux pour ainsi éviter de dire ce qu'il avait sur le cœur.

* * *

Après le départ du citadin, Ernest verrouilla les portes du chalet. Il savait que Pauline reviendrait cette semaine pour effectuer les dernières tâches à l'intérieur avant de préparer le tout pour l'hiver.

Chaque automne, sa femme se faisait un devoir d'astiquer la maison de fond en comble afin que tout soit comme un sou neuf quand les Thompson arriveraient pour la période des fêtes. Il était primordial de faire ces travaux en octobre avant que son époux ne ferme l'eau et l'électricité. Elle se souvenait trop bien d'une année où elle avait tardé à exécuter cette besogne et où elle avait dû transporter de l'eau de chez elle pour nettoyer, car Ernest avait procédé à la fermeture sans la prévenir. Il avait alors invoqué le fait qu'elle avait pris trop de temps pour se décider alors qu'il avait volontairement agi de la sorte dans le seul but de lui faire la leçon.

— J'ai pour mon dire qu'on ne doit jamais remettre à plus tard ce qu'on peut faire aujourd'hui, avait fièrement dit Ernest à sa femme qui avait eu beaucoup de travaux de couture à faire pour des clientes avant la rentrée scolaire et qui avait reporté à plus tard ce qu'elle croyait moins urgent.

Tout en démarrant son camion, Ernest n'avait qu'une idée en tête et c'était de se rendre le plus tôt possible chez son paternel afin de savoir s'il avait eu vent de la transaction faite à son insu.

— Salut le père; êtes-vous tout seul? demanda-t-il en regardant vers la chambre à coucher, car il aimait bien que ces discussions-là n'aient lieu qu'entre hommes.

— Oui, hier soir, ta mère est restée chez Berthe au village, parce que la p'tite dernière était malade. Tu sais comment ta sœur est nerveuse ; à l'entendre au téléphone, on dirait toujours que les petits sont en train de mourir, quand ils ont juste une grippe ou une graine de fièvre. Ça a tout juste deux enfants et ça n'a même pas les nerfs pour en prendre soin.

— Avec un mari aussi feluette, c'est rien pour y donner de la colonne, répondit Ernest, en se tapant fortement sur la cuisse et en rigolant de bon cœur.

— Ta mère devrait pas tarder. Elle va remonter avec le bonhomme Bouchard qui s'en vient dîner chez sa sœur en haut du rang.

Ernest n'était pas très attentif aux propos de son paternel. Il n'était intéressé que par sa propre quête. Il lui demanda alors, d'un ton empreint d'impertinence à la limite de l'effronterie :

— Étiez-vous au courant, le père, que la bonne femme Therrien avait vendu sa maison pis son terrain juste avant de mourir ?

— Ben oui, mon garçon, dit-il en se gonflant le torse, fier d'être en quelque sorte porteur d'une nouvelle qu'il n'avait pu colporter en raison de la confidentialité de la transaction. Ça fait déjà une bonne secousse que c'est fait à part de ça. Le notaire Talbot est même arrêté me chercher lui-même pour que je signe comme témoin quand y a fait la *deed*⁹. Monsieur Thompson appelle ça de même, le contrat de vente.

---

9   *Deed* : mot anglais pour désigner un contrat, un acte notarié.

— Pis pourquoi vous m'avez rien dit ? riposta son fils d'un ton acrimonieux, qui démontrait clairement toute sa furie et son désenchantement.

Édouard n'appréciait pas le timbre de voix employé par Ernest qui le régentait depuis déjà un bon moment. Il n'entendait pas se laisser marcher sur les pieds de la sorte.

— Ben t'es pas venu me voir depuis ce temps-là. C'est pas des affaires qu'on raconte à Pierre, Jean, Jacques. C'est du domaine du personnel et confidentiel ça, mais avec toi, j'en aurais sûrement jasé. J'étais pas pour discuter de ça à ta femme ou à tes enfants, parce qu'eux autres, ils ne passent jamais devant la porte sans arrêter, mais j'peux pas en dire autant de toi. Ça fait que viens pas me faire la morale icitte.

— Ça parle au batinse, mon propre père qui me joue dans le dos ! C'est moé qui étais censé l'avoir cette maison-là. Ça m'a déjà été promis depuis plus que deux ans. C'est quasiment du vol.

— Promis par qui ? Rita Therrien m'a pourtant jamais rien dit de ça. C'est toujours moi qui la conseillais quand a voulait faire quelque chose.

— Ah, laissez faire, répliqua Ernest, refusant d'aller plus loin dans la conversation. C'est en refermant bruyamment la porte qu'il laissa son père pantois et déçu, encore une fois, de la relation qu'il entretenait avec celui qu'il n'avait jamais négligé, bien au contraire.

Ernest se dirigea vers sa maison d'un pas lourd comme un ours enragé. Il n'avait jamais accepté la défaite et il avait l'impression que son vieux l'avait trahi. Il ne faisait confiance à personne et il venait d'avoir encore une preuve qu'on ne pouvait se fier qu'à soi-même.

* * *

Pauline profitait de cette belle journée automnale pour laver ses fenêtres avec son fils Albert. Ensemble, ils poseraient les châssis doubles avant que la froidure ne s'installe. Il y avait deux carreaux brisés sur la porte de dehors et elle aurait bien aimé qu'Ernest s'occupe de les remplacer. Elle attendait qu'il soit de bonne humeur pour lui en faire la demande ; elle aurait ainsi plus de chances de voir la réparation faite dans un délai raisonnable.

Elle lui avait préparé son repas préféré : du foie de veau rôti dans le poêlon avec du bacon et des oignons, le tout recouvert d'une sauce brune bien poivrée. Avec des patates pilées, une grosse tranche de pain de ménage et une tasse de thé bien chaud, elle était assurée qu'il s'empiffrerait comme un porc. Un vrai lunch de *big shot*, comme il disait quand il parlait des gens riches.

D'un timbre de voix toujours doux et non accusateur, elle fit une remarque à son jeune :

— Albert, fais attention quand tu poses les châssis doubles, tu mets tes doigts dans les vitres que je viens de laver.

— C'est pas de ma faute, maman ; je veux juste laisser mes empreintes pour prouver aux autres que c'est moi qui ai fait l'ouvrage avec vous ! rétorqua-t-il en rigolant, pour voir sourire sa mère qu'il adorait et qui ne s'amusait pas assez souvent à son goût.

— T'es rien qu'un sacripant! lui répondit-elle, en lui effleurant le nez et les oreilles avec son linge enduit d'eau vinaigrée. J'ai bien envie de...

— Qu'est-ce qu'y se passe icitte? cria tout à coup Ernest en entrant en trombe. On vous entend rire du bout du chemin. Après, ça se plaindra que ça travaille fort.

— C'est rien, expliqua Pauline pour dédramatiser. On peut ben s'amuser un peu même si on besogne. On n'est pas dans l'armée après toute!

— On dirait que vous pensez juste à ça, faire des niaiseries vous autres pendant que moé j'me désâme à la sueur de mon front.

— Qu'est-ce qu'y t'arrive aujourd'hui, mon vieux? As-tu mangé de l'ours? répliqua Pauline d'un ton tranchant, ce qu'elle n'avait pas l'habitude de faire, craignant toujours les sautes d'humeur de son mari.

Ernest, qui était encore furieux de la discussion qu'il avait eue avec son père quelques minutes plus tôt, n'entendait pas être traité ainsi sans faire de jérémiades alors qu'il était dans sa propre maison. Convaincu qu'il devait se faire respecter, il fit ce qu'il avait déjà fait à quelques reprises dans le passé et il frappa Pauline avec fureur du revers de la main devant son pauvre fils hébété. Celle-ci perdit l'équilibre et tomba sur la fenêtre qu'elle était en train d'éclaircir. Un bris de verre s'accompagna d'un son court et sec, mais empreint d'un bien mauvais présage.

— C'est ça, casse toute par-dessus le marché, gueula Ernest en claquant la porte de la maison, avec l'idée de ne revenir que lorsque le calme serait rétabli.

Albert s'empressa d'aider Pauline à se relever et vit du sang couler abondamment le long du bras et de la main droite de sa mère. En peu de temps, une grande mare s'était formée sur le prélart de la cuisine. Pauline, étourdie, peinait à se tenir sur ses jambes, et il l'assit à la hâte dans la berceuse.

— Donne-moi une guenille vite, pis crie à ton père d'appeler le docteur Lavallée, en disant que ça presse, balbutia Pauline d'une voix affaiblie par le choc et la blessure. J'pense que ça va me prendre des points. J'ai perdu l'équilibre en travaillant, ça fait que je suis tombée sur le châssis.

— C'est de sa faute! riposta promptement son fils, c'est lui qui vous a frappée, je l'ai vu faire.

— Parle pas de ça, Albert! répondit Pauline d'un ton autoritaire qu'elle n'utilisait que rarement. Fais ce que j'te demande au plus sacrant. Va dire à ton père de venir téléphoner au docteur, pis tu enverras tes frères chez mémère pour dîner. Ils jouent dehors, mais je ne veux pas que tu les laisses entrer dans la maison pour qu'ils me voient comme ça. Quand ton père sera icitte, tu prendras le bébé et tu l'emmèneras avec toi. Je te demande de pas énerver mémère pis pépère avec ce qui est arrivé icitte.

Pauline enroula le linge à vaisselle autour de son bras qui saignait énormément. Un gros morceau de vitre était solidement logé dans son avant-bras et elle savait d'instinct qu'elle ne devait pas l'enlever elle-même au risque d'empirer sa blessure. Elle se sentit défaillir et décida de s'allonger par terre, n'ayant pas la force nécessaire pour se rendre à sa chambre à coucher.

C'est ainsi qu'Ernest la trouva quelques minutes plus tard. Terriblement anxieux, il s'agenouilla délicatement à côté d'elle.

— Pauline, Pauline, réponds. Le docteur Lavallée s'en vient, bégaya-t-il, soudainement inquiet de voir sa femme dans cet état à la limite de la conscience. Albert, mouille une guenille d'eau frette pour y laver le visage, j'va y faire un garrot avec ma ceinture, dit-il à l'intention de son fils, mais d'un timbre de voix désemparé que celui-ci ne lui connaissait pas. Ta mère est en train de se vider de son sang comme un cochon, ajouta-t-il effrayé par la situation qui dégénérait rapidement.

— C'est de vot' faute si maman est tombée! cria Albert qui n'avait jamais haussé le ton devant son paternel. Chu écœuré de vous voir y faire de la peine pis la maganer! hurla-t-il en pleurant, pendant qu'il allait tout de même à la recherche d'un morceau de tissu pour lui faire une compresse.

Albert était atterré à la pensée qu'il pourrait perdre sa mère un jour. Il souhaitait que son père parvienne à arrêter l'hémorragie en attendant l'arrivée du secours. Il sortit à l'extérieur pour aviser Yvon et Pierre de se rendre chez leurs grands-parents et il resta sur le bord de la route pour être le premier à apercevoir au loin la voiture du docteur. Il était le seul à savoir ce qui s'était réellement passé dans la maison et ce secret serait lourd à porter. À qui pourrait-il se confier? Après une courte réflexion, il décida qu'il se tairait aujourd'hui, mais qu'il serait plus vigilant. Il n'accepterait jamais plus que son père lève la main sur sa mère !

Ernest, lui, agissait comme un enfant apeuré qui avait fait un mauvais coup. Il se savait responsable et se mit soudain à craindre les représailles. Ce n'était pas la première fois qu'il frappait sa femme, comme il avait aperçu son paternel le faire bien avant lui, mais jamais il n'aurait cru pouvoir lui faire aussi mal. Il n'acceptait tout simplement pas qu'on lui tienne tête et il avait agi par pur réflexe. Il savait qu'il était colérique, mais aujourd'hui, ça semblait avoir pris une ampleur terrible, et même démesurée.

Quelques minutes plus tard, c'est la grand-mère Potvin qui arriva sur les lieux. En voyant surgir les enfants à la maison, elle avait rapidement compris qu'il y avait encore eu de la bisbille chez son fils et chaque fois elle craignait le pire, car elle connaissait bien le caractère bouillant de celui-ci. Elle avait, en outre, une longue expérience de la vie passée auprès d'un Potvin. Elle était bien décidée à ne pas laisser Ernest faire vivre les mêmes tourments à Pauline. Quand elle aperçut l'état dans lequel se trouvait sa belle-fille, elle se dit cependant qu'elle aurait peut-être dû s'en mêler avant.

En pénétrant dans la cuisine, elle découvrit Pauline couchée sur le sol, le teint pâle, avec beaucoup de sang sur ses vêtements. On avait mis un oreiller sous son bras enveloppé d'une vieille nappe de semaine. Ernest était en train de ramasser la vitre brisée et de nettoyer le prélart, qui témoignait de la récente tragédie.

— Pauvre enfant. Veux-tu ben me dire qu'est-ce

qu'y s'est passé ? T'es blême comme les murs.

— C'est rien mémère, répondit Pauline d'une voix affaiblie. J'ai glissé, chu tombée sur un châssis pis j'me suis coupée un peu sur le bras.

— J'y ai fait un garrot en attendant le docteur. Ça devrait aller, intervint Ernest, tout penaud et extrêmement inquiet.

— Ernest, couche-la dans son lit, pis ça presse à part de ça. Ta pauvre Pauline est faible au coton. Regarde tout le sang qu'elle a perdu ! Nous autres les femmes on n'en a pas de trop, à force d'être dans les guenilles[10] à tous les mois.

Les aiguilles de la vieille horloge murale semblaient figées sur l'heure, témoins de la violente gifle reçue par Pauline. Serait-il possible que le médecin arrive trop tard et que tout comme le balancier, le cœur de la mère de famille arrête son mouvement ?

Le bruit d'une grosse voiture se fit soudain entendre au loin. Comme à son habitude, le docteur n'avait pas tardé à répondre à un appel d'urgence. Dès qu'il pénétra dans la résidence et s'approcha de Pauline, une onde de calme envahit rapidement toute la maison. Après monsieur le curé, c'était lui l'homme le plus important du village.

Il prodigua les premiers soins à sa patiente avec délicatesse et doigté. Par la suite, il s'isola avec Ernest afin de connaître les tenants et aboutissants de cet accident. Il ne crut pas nécessairement le récit que le mari lui fit,

---

10 Être dans les guenilles : avoir des menstruations.

mais il conserverait bien en tête la déclaration verbale de celui-ci au cas où il se verrait dans l'obligation d'intervenir. Il lui demanda formellement de transporter immédiatement sa femme à l'hôpital afin qu'il puisse la garder en observation dans un lieu propice à son rétablissement. Il lui fallait prendre en considération que Pauline, une dame anémique, avait donné naissance à un enfant tout juste quatre mois avant cet accident.

Ernest se rendit chercher son véhicule pendant que sa mère s'occupait de faire la toilette de Pauline avant de lui faire passer une robe propre. Il était impossible de la laisser partir pour l'hôpital dans ses vêtements souillés. Mémère Potvin se sentit réconfortée par les paroles du médecin, qui insista pour installer sa patiente dans le camion de son mari, en spécifiant qu'il allait l'escorter au cas où il y aurait des complications, ce qui lui semblait cependant improbable, les premiers soins ayant freiné momentanément l'hémorragie.

Tout en sillonnant à vive allure le chemin Ladouceur au lac Brûlé en direction de l'hôpital de Sainte-Agathe-des-Monts, Ernest, en conduisant, observa du coin de l'œil sa femme.

Il était rassuré par la présence du véhicule du docteur qui le suivait et par les premiers traitements qui avaient été administrés à son épouse. Il reprenait lentement ses esprits et se déculpabilisait peu à peu des gestes posés. Il songea qu'après tout, il n'était pas le seul responsable de ce qui arrivait aujourd'hui.

Tout ce qui venait de se passer, ce n'était pas vraiment de sa faute à lui, mais celle du bonhomme Thompson, celui qui avait acheté la terre de la veuve Therrien. Du moins, c'est ce qu'il se répétait sans cesse pour calmer son anxiété…

CHAPITRE 7

Le dîner du jour de l'An

(Janvier 1960)

Depuis toujours, le dîner du jour de l'An se déroulait chez les grands-parents Potvin. Cependant, quand Ernest avait pris possession de la demeure familiale et qu'ils avaient emménagé dans la maisonnette que leur fils leur avait installée sur un terrain voisin, Amanda avait bien cru que celui-ci assumerait la relève de cette coutume. Mais c'était sans compter sur son égocentrisme. Au moment où ils lui en avaient parlé, il avait été bien clair à ce sujet.

— Quand j'ai pris la maison, je me suis engagé à m'occuper de vous autres, mes parents, mais pas de la famille au complet!

C'est ainsi qu'Amanda et Édouard avaient choisi de continuer à recevoir leurs enfants et leurs petits-enfants pour le dîner du jour de l'An. Bien que leur résidence n'était pas très grande, on se relayait autour de la table et même si on était tassé, on profitait gaiement de se retrouver tous ensemble, au moins une fois par année, pour un repas traditionnel.

Depuis quatre ou cinq ans, à cause de l'âge avancé de sa mère, Fernande montait de Montréal pendant toute une fin de semaine durant le mois de décembre afin de l'aider à préparer ses tartes, ses pâtés et son ragoût de pattes de cochon. Ensuite, elle retournait chez elle à Montréal et elle revenait toujours l'avant-veille de l'événement pour s'occuper de la cuisson de la dinde et des préparatifs de dernière minute.

Habituellement, Pauline venait mettre la main à la pâte dès que ses travaux étaient terminés chez elle. Elle regrettait amèrement que son mari ait refusé de maintenir la tradition familiale et elle voulait ainsi participer aux tâches qui incombaient à sa belle-mère.

— Bonjour Fernande, bonjour mémère ! J'aurais aimé arriver plus tôt, mais Ernest m'avait demandé de rester à la maison parce qu'un touriste devait téléphoner pour lui.

— Es-tu rendue téléphoniste ma belle Pauline ? s'informa gentiment Fernande pour taquiner sa belle-sœur qu'elle trouvait terriblement changée depuis qu'elle l'avait vue l'été d'avant.

— Tu connais assez ton frère pour savoir qu'il ne veut pas manquer un client. J'ai quand même décidé de partir. Au diable, le téléphone ! Il ne sera pas dit que je ne vous aurai pas aidées un petit peu cette année, profitez-en pendant que je suis là…

— Fais-toi z'en pas ma belle-fille, ajouta Amanda, j'ai pris pas mal d'avance ce mois icitte. J'ai préparé mes tartes au suif[11], aux raisins pis aux bleuets et imaginez-

---

11 Tarte au suif : tarte fabriquée avec du gras de bœuf et de la cassonade.

vous donc qu'Édouard m'a même secondée pour la pâtisserie.

— Vous allez pas essayer de nous faire croire que papa a roulé d'la pâte à tarte cette année! Si c'est ben vrai, j'aurais aimé ça que vous le posiez avec un Kodak. C'est pas que je vous prends pour une menteuse, mais avouez que ça aurait été un maudit beau portrait!

— Faut jamais désespérer. J'ai enfilé des gants blancs et j'y ai demandé s'il pouvait me donner un coup de main en attendant que Fernande arrive. Je pense même qu'il a aimé ça. Je roulais la pâte, je faisais mon fond de tarte et lui y remplissait avec le mélange que j'y avais préparé d'avance. Après je mettais le dessus et il s'occupait de les faire cuire un peu avant que je les gèle.

Fernande, qui avait connu son père dans les années où il faisait la pluie et le beau temps dans la maison, s'amusait maintenant de constater qu'on ne doit jamais abdiquer.

Pauline trouvait pour sa part que sa belle-mère était une sainte femme et qu'elle avait eu terriblement de courage et de persévérance pour traverser toutes ces années de domination et toujours croire qu'il y aurait plus de soleil le lendemain. Elle pensait sincèrement qu'elle ne lui allait pas à la cheville. Son degré de tolérance était beaucoup moins grand.

— Pauline, t'es dans la lune ma belle enfant.

— Vous me parliez mémère? Je m'excuse. J'étais dans les nuages, répondit-elle habituée de ne pas raconter ses états d'âme.

— Je te disais que deux semaines passées, quand

Fernande est venue faire un tour, on a fait les tourtières pis le ragoût de pattes. Tout est ben gelé dans la glacière sur la galerie d'en arrière. Aujourd'hui, il nous reste juste à préparer la farce pour bourrer la dinde pis la mettre à cuire pour demain. À la dernière minute, ce sera les légumes à éplucher pis la sauce à faire.

— Maman a acheté une volaille assez grosse que je me demande si elle va faire dans son fourneau. Je suis certaine que d'une année à l'autre, elle ambitionne quand elle la choisit.

— Madame Potvin a toujours peur d'en manquer. L'année passée, je pense qu'on a mangé des bons restants pendant presque tout le mois de janvier.

— Y a ben des chances que ce soit la même chose cette année. As-tu le goût de nous faire ta recette de sucre à la crème asteure que t'es arrivée ?

— Ça va me faire plaisir ! Au moins, j'aurai l'impression d'être utile à quelque chose !

Pauline avait laissé tomber cette réplique qui démontrait comment elle se sentait depuis l'accident survenu au mois d'octobre. Si elle était venue ce jour-là chez sa belle-mère, c'était en tout premier lieu pour sortir de la maison où elle ressentait ce matin-là une terrible anxiété qu'elle ne parvenait pas à contrôler. Elle s'était imaginé que la présence de sa belle-sœur pourrait lui redonner un peu de vigueur.

Fernande savait par sa mère combien Pauline était déprimée depuis son accident et elle décida qu'elle essaierait de lui faire oublier tous ses tracas ; elle était prête à tout pour lui arracher un sourire.

— Prépare-toi à avoir chaud ma belle. Je te dis que je commence à avoir la craque pas mal humide avec le poêle qui chauffe à plein régime! lança Fernande en secouant sa grosse poitrine sans gêne, ce qui soutira un léger rictus à Pauline et même à mémère Potvin, qui était de moins en moins prude en vieillissant. Fernande était vraiment fière de son coup.

— T'es assez drôle toi! Comment est-ce que t'es montée dans le Nord?

— Avec Roméo, le chauffeur de taxi. Il était venu conduire un monsieur à l'hôpital et j'ai pu en profiter pour revenir avec lui. C'est un sapré bon gars ce Roméo-là. Le voyage passe tellement vite avec lui, surtout qu'il a toujours une petite histoire à raconter.

— C'est certain, avec tout le monde qu'il rencontre. Mais avez-vous remarqué que cet homme-là ne dit jamais rien de méchant sur personne? Y fait ben des farces, mais c'est jamais déplacé.

— En plus, il a jamais voulu que je le paye. Il m'a expliqué qu'il fallait qu'il revienne de toute façon parce qu'il avait une femme à la maison et il s'est mis à rire. Même pas moyen de lui donner un *tip*[12]. Mais j'y ai fait jurer qu'il viendrait dîner avec nous autres demain midi.

— T'as ben faite! répliqua mémère Potvin. Maintenant si on arrête de jaser un peu, on va avancer plus vite. Moé je m'occupe de faire les bonbons aux patates.

— Les enfants seraient ben tristes si vous passiez une année sans en faire. C'est drôle qu'on cuisine ça juste

---

12 *Tip*: mot anglais signifiant «pourboire».

dans le temps des fêtes! ajouta Fernande pour meubler gaiement la conversation.

Et les trois femmes continuèrent de discourir tout en travaillant dans la petite cuisine de la maison. Étrangement, pour Pauline, cette demeure était un lieu de sérénité. Elle y retrouvait une certaine paix nécessaire à son équilibre mental. Pourquoi n'avait-elle pas pu recréer une telle ambiance sous son propre toit?

Elle en était venue à penser que des démons habitaient chez elle et qu'ils alimentaient jour après jour une flamme haineuse…

* * *

Les complices, Rose et Luc, arrivèrent tous les deux au terminus d'autobus de Sainte-Agathe-des-Monts, sur la rue Sainte-Agathe au coin de la rue Saint-Paul. Ils ne se rendraient pas au lac Brûlé ce soir-là, souhaitant aller chez leur sœur Diane pour réveillonner. Ils assisteraient tous à la messe de minuit et ensuite ils célébreraient le début de l'année ensemble.

Les enfants Potvin ne se sentaient jamais pressés de revenir à la maison familiale où toute discussion était propice à une controverse. Ils préféraient de loin rester au village et rencontrer des amis et leurs familles qui vivaient différemment et surtout qui semblaient terriblement s'amuser.

Ils feraient donc une petite tournée pour offrir leurs bons vœux au sortir de l'église, se rendraient ensuite chez Diane et Jules où ils mangeraient un peu et se coucheraient quelques heures avant d'aller rejoindre tout le monde chez pépère et mémère au lac Brûlé afin de participer au dîner du jour de l'An.

La sœur d'Ernest, Yvette, qui était célibataire et demeurait à Montréal, en profiterait pour monter dans le Nord le lendemain matin avec Léon, le mari de Fernande et ses deux plus jeunes. Celui-ci travaillait toujours la veille du jour de l'An, mais il exigeait par contre de pouvoir commencer l'année en festoyant avec les siens, peu importe le nombre d'heures qu'on lui demanderait d'accomplir auparavant pour obtenir ce congé.

Comme tous les ans, l'autre fille de la famille Potvin, Berthe, arriverait probablement en retard pour le dîner en prétextant que l'un des enfants avait de la fièvre, qu'elle avait été obligée de réparer le pantalon trop petit de son époux qui avait engraissé ou qu'elle avait renversé une pinte de lait sur le prélart juste avant son départ. Elle avait toujours une bonne raison pour expliquer ses arrivées tardives et son mari, Aimé Lachapelle – que tout le monde appelait Ti-Mé –, ne la démentait jamais. Il se contentait de suivre comme un pauvre chien de poche, en s'occupant des marmots comme elle le lui avait demandé avant de quitter la maison.

Amanda se réjouissait à l'idée de revoir encore une fois toute sa famille réunie. Avec ses soixante-dix-huit ans bien sonnés, elle se disait toujours que c'était peut-être son dernier jour de l'An. Elle avait cependant le vague à l'âme en songeant que malgré une maison pleine à craquer, la journée ne serait jamais vraiment une réussite. Il manquait deux invités très importants à ses yeux.

Son fils Victor, mort depuis déjà dix-sept ans et dont la photo était bien en évidence dans le salon des grands-parents. Ce beau garçon qui posait fièrement dans son uniforme des Fusiliers Mont-Royal était la fierté de ses parents, et même s'ils avaient souffert son départ, ils se consolaient en se disant qu'il était parti en héros. Dès sa naissance, cet enfant avait été pour eux un miraculé et dans leur grande foi, ils acceptaient que le Créateur ait choisi de le rappeler à lui.

Pour ce qui était de Georges, il n'avait plus participé à ce repas annuel depuis déjà vingt-trois ans, soit juste avant qu'il prenne la décision de s'expatrier. Amanda comptait les années et elle espérait toujours qu'il décide de lui faire une surprise, mais elle savait bien que c'était tout à fait irréaliste. Il ne manquait cependant jamais d'envoyer une longue lettre accompagnée d'un chèque substantiel à ses parents pour offrir ses meilleurs vœux et il écrivait également à sa sœur Fernande, avec qui il gardait un contact étroit. C'était un homme tellement attentionné et charmant qu'il était impensable qu'on puisse l'oublier.

Durant cette journée de festivités, Georges serait absent physiquement, mais il occuperait la pensée de plusieurs personnes qui seraient réunies au lac Brûlé !

* * *

À dix heures trente le matin, Pierre arrivait déjà chez ses grands-parents. Il voulait profiter de ce moment d'intimité avec eux avant que toute la famille soit là. Comme tous les ans, c'est le grand-papa qui était allé accueillir le petit pour lui offrir ses vœux à sa façon.

— Bonne année, grand nez! lui dit-il en lui serrant la main comme à un homme.

— Pareillement, grandes dents! répliqua Pierre comme son grand-père le lui avait enseigné.

— Et à l'année prochaine, grosse bedaine! compléta le vieil homme en tapant sur le ventre de son petit-fils qui riait déjà en sachant d'avance ce qui allait se passer.

Ça se terminait ensuite par une accolade et c'était un moment de pur bonheur pour Pierre, comme ça l'était également pour ses frères et sœurs qui n'auraient pas voulu renoncer à ce rituel qu'Édouard avait entrepris plusieurs années auparavant.

Les grands-parents Potvin apportaient à leurs petits-enfants l'amour nécessaire pour nourrir leur cœur si souvent bafoué.

La table était déjà joliment dressée avec une magnifique nappe en coton blanc dont le centre était brodé d'une lumineuse chandelle jaune or sur un arrangement floral de saison et les quatre coins avec de belles feuilles de houx. Chaque convive avait également sa serviette de table sur laquelle était brodée une petite feuille de houx. Un beau travail artisanal de la grand-mère Potvin, qui avait débuté les travaux à l'aiguille dès son jeune âge. Au fil des ans, elle avait complété cet ensemble qu'elle n'utilisait naturellement qu'à cette période de l'année.

Dès le lendemain de la réception, elle faisait tremper sa belle nappe et elle frottait les taches robustes avec du savon de pays. Elle l'étendait ensuite sur la corde à linge afin qu'elle sèche et puisse blanchir au contact du soleil. Elle la repassait soigneusement avant de la ranger dans une boîte avec une ou deux boules à mites enroulées dans une petite guenille pour éviter que des insectes ne viennent faire des petits trous dedans.

Elle appréciait chaque fois qu'elle dressait sa table du temps des fêtes, se rappelant quasiment chaque minute passée à faire de minuscules points de broderie avec les brins de fil tirés de différentes échevettes. Amanda avait toujours profité des beaux moments de la vie, laissant de côté les commentaires négatifs et les humeurs maussades de ceux qui l'entouraient. C'est ce qui lui avait permis de survivre dans les moments les plus difficiles.

Elle sortait ensuite ses plus beaux plats et y disposait ses betteraves marinées, son ketchup rouge et vert, et les canneberges. S'ajoutaient une grande assiette de jambon froid et une de rôti de porc frais que l'on découvrait à la toute dernière minute afin d'éviter que les hommes ne viennent piger dans les assiettes avant que ce soit le temps.

On servirait les hommes et les enfants en premier et par la suite, les femmes pourraient s'attabler.

— Pierre, mets ton *coat* sur le lit de mémère, mentionna la vieille dame et tu feras penser aux autres de faire pareil. Pis tu iras porter tes bottes dans le bain. On a beau étendre des catalognes à l'entrée, si on enlève pas les claques pis les bottillons, y restera plus de place pour passer.

— C'est correct mémère, mais si je veux pouvoir jouer dehors après le dîner? Mon *coat* va être en dessous de la pile!

— Ben mets-le tout de suite dans la petite chambre où j'couche, lui conseilla la tante Fernande. Ça sera un p'tit secret entre toi pis moi, ajouta-t-elle en caressant de sa main ses jolies boucles blondes.

— J'aimerais ça vivre toujours icitte! déclara candidement Pierre, heureux d'être ainsi entouré de gens qui l'appréciaient et prenaient soin de lui alors qu'à la maison il n'y avait que sa mère qui s'en occupait et à l'occasion son frère Albert. Mais pour ce qui était d'Yvon, il faisait comme son père et l'ignorait complètement, n'hésitant pas à lui donner une taloche ou à le rendre responsable de ses bévues en sachant qu'il ne se défendrait pas.

— Ben quand pépère pis moé on sera trop vieux, tu viendras nous soigner à ton tour!

On entendit ensuite des gens se secouer les pieds sur la galerie. C'était signe que la fête commencerait très bientôt.

— Assoyez-vous maman! dit Fernande. Je vais m'occuper de tout le monde. Il faut ménager vos jambes un peu si vous voulez pas avoir encore des crampes dans les mollets pendant toute la nuit!

Fernande était aux petits soins avec ses parents vieillissants. Elle avait quitté la maison très jeune et son départ avait été mouvementé, mais les années avaient passé et le pardon avait fait son travail. Elle souhaitait maintenant leur faciliter la vie autant qu'elle le pouvait.

On aurait dit que tout le monde arrivait en même temps et ça se bousculait à l'entrée. Dès que les garçons enlevaient leurs claques, Pierre se faufilait comme un petit chat en dessous des chaises installées étroitement dans la cuisine et il ramassait les différents couvre-chaussures pour les mettre dans le bain. Il était tellement content de se sentir utile qu'il faisait l'aller-retour en rampant sur le sol pour s'assurer que sa grand-mère soit fière de son travail.

Une fois les vœux échangés, tout le monde se trouva une place, même minuscule, pour s'asseoir. Habituellement, c'était Fernande qui demandait la bénédiction à son père, l'aîné de la famille étant absent, mais cette année, à la surprise de tous, Ernest s'était levé, le dos arrondi par les soucis, et il s'était adressé solennellement à celui-ci, ce qu'il avait toujours refusé de faire auparavant.

— Papa, voudriez-vous nous donner la bénédiction ? avait-il dit la voix empreinte d'une grande fébrilité.

Tout le monde fut surpris par ce geste inattendu. C'était déjà un moment empreint d'émotion et même d'une certaine gêne, mais l'intervention subite d'Ernest et son attitude ajoutèrent une forme de malaise au rituel.

On s'agenouilla et le grand-père fit son signe de la croix avant d'imposer les mains au-dessus des têtes de ses enfants et de réciter :

Que le Bon Dieu vous bénisse,
qu'Il vous accorde la santé tout au long de l'année
qui vient
et qu'Il vous apporte des jours heureux.
Au nom du Père et du Fils et du Saint-Esprit.
Ainsi soit-il.

Tout le monde se releva ensuite et Édouard entreprit de servir un petit verre de vin de cerises à ses invités, boisson qu'il avait fabriquée lui-même en septembre dernier en prévision des occasions spéciales.

— Y a pas juste monsieur le curé qui peut boire du vin, dit Édouard pour faire diversion de l'atmosphère solennelle qui avait précédé.

Et tout en versant le liquide, il chantonnait gaiement : « Chevaliers de la Table ronde, allons voir si le vin est bon... » Tous les convives répondaient joyeusement à cet air connu.

L'ambiance était à la fête et pendant que les femmes commençaient à piler les patates, à tailler la dinde et à préparer les assiettes, les hommes et les tout petits s'attablaient déjà, prêts à s'empiffrer de ces succulents mets traditionnels.

Étrangement, Ernest était d'un calme déconcertant, ne faisant que très peu d'interventions. On aurait dit qu'il voulait tout simplement se faire oublier en ce début d'année.

Amanda était heureuse de voir ses enfants ainsi réunis, d'autant plus qu'il n'y avait pas l'ombre d'une querelle en vue comme c'était le cas autrefois.

Encore une fois cette année, Berthe ne participerait pas aux corvées, car elle disait s'être foulé la cheville la veille en étrennant ses nouveaux souliers doublés qu'elle avait commandés dernièrement dans le catalogue Eaton. Pour éviter une petite bordée de neige qui aurait rempli ses chaussures neuves et mouillé ses bas de soie, elle avait fait un pas de côté et avait bêtement trébuché.

La famille était donc arrivée avec plus d'une demi-heure de retard.

On lui avait alors assigné un bon fauteuil berçant dans un coin où elle ne serait pas dérangée. Elle en profiterait pour soigner sa blessure avec deux ou trois verres de vin.

Dans la cuisine, Fernande, Pauline et Yvette s'activaient à préparer les assiettes pour les hommes.

— Tu devrais retrousser tes manches Pauline, elles trempent dans les plats, dit candidement Yvette en faisant un mouvement pour l'aider à remonter celles-ci.

Malencontreusement, en tirant sur le tissu de sa blouse vers le haut, elle dévoila la longue cicatrice à son poignet droit.

— Mon Dieu, qu'est-ce que tu t'es fait? s'inquiéta celle-ci étonnée par la marque de blessure encore très visible.

— C'est rien! répondit Pauline rudement en baissant sa manche. Je me suis coupée en lavant mes vitres de cuisine, un accident bête.

Mais tout le monde semblait s'être arrêté de parler pour écouter ce qui se passait dans la pièce. Fernande, qui avait remarqué la trace sur le bras de sa belle-sœur quand elle était venue quelques semaines plus tôt, avait interrogé sa mère et celle-ci lui avait fait part de ses doutes selon lesquels Ernest pouvait y être pour quelque chose. Mais elle n'en avait aucune preuve. L'attitude de son fils depuis cet accident laissait à penser qu'il n'était pas étranger à ce qui était arrivé.

Fernande souhaitait donc mettre un terme à cet

incident qui dérangeait terriblement Pauline et qui risquait de troubler la fête.

— Le premier qui finira de dîner aura droit à une surprise! lança-t-elle et les enfants se mirent à piailler tellement fort qu'ils éteignirent sans le savoir une flamme qui aurait pu prendre une terrible ampleur.

Léon, qui adorait les enfants, avait bien compris qu'il devrait sortir quelques billets de deux dollars pour en remettre un à chacun des jeunes sans exception. Il leur dirait de mettre ça dans leur banque en arrivant à la maison et ils seraient tous très heureux d'avoir des sous bien à eux.

Le repas s'était déroulé dans une ambiance festive, mais on pouvait bien constater que Pauline et Ernest étaient plutôt amorphes. Il y avait déjà longtemps qu'ils ne partageaient plus le même fauteuil, mais cette année c'était encore pire. C'était comme s'ils ne se connaissaient pas. Chacun dans leur coin, sans même se jeter un seul regard. Pour ceux qui n'étaient pas dupes, le malaise était flagrant!

Une fois le repas terminé, les femmes entreprirent de laver la vaisselle pendant que Roméo, qui était arrivé le dernier, utilisait ses talents de conteur pour distraire le groupe qui l'écoutait avec un grand plaisir. Il regardait à l'occasion mémère Potvin pour s'assurer qu'il n'allait pas trop loin dans ses propos à la limite de la décence.

— Madame Potvin, demanda-t-il, me donnez-vous l'autorisation de raconter une histoire de curé? Mais c'en est une qui est ben propre, vous pouvez me croire!

— Vas-y mon Roméo, sinon tout le monde serait

contre moi. Mais fais bien attention à ce que tu vas dire devant les enfants.

Et notre chauffeur de taxi commence son histoire en prenant des voix différentes pour son pénitent et pour monsieur le curé. Il déclame d'un ton digne du théâtre:

— C'est le nouveau vicaire qui arrive dans un petit village et qui doit faire sa première confession. Un homme se présente dans le confessionnal et lui dit: «Mon père, je m'accuse d'avoir couché huit fois avec ma voisine!» Le jeune prêtre en revient pas et y sait pas vraiment quelle pénitence donner. Il s'excuse donc à son paroissien et pis y va à la sacristie pour demander conseil au vieux curé qui y répond: «D'habitude, moi j'imposais trente *Ave* pour celui qui avouait dix infidélités.» Ça fait que le jeune prêtre retourne à son confessionnal et dit au gars: «Vous pouvez encore traverser chez la voisine deux fois pis après vous réciterez trente *Ave*.»

Tout le monde se mit à rigoler tandis que mémère pointait gentiment Roméo de son vieil index crochu par les durs travaux manuels en riant à gorge déployée. Les enfants s'esclaffaient également alors que la majorité ne comprenait même pas la teneur du récit.

— Ben là, c'est beau de raconter des histoires, mais moé si chu venu icitte, c'est pour vous entendre chanter, Monsieur Potvin, lança Roméo qui aimait bien taquiner Édouard.

— Je connais pu autant d'chansons qu'avant!

— Vous devez au moins vous rappeler de ma préférée, *Monsieur l'curé défend pas ça!*

Et tout le monde se mit à insister pour que le grand-papa interprète la mélodie qu'il leur faisait chaque année. Il se leva donc lentement et il prit le temps de sortir son mouchoir à pois rouge de sa poche arrière afin d'essuyer le dessous de son gros nez qui coulait tout le temps depuis que l'hiver était commencé. Il appuya ensuite sa main droite sur le dossier de sa chaise berçante et il inséra le pouce de sa main gauche sous sa bretelle de pantalon. Il avait toujours la même posture, année après année, comme s'il posait pour la galerie. Il se racla la gorge afin de pouvoir éclaircir sa voix qui semblait emmêlée avec certaines mucosités créées par les longues années à fumer la pipe.

— M'en va vous chanter la chanson de mon défunt père, *Monsieur l'curé défend pas ça!* C'est une chansonnette qui vient de la France, que papa nous disait.

Et il entama cet air joyeux en s'appliquant pour ne pas manquer un seul couplet. Tout le monde répétait le refrain, même les enfants qui ne comprenaient pas toujours les mots ou le sens, mais qui s'amusaient à faire comme les grands. Une fois le refrain chanté pour la dernière fois, pépère Potvin ajoutait :

— Excusez-la !

C'était la façon de faire savoir que l'on n'était pas un bon chanteur et qu'on regrettait en quelque sorte si on avait écorché les oreilles de fins mélomanes.

C'est sous de forts applaudissements que le vieil homme retourna s'asseoir aux côtés de sa vieille, heureux d'avoir encore une fois réussi cet exploit sans manquer un seul couplet. Il ne dirait à personne qu'il s'était pratiqué à quelques reprises dans la dernière semaine pour être certain de son affaire.

Les autres prendraient maintenant la relève avec diverses chansons pendant que certains s'attableraient pour jouer une partie de cinq-cents.

Peu après quatre heures, Léon avait demandé à Fernande si elle était prête à reprendre la route. Il travaillait le lendemain matin et une petite neige tombait, ce qui risquait de troubler un peu la circulation.

Berthe en profita pour faire de même avec son époux en spécifiant que son pied élançait terriblement. Les deux complices Luc et Rose riaient, car ils avaient remarqué que leur tante ne boitait pas toujours de la même patte. La réputation de celle-ci n'était plus à faire.

La maison s'était vidée ainsi et sans dire quoi que ce soit, Pauline était demeurée jusqu'à la fin, bien décidée à remettre la résidence de ses beaux-parents en ordre avant de partir. Elle savait qu'ils pourraient ensuite retrouver la quiétude qu'ils méritaient après avoir déployé autant de générosité.

— Laisse faire ça ma belle-fille, je m'en occuperai demain matin.

— Non Madame Potvin, je suis contente de rester avec vous pour finir de ramasser. À deux, ça va nous prendre une petite demi-heure et après vous pourrez vous reposer avec pépère.

— T'es tellement généreuse ma belle Pauline. Je te considère comme une de mes filles, tu le sais hein?

— Oui, je le sais, mémère. Vous, est-ce que vous avez passé une bonne journée?

— Oui, mais comme à chaque année, y me manquait deux gros morceaux. Mon Victor, qui est parti si jeune, et pis mon Georges qui est tout seul là-bas avec les Anglais, tandis que nous autres on est tous ensemble icitte.

— Je vous comprends, mais c'est son choix, répondit Pauline qui semblait troublée par l'aveu de la vieille dame.

— J'pense que tu aurais été ben plus heureuse avec lui qu'avec Ernest! ajouta-t-elle pour lui signifier qu'elle en savait plus qu'elle ne laissait entendre.

— Dites pas ça, Madame Potvin. Le passé c'est le passé!

Et sur cette phrase, pépère qui s'était rendu faire un tour chez le voisin rentra pour surprendre les deux femmes en discussion.

— On croirait que j'vous coupe le sifflet! dit-il en enlevant son gros manteau de lainage gris et son chapeau de style chapka.

— Ben non, pépère, je m'en allais. Même si on a pris un bon dîner, j'en connais qui vont avoir faim dans pas longtemps. Je suis mieux de retourner chez nous.

Et Pauline s'était empressée de quitter la maison de ses beaux-parents avant que sa belle-mère ne constate son grand désarroi.

Pourquoi lui avait-elle parlé de Georges aujourd'hui alors qu'elle-même n'avait pas cessé d'y penser pendant toute la journée?

Comme si les astres s'étaient alignés pour former une ligne de pensées amères, elle vit en sortant sur la galerie le petit Pierre qui marchait tout doucement dans sa direction. Il lui fut donc impossible de pleurer comme elle avait tellement le goût de le faire.

— J'm'en venais pour vous chercher maman. C'est plate à maison quand vous êtes pas là!

— Viens-t'en mon petit ange, la fête est finie, y faut qu'on retourne chez nous...

CHAPITRE 8

La vie s'écoule lentement

(Printemps 1960)

L ors de la rencontre familiale du jour de l'An, Pauline avait été très calme et elle avait tout fait pour sauver les apparences.

Ses enfants s'étaient grandement amusés et de son côté, elle s'était assurée de parler à tout le monde sans toutefois élaborer sur quoi que ce soit qui aurait pu la mettre dans l'embarras. Elle avait très bien su se trouver une tâche à accomplir pour aider la grand-maman Potvin quand elle sentait que l'indiscrétion risquait d'être commise par l'un ou l'autre des invités.

Et puis les mois d'hiver s'étaient écoulés au compte-gouttes dans la maison du vieil ours, qui s'était arrangé pour aller travailler plus souvent à l'extérieur du lac Brûlé. Il semblait trouver que l'air était très difficile à respirer dans cette maison empreinte de poussière de tristesse.

Le mois de mai venait tout juste de se pointer le nez et Pauline était seule à la maison. Elle profitait de ce moment de quiétude pour lire quelques pages du missel que mémère Potvin lui avait rapporté quand elle était allée rendre visite à sa fille Yvette à Montréal, le mois précédent. C'était un ravissant bouquin relié en cuir noir qu'Amanda s'était procuré expressément pour elle à l'Oratoire Saint-Joseph de Montréal et qu'elle avait pris grand soin de faire bénir. Elle lui avait également remis une bouteille d'huile de Saint-Joseph, cette substance sanctifiée, dont la simple possession avait la propriété de protéger la demeure familiale et ses âmes selon les dires de la vieille dame.

Mémère lui avait raconté une histoire faisant référence au Frère André, de la Congrégation de Sainte-Croix, au moment où il se rendait visiter les malades. Il emportait un peu d'huile végétale d'une lampe qui était allumée devant la statue de saint Joseph et ensuite il demandait humblement à ses ouailles de se frictionner avec cette huile sainte, en reconnaissance de leur foi. Il mettait l'accent sur la prière et la profondeur du geste accompli, mentionnant explicitement un écrit de l'Évangile selon saint Luc qui évoque que l'on doit aussi purifier notre intérieur.

Depuis l'épisode de la fenêtre brisée, la vieille dame n'avait rien dit à sa bru, mais Pauline savait par son changement d'attitude et son comportement qu'elle se doutait bien de ce qui s'était passé ; elle n'était pas née hier et elle avait déjà vu neiger. Toute la famille avait eu connaissance que, dans ses jeunes années, pépère Potvin faisait la pluie et le beau temps chez lui et que lors de ses pires accès de rage, il avait la fâcheuse habitude de faire maison nette[13]. Sa belle-mère avait connu, bien

---

13 Faire maison nette : mettre tout le monde dehors.

avant elle, les affres des sautes d'humeur d'un conjoint colérique et elle n'avait pas échappé non plus aux châtiments corporels qu'il lui faisait subir à l'époque où elle avait élevé sa marmaille.

C'était sa belle-sœur Yvette qui lui avait parlé un peu de son enfance et des saintes colères d'Édouard Potvin. Elle avait quitté la maison dès qu'elle avait eu l'âge de travailler, dans le seul but de s'éloigner de cet homme au comportement animal. C'est avec l'absolue conviction de ne jamais vivre sous la férule de qui que ce soit qu'elle s'était exilée à Montréal.

Son enfance au lac Brûlé avait été atroce et longtemps après son départ, elle faisait encore des cauchemars dans lesquels elle voyait son père vociférer des insanités à sa mère, quand il ne la rudoyait pas vicieusement. Elle racontait que parfois, l'hiver, au moment où elle sentait que celui-ci était instable, elle dormait tout habillée avec ses bottes sous son lit afin de pouvoir se sauver plus vite chez son oncle si la chicane prenait. Celui-ci, de quelques années plus vieux, n'était pourtant pas le plus costaud, mais jamais il n'hésitait à se déplacer pour venir rétablir la paix dans la maison.

Tous ces moments de violence avaient laissé des traces indélébiles au plus profond de son être et beaucoup plus tard, quand elle sortait dans les rues de Montréal, il lui arrivait de traverser de l'autre côté de la route si elle voyait un homme ressemblant à son père. Elle jugeait son réflexe enfantin après coup, mais elle ne faisait qu'obéir à son instinct.

Bien entendu, elle n'avait jamais fait confiance aux

hommes et elle était ainsi demeurée célibataire. Elle avait croisé de bons partis, mais elle ne s'était jamais décidée à leur ouvrir son cœur et encore moins à les laisser passer la porte de son foyer. L'ennui était son seul compagnon et c'est dans le travail qu'elle s'était étourdie jour après jour. Son père avait créé dans sa pauvre tête une muraille qu'elle ne pouvait franchir.

Avec les années, au bonheur de tous, mais pour une raison que tout le monde ignorait, Édouard Potvin s'était ramolli et il était même devenu un peu comme le vieux chien de poche de sa femme, sans en éprouver aucune gêne.

Pauline ne pensait pas avoir la patience de sa belle-mère ; elle était à bout de forces et n'avait plus la volonté de se battre. Elle avait enduré des atrocités pendant toutes ces années pour l'amour de ses enfants, mais elle semblait maintenant s'enfoncer dans une extrême lassitude. À tout juste quarante-deux ans, elle avait l'apparence d'une vieille femme. Les nombreuses blessures à l'âme infligées par Ernest avaient laissé des cicatrices indélébiles, mais aussi permis à des milliers de sillons de naître autour de ses yeux trop souvent visités par l'angoisse et la tristesse.

En octobre 1959, elle avait dû être hospitalisée un peu plus de deux semaines à l'hôpital de Sainte-Agathe-des-Monts afin de recevoir des transfusions sanguines. Le tesson de vitre qui avait pénétré la veine principale de son avant-bras lui avait fait perdre beaucoup de sang. N'eussent été les soins attentionnés prodigués par le docteur Lavallée, elle serait morte, car elle n'avait plus la force ni le courage de combattre. Sa volonté de vivre s'était enfouie au plus creux de ses entrailles. Veillée par les religieuses, c'était au son des multiples prières qu'elle avait doucement récupéré la détermination essentielle à la reprise de sa bonne forme physique. Pour préserver son équilibre mental, elle avait jeté son dévolu sur la religion et elle passait d'interminables heures à dire et à redire son chapelet, ce qui l'apaisait et la nourrissait spirituellement.

Dès son retour à la maison, elle avait repris ses activités, mais avec l'énergie du désespoir. Les enfants ne faisaient aucune mention du gros pansement qu'elle portait au poignet et qu'elle tentait de dissimuler avec des blouses à manches longues. Ils étaient habitués à ne pas poser de questions, mais ils sentaient cependant que cette blessure n'était pas étrangère à l'état léthargique de leur mère. La violence omniprésente dans la maison faisait en sorte qu'ils savaient qu'ils ne pouvaient discuter d'un sujet que lorsqu'il avait été mis sur la table par leurs parents.

Pauline parlait peu et délaissait volontairement les travaux de ménage. Elle ne faisait que le strict nécessaire et elle vaquait à ses occupations en récitant des litanies et des prières à voix basse. Elle fonctionnait maintenant comme une parfaite automate. Du revers de la main, son mari avait éteint la flamme en elle; il l'avait déréglée, comme une horloge dont on maltraite le balancier.

Chaque matin, elle se levait de très bonne heure et elle faisait ses pieuses dévotions. Elle réveillait ensuite les enfants et leur servait leur déjeuner. Pendant ce temps, elle préparait leurs lunchs du midi et, avec tendresse, elle les regardait partir pour l'école les uns après les autres. L'hiver tardait à finir ; elle avait une froideur au plus profond de son être qu'elle ne parvenait pas à tempérer. Elle chauffait le poêle comme Lucifer entretient l'enfer, mais jamais elle n'arrivait à se sentir bien.

Une fois les jeunes partis pour la journée, il ne lui restait plus que le petit Simon, qu'elle laissait dans son parc où il pouvait s'amuser librement. Quand le nourrisson pleurait, elle lui donnait un biberon ; elle agissait avec lui comme une simple nourrice. Fait étrange, elle n'était pas attirée par cet enfant qu'Ernest comblait de louanges excessives. Elle percevait inconsciemment qu'il serait une copie conforme de son géniteur, cette brute égocentrique qui, elle se l'était juré, ne la toucherait plus, et ce, jusqu'à la toute fin de ses jours.

Quand Ernest arrivait pour dîner, son assiette était sur la table avec sa tasse de thé et sa tranche de pain beurrée, mais plus jamais elle ne partageait le moindre repas avec lui. Au début, elle avait prétexté ne pas avoir faim ou tout simplement avoir mangé plus tôt avec l'enfant. Par la suite, elle avait arrêté de justifier ce revirement et, de son côté, Ernest avait cessé de lui demander la raison pour laquelle elle agissait de la sorte. Il avait la conviction que les jours ou même les semaines arrangeraient les choses et il ne voulait pas mettre de l'huile sur le feu.

Pauline installait une distance physique et mentale entre elle et lui. C'était son moyen de survie et en retour, lui semblait n'y prêter que peu d'attention, ou plutôt il s'en savait l'ultime responsable. Il faisait maintenant tout ce qui était possible pour se faire oublier, le temps que la crise s'atténue.

À l'automne, il avait eu très peur que sa femme ne meure au bout de son sang. Depuis, il se faisait réservé et discret. Il partait tôt le matin et ne revenait que pour l'heure du souper. Il travaillait parfois au *ski tow*[14] du mont Sainte-Agathe ou du mont Castor, ce qui lui rapportait un revenu supplémentaire, mais comme il n'aimait pas tellement recevoir des ordres de ses supérieurs, on faisait de moins en moins appel à ses services. Il besognait alors dans le bois aux alentours de chez lui et il s'en trouvait bien mieux.

Quand il s'octroyait du temps à la maison, c'était pour bercer et cajoler son petit Simon, qu'il affectionnait particulièrement. Au contact de l'enfant, le vieil ours devenait un bon gros ourson.

En 1960, le mont Castor en était à ses débuts d'exploitation et le personnel se devait de fournir de longues heures de travail afin de rentabiliser et de servir le public. L'hiver avait été rigoureux et les employés étaient peu nombreux. Ils devaient donc tous accomplir différentes tâches dont ils ne connaissaient pas toujours la complexité. Ernest ne voulait pas être en reste et, son orgueil prenant le dessus, il disait souvent savoir quelque chose alors que c'était pour lui complètement nouveau. C'est ainsi que, à cause d'une fausse manœuvre, il avait mis en panne le *T-bar* par un beau samedi matin. S'il

14 *Ski tow*: monte-pente, remonte-pente.

avait été moins insolent et qu'il avait demandé de l'aide à un confrère pour remettre l'appareil de remontée mécanique en fonction, il aurait été possible d'éviter une interruption de service. Plusieurs parents avaient dû rebrousser chemin avec des enfants déçus et le patron de l'entreprise avait perdu beaucoup d'argent. La discussion de fin de journée avec le responsable avait été houleuse, mais jamais Ernest n'avait avoué être l'instigateur de ce bris. Plutôt que de s'amender et de faire face à la situation, il avait préféré quitter son emploi.

Il ne s'était pas repenti souvent dans sa vie et il n'allait pas commencer ce jour-là.

Il avait donc repris ses menus travaux journaliers, restaurant de vieilles chaises dont les barreaux étaient décollés ou les sièges défoncés, solidifiant des tables ou revampant des châssis doubles en remplaçant des vitres ou en réparant les tirettes masquant les trois petits trous d'aération. Il était le pendant de monsieur Henri Pichette, qui faisait les mêmes travaux au village, mais il n'avait pas une aussi bonne réputation en ce qui avait trait au caractère, le vieillard étant la douceur incarnée et lui un esprit aigri et obstiné.

Monsieur Pichette avait maintenant tout près de soixante-dix ans et il vaquait encore fièrement à ses occupations. Il n'était pas rare qu'on le rencontre circulant à pied sur les trottoirs de la ville de Sainte-Agathe-des-Monts, transportant un châssis double qu'il venait de remettre en état ou qu'il rapportait tout bonnement à son propriétaire. Il était incapable de dire non à quelqu'un qui requérait ses services. Quelque peu introverti de nature, il demeurait dans une maison au charme vieillot sur la rue Saint-Bruno, où il avait un bel atelier dans sa cour arrière. C'est là qu'il effectuait avec précision ses réparations et dans ses temps libres, il aimait également faire des créations qu'il montrait fièrement à ses petits-enfants. Longtemps plus tard, certains d'entre eux, les plus proches de leurs émotions, seraient en mesure de retrouver en pensée la bonne odeur de l'essence du bois qu'il y avait dans cette petite cabane qui avait occupé une si grande place dans leur enfance. Monsieur Pichette était un homme de cœur et personne ne semblait pouvoir lui reprocher quoi que ce soit.

Ernest était jaloux de son rival et il aurait bien aimé pouvoir mettre la main sur le carnet de notes de monsieur Pichette, qui était reconnu pour avoir une clientèle fidèle : les Simard, Therrien, Koury, Vanier, Boivin, Miron, Bélisle, Godon, Lortie, Gohier, Lallemand, Fournelle, Simoneau, Villeneuve, Carson, Valiquette, Courcelles, Tourangeau et combien d'autres.

À cause de la différence d'âge entre les deux individus, monsieur Pichette avait déjà un fort achalandage lorsque Ernest avait entrepris le même genre de travail. Ce dernier avait bien tenté de soutirer quelques clients au vieil homme, mais ça n'avait pas fonctionné. Étant donné qu'il demeurait à quelques milles de la ville de Sainte-Agathe-des-Monts, il était fortement désavantagé. Il n'avait eu d'autre choix que de se créer son propre réseau, qui provenait plutôt de Lantier, de Sainte-Lucie, du lac Gagnon et du lac Quenouille. Il y avait même un dénommé Lavoie de Saint-Donat qui, lorsqu'il venait dans la région, lui apportait toujours quelque chose à réparer. La dernière fois, il lui avait demandé entre autres de remplacer une poignée en bois du rouleau à pâte de sa femme qui, semblait-il, l'avait échappé par terre en faisant des tartes. Ernest soupçonnait fortement que la dame s'en était plutôt servi pour accueillir son mari qui avait l'habitude de rentrer suffisamment tard pour mériter une leçon.

Monsieur Pichette n'avait donc rien à craindre d'Ernest qu'il saluait toujours lorsqu'il le rencontrait, mais qu'il ne tenait pas à côtoyer ouvertement. Il avait un sens très développé pour repérer les fauteurs de trouble.

Ernest travaillait également pendant de longues soirées à réparer son attirail de sucrerie dans le garage. Ce qu'il aimait avant tout, c'était la préparation avant d'entailler les érables. Tout ce qui concernait la cabane à sucre était un passe-temps pour lui, comme ça avait été le cas autrefois pour son père. Il tenterait de transmettre sa passion à Simon afin que demeure la tradition familiale.

Naguère, Édouard venait faire un tour et l'aidait un peu à cette période de l'année, mais depuis quelque temps, il était beaucoup plus casanier. Il restait plutôt avec sa « vieille », qu'il aimait particulièrement maintenant qu'il était seul avec elle. Il n'était pas idiot et savait que sa femme l'avait supporté pendant toutes ces années alors qu'elle aurait très bien pu abandonner la partie. La mort de Victor l'avait terriblement abattu et il avait dès lors perdu cette rage qui l'avait habité durant tant d'années.

S'il n'allait plus aider Ernest, c'était également pour une autre raison qu'il gardait au plus profond de son âme : il détestait se faire rabrouer par son fils, qui le dénigrait allègrement depuis qu'il avait obtenu tous ses biens.

Ernest Potvin était rendu à une étape de sa vie où il se croyait roi et maître et s'il avait un peu déposé les armes depuis quelque temps, il n'avait pas abdiqué pour autant. Il ne souffrait pas de solitude et se suffisait à lui-même. S'il avait eu le don de divination, il aurait orienté sa destinée bien autrement et il serait resté vieux garçon. Contrairement à ce qu'il pensait à ce moment-là, il n'aurait pas eu besoin de se marier pour avoir une femme afin de contenter ses bons plaisirs. Il était maintenant trop tard pour revenir en arrière et il se complaisait à vivre la plupart du temps dans son garage.

Avant qu'il n'y ait trop de neige à l'automne et durant les journées où il en avait vraiment envie, il avait nettoyé une grande partie du terrain de la veuve Therrien. Il prévoyait de terminer les travaux dès qu'il aurait fini de faire les sucres, mais le plus important était qu'il y mette fin avant l'arrivée de son bourgeois au mois de juillet prochain.

Il demeurait amer de cette transaction et pour chaque corde de bois qu'il apportait chez son patron, il en transportait une dans sa remise. Le gars de la ville ne pourrait s'en apercevoir et au moins, il aurait l'impression de ne pas avoir été complètement lésé. Tôt ce printemps, il pourrait en vendre à ses clients réguliers et qui sait si l'an prochain il ne livrerait pas quelques centaines de bûches bien sèches à ce cher monsieur Thompson sans que celui-ci se doute qu'il achetait le produit de sa propre forêt.

∗ ∗ ∗

Albert, qui venait tout juste d'avoir quinze ans, trouvait le climat familial difficile. Il passait la plupart de son temps chez Guay, le magasin situé à l'intersection du chemin de Sainte-Lucie et de Saint-Donat, où il travaillait les mois d'été et les fins de semaine. Il dépaquetait les marchandises reçues et s'occupait de servir au comptoir. À l'occasion, il allait faire de petites livraisons aux alentours. Il aimait bien ce contact avec les individus, mais ce qu'il préférait le plus, c'était de rencontrer les touristes. Il baragouinait l'anglais sans aucune gêne et il n'hésitait pas à consulter un dictionnaire pour parfaire ses connaissances de cette langue utilisée par les « gens d'argent », comme disaient les vieux. Il avait beaucoup de charisme tous se liaient facilement d'amitié avec lui.

Il considérait maintenant son père comme une vile créature. Depuis qu'il l'avait vu frapper violemment sa mère, il avait perdu le peu de considération qu'il avait pour lui. Il s'arrangeait donc pour être absent le plus souvent possible de la maison et personne ne s'y objectait ou ne trouvait à redire. Il lui était très difficile de n'avoir personne à qui parler. C'était très lourd pour lui de devoir garder ce secret, mais il le faisait pour ne pas déplaire à Pauline, qui lui avait enjoint de se taire. Dès qu'il aurait une chance, il envisageait de partir pour

Montréal afin d'y travailler comme son frère Luc. Il y avait sûrement plus d'emplois dans la grande ville qu'à Sainte-Agathe-des-Monts. Il devait cependant attendre d'avoir ramassé suffisamment d'argent, car il ne voulait en aucun cas être obligé de revenir en arrière.

À son avis, une femme se devait d'être respectée, surtout sa mère qui était une si bonne personne.

* * *

À tout juste treize ans, Yvon était fort occupé et ne s'en plaignait pas. Il concentrait toute son attention sur monsieur Alfred Latreille, un laitier de Sainte-Agathe-des-Monts. Il avait travaillé pour lui tout l'été et celui-ci lui donnait l'occasion de continuer à l'accompagner durant les fins de semaine de l'hiver, s'assurant cependant que ça ne le dérangeait aucunement dans ses études.

Cet emploi lui avait été octroyé par l'entremise d'un certain monsieur Bouchard, un cultivateur qui vendait des œufs de porte en porte et qui ramassait la cendre de poêle chez ses mêmes clients de la région. Il y avait un quelconque lien de parenté éloignée entre messieurs Bouchard et Latreille et c'est ainsi qu'il avait eu cette place, les gens ayant l'habitude d'embaucher prioritairement les enfants de voisins ou de connaissances en qui ils avaient une totale confiance, ceux qui avaient une réputation bien établie.

Mais un laitier, ça commence très tôt et Yvon devait pour cela coucher au domicile de sa sœur Diane au village. Ça ne lui déplaisait pas du tout de laisser la maison familiale où l'ambiance était si pesante. Tout était tellement différent dans la demeure de Diane et Jules, où l'atmosphère était empreinte de bonheur et de joie de vivre. Comme on apprend par l'exemple, évoluer auprès de ce jeune couple heureux lui permettait de croire que l'existence pouvait être agréable si on agissait avec respect et considération les uns envers les autres. Finalement, il appréciait un peu plus chaque jour ce qui lui était octroyé sans qu'il y ait trace de querelle ou de mésentente.

Chaque matin, il partait très tôt, bien avant que le soleil n'ait mis le nez dehors, et c'est à bord d'un gros camion blanc portant l'inscription « Mont Royal Dairy » qu'il accompagnait le dynamique laitier tant attendu par sa clientèle si nombreuse. Le bruit des bouteilles qui s'entrechoquaient envoûtait Yvon, qui avait l'impression de participer à une expérience des plus extraordinaires.

Son travail lui offrait l'occasion de sillonner toutes les routes primaires et secondaires couvrant le nord de Sainte-Agathe-des-Monts jusqu'au mont Tremblant et rejoignant même parfois la ville de Labelle. Lui qui avait très peu quitté les alentours du lac Brûlé depuis son enfance avait maintenant l'occasion de s'ouvrir sur le monde et il s'enthousiasmait de voir combien de gens pouvaient connaître son cher monsieur Latreille.

Le petit pécule obtenu lui permettait une certaine autonomie et il pouvait se payer des cigarettes, mais bien naturellement à l'insu de ses parents. Il avait l'impression d'être plus heureux quand il était loin de la maison familiale. Depuis près d'un an, au lac Brûlé, tout était bien différent, surtout depuis l'arrivée du dernier né, que son père cajolait énormément. Il s'était senti délaissé du jour au lendemain. À l'aube de sa vie d'adulte, et depuis les événements de l'automne dernier où il avait cru que sa mère allait mourir, il s'était adouci en présence de celle-ci, contrôlant du mieux qu'il le pouvait le ton de sa voix et ses sautes d'humeur héréditaires. Par ailleurs, il avait pris de la distance avec son père dont il redoutait maintenant la violence. Il s'était donc trouvé un autre mentor et c'était son patron, monsieur Latreille. C'était une idée fixe, il espérait être comme lui plus tard.

Yvon avait tendance à s'identifier aux gens qui l'entouraient, ce qui était susceptible de se tourner contre lui un jour tout autant que de lui être bénéfique. Il avait un fort caractère et une corpulence qui pourrait lui ouvrir très facilement des portes dans le futur. Ses parents lui avaient inculqué de bonnes valeurs, et il devrait sûrement s'y référer à certaines occasions.

Alfred Latreille était un homme svelte et séduisant. Il portait son uniforme avec grande fierté et il n'aurait pas mis le nez dehors s'il avait eu une mèche de cheveux de travers. Toujours de bonne humeur, il passait son temps à siffler comme un pinson. C'était la joie de vivre qui se promenait d'une maison à l'autre pour livrer les produits laitiers. Il avait très souvent un mot d'encouragement qu'il distribuait à gauche et à droite. Il aimait bien le jeune Yvon, mais trouvait qu'il avait parfois un caractère de chien.

Un certain matin, Yvon s'était levé du mauvais pied et il était plutôt marabout quand il était arrivé au camion.

Au « bonjour » de son patron, il n'avait répondu qu'en marmonnant une faible salutation plus ou moins sincère. Sans faire ni une ni deux, monsieur Latreille lui avait demandé de repartir chez lui en disant :

— T'as pas l'air en forme à matin, mon gars. Retourne te coucher au plus vite. J'ai pas le goût de travailler avec quelqu'un comme toé aujourd'hui. Si par hasard demain matin t'as pas plus de façon, ben tu resteras chez vous. Y en a plein des jeunes qui aimeraient ça de gagner un peu d'argent eux autres aussi. Chu pas mal pris pantoute.

Yvon avait été secoué et craignit de perdre son emploi qui lui plaisait bien, même s'il était vrai que ça l'obligeait à se lever assez tôt.

— C'est pas ça, Monsieur Latreille, mais j'ai pas beaucoup dormi la nuit passée.

— Tu sais mon p'tit Potvin, moi je connais ben ta mère et je ne l'ai jamais vue de mauvaise humeur ou boudeuse. Penses-tu qu'avec sa trâlée[15] d'enfants, elle dort toujours toutes ses nuits ?

— C'est pas pareil. J'ai fait mes devoirs après le souper et pis je me suis couché tard parce que j'ai étudié.

— Serais-tu menteur à part de ça ? T'étais à l'aréna hier soir, à moins que tu aies un jumeau que j'ai jamais rencontré. Si tu savais comment je peux haïr ça de me faire raconter des singeries en pleine face. En passant, toi qui es si instruit, peux-tu me répondre ? Est-ce qu'on doit dire des menteries ou des mensonges ?

---

15 Trâlée : groupe, grand nombre.

Yvon était abasourdi : la discussion tournait à la plaisanterie, mais il se devait de faire attention. Il se sentait tout à coup piégé comme un malheureux renard qui n'aurait pas été suffisamment rusé.

— Je dirais des mensonges, Monsieur Latreille.

— Ben tu t'es vraiment trompé, mon jeune, parce que t'apprendras qu'avec moi, on doit toujours dire la vérité, seulement la vérité. Si t'es assez réveillé asteure, pis que t'es capable d'avoir une belle façon avec les clients, monte pis on va essayer de faire une bonne journée. Je t'avertis, je veux plus de face de carême. À ton âge, t'es pas supposé avoir assez de tracas pour te permettre ça.

Et de jour en jour, la gaieté de l'homme déteignait sur le garçon et le rendait plus heureux. Ils vivaient tous les deux de merveilleux moments. Cet individu qui n'avait pas d'enfant aurait pu être le meilleur père au monde, se disait Yvon. Comme la vie était parfois injuste.

* * *

Diane, l'aînée de la famille, était mariée à Jules Labrie, un ingénieur de Bell Canada. Elle travaillait comme téléphoniste dans le gros édifice situé au coin de l'avenue Nantel et de la rue Principale à Sainte-Agathe-des-Monts, pas très loin du presbytère et de l'église. Yvon était bien impressionné que sa propre sœur ait un poste dans une si prestigieuse compagnie.

Dès qu'il le pouvait, il « créchait » chez elle, où il se sentait le bienvenu même si son logis n'était pas très grand. La petite chambre d'amis était simple, mais confortable. Au moment où il fermait la porte de cette minuscule pièce derrière lui, c'était comme si le monde entier lui appartenait. Enfin un lit juste à lui où il pouvait savourer la solitude et se retrouver. Des changements s'opéraient dans son corps d'adolescent et, à la maison, la promiscuité avec ses frères, avec qui il devait partager des espaces restreints, le dérangeait terriblement. Il avait désormais de la difficulté quand il retournait chez lui, et l'ambiance de plus en plus malsaine l'incitait à éviter à tout prix les disputes avec les siens. Il n'était absolument plus heureux dans son foyer du lac Brûlé. Il préférait travailler plus souvent et ainsi il lui était possible de profiter abondamment de l'hospitalité et du calme qui régnaient dans le logis de sa grande sœur.

Son beau-frère, Jules, qui était fils unique, était bien content d'avoir un jeune à taquiner gentiment. Le couple n'avait pas encore de gamin et ne prévoyait pas fonder une famille de sitôt. Ils voulaient jouir amplement de leur jeunesse pour aller danser à l'hôtel Belmont, faire du ski de randonnée, participer aux rafles de dindes, fréquenter l'aréna et jouer aux cartes avec des amis jusqu'à tard dans la nuit, sans avoir à penser à s'occuper d'enfants. Pour l'instant, ils faisaient attention afin de retarder une grossesse, mais si toutefois le destin faisait décidait de s'immiscer au sein du couple, ils s'ajuste-raient en conséquence.

L'époque de la soumission des femmes semblait tirer à sa fin. En travaillant, Diane se sentait plus indépen-dante et beaucoup moins dominée, bien que son mari ne soit pas du même acabit que son père. Ne pas devoir demander de l'argent pour s'acheter une simple paire de bas de soie représentait pour elle une richesse et ainsi, son autonomie la comblait jour après jour.

Il ne restait plus en permanence à la maison du lac Brûlé que le bébé Simon et Pierre, qui avait maintenant sept ans et passait le plus clair de son temps chez ses grands-parents Potvin. Il ne pouvait supporter de voir sa mère dans cet état de profonde léthargie et son ins-tinct d'enfant faisait le portait à fuir la tristesse pour vivre sa jeunesse auprès de ses aïeuls.

Il apprenait avec sa grand-mère à jouer aux cartes, à faire des casse-têtes, à faire la cuisine, à natter des tapis et à coudre des boutons. Jamais il ne s'ennuyait quand il était avec elle. Il parlait beaucoup et posait mille et une questions auxquelles la vieille dame répondait clairement sans pour autant lui dire toujours la vérité. Il ne pouvait distinguer les faits véridiques des balivernes et ça l'amusait grandement.

— Pourquoi vous avez des pinces dans votre panier, mémère ?

— C'est pour tirer mon aiguille quand j'couds mes tapis.

— Pourquoi vous mettez un linge à vaisselle sur vos gâteaux ?

— C'est pour pas qu'ils durcissent pendant qu'y frédissent[16].

— Pourquoi vous avez des poils sur le menton ?

---

16 Frédissent : refroidissent.

— C'est pour faire comme ton pépère, mon p'tit curieux.

Et quand son grand-père parlait d'aller au village, il l'accompagnait et l'aidait à transporter les colis. Il avait une patience d'ange; il pouvait écouter Édouard discuter des heures avec les différentes personnes qu'il rencontrait, lui qui connaissait tout le monde. Jamais il ne demandait à partir ni ne réclamait quoi que ce soit. Il était tout simplement bien en sa présence.

Quand les commissions étaient finies, il avait droit à une liqueur et une frite avec du ketchup, confortablement assis au comptoir du restaurant Gaudet où son grand-père aimait bien terminer sa tournée.

Par instinct de survie, chaque enfant avait découvert l'échappatoire idéale.

* * *

Au lac Brûlé, la vie du clan Potvin semblait se dérouler artificiellement. En éteignant la flamme intérieure de la mère, Ernest avait peu à peu décimé la famille. Les jours et les semaines s'écoulaient sans que l'on puisse trouver un événement susceptible de provoquer une discussion et la vieille maison des Potvin n'était plus qu'un simple dortoir. Plus jamais on n'y tenait des dîners de réjouissance le dimanche ou les jours de fête.

Pourtant, un matin du mois de mai 1960, Pauline se leva habitée par une sérénité profonde. Elle voulait tourner la page, convaincue qu'une nouvelle vie s'ouvrait devant elle.

Elle fit du gruau et des rôties pour son mari qui partait le premier pour aller travailler sur le fameux terrain de la veuve Therrien, son travail étant terminé au mont Castor. Il était enthousiaste à l'idée de pouvoir se ramasser encore quelques belles cordes de bois qu'il vendrait dans le courant de l'été.

Dès qu'il eut quitté la maison, Pauline réveilla les enfants et leur prépara leur déjeuner avec une parfaite quiétude à la limite de la normalité. Elle semblait heureuse d'entreprendre cette matinée ensoleillée et même si les jeunes n'en firent aucun cas, le repas se déroula dans une ambiance gaie et apaisante. Ils partirent en autobus avec leurs lunchs après avoir embrassé tour à tour leur mère qui leur souhaita à tous une très bonne journée.

Elle débarbouilla et habilla ensuite le petit Simon et elle le conduisit au domicile de sa belle-mère, qui accepta gentiment d'en prendre soin pour quelques heures, le temps, avait-elle expliqué, qu'elle se rende chez le médecin pour une visite de routine. Ce jour débutait magnifiquement pour tous les membres de la famille, ce qui n'avait pas eu lieu depuis fort longtemps.

De retour à la maison, elle s'empressa de changer les draps de son vieux lit de fer et elle remplaça la serviette de toilette sur le porte-serviette du chiffonnier. Après, elle mit de l'ordre dans sa chambre et dans celles des enfants pour finalement terminer en lavant et essuyant la vaisselle du déjeuner et en remettant chaque chose à sa place dans la cuisine. La demeure était propre comme un sou neuf.

Elle fit ensuite un brin de toilette et revêtit sa plus belle robe, celle qu'elle avait portée pour les noces de sa chère Diane, deux ans auparavant. Comme elle se trouvait coquette ainsi, habillée. D'une main habile, elle se fit un joli chignon, qu'elle orna d'un peigne en nacre, souvenir de sa mère décédée depuis longtemps. Elle poussa même l'audace jusqu'à s'appliquer du rouge à lèvres de couleur vermeille et elle octroya un sourire radieux à son reflet dans le vieux miroir ovale de la cuisine, à proximité du cadre de sainte Thérèse, cette carmélite morte à l'âge de vingt-quatre ans, après neuf ans de vie religieuse et de don de soi.

Elle avait l'impression de flotter dans la maison. Tout était en ordre et ce matin-là, elle était vraiment la plus belle. Une petite prière pour remercier le Créateur et elle se rendit dans le garage de l'homme qu'elle avait épousé vingt-trois ans auparavant.

Il y avait très longtemps qu'elle n'était pas entrée dans ces lieux. Elle y retrouva différents objets qu'Ernest avait apportés pour se créer un monde bien à lui. Une table et des chaises installées près d'un antique poêle à bois qu'il se targuait d'avoir acquis directement d'un proche parent de la réputée Fonderie Viau de Saint-Jérôme. Une ancienne théière, une tasse en granit et des revues d'automobiles qui traînaient sur un vieux classeur. Sur le bord du châssis, où les araignées s'étaient tissé de magnifiques toiles, elle remarqua le radio transistor, qu'elle s'empressa de mettre en marche. Une douce musique se fit alors entendre, meublant l'espace si riche d'émotions senties.

Dans la rallonge du garage se trouvait le nouveau camion que son mari s'était acheté la semaine précédente : un véhicule bleu de l'année, de marque Dodge, un vrai petit bijou. Il ne l'avait pas sorti à l'extérieur depuis qu'il l'avait remisé à cet endroit en revenant de chez le concessionnaire, mais il venait cependant l'admirer tous les soirs. Elle n'aurait pas été surprise qu'il s'assoie à l'intérieur et fasse semblant de conduire comme le font parfois les enfants qui jouent à être de grandes personnes.

Pauline, enhardie, décida de prendre place au volant du camion et elle examina attentivement le tableau de bord comme s'il avait pu lui révéler quelque chose. Il était en métal, de couleur assortie au véhicule, et brillait de propreté. Ernest avait pris la peine de recouvrir les tapis de vieux journaux pour les protéger de la saleté, et une longue catalogne tissée par sa mère préservait entièrement le banc. Il adorait sa nouvelle acquisition, elle en était convaincue même s'ils ne se parlaient pas depuis un bon moment déjà, n'utilisant les paroles que pour le strict nécessaire.

Elle mit habilement l'engin en marche et un doux ronronnement se fit entendre. Elle sourit à l'idée de ce que penserait son mari s'il la voyait ainsi au volant de son véhicule ; elle, une simple femme, tout au plus la mère de ses enfants. Elle appuya sur l'accélérateur et se dit que tout comme Ernest, le moteur s'emballait très facilement. Dans ce petit recoin du garage, la noirceur était omniprésente et une forte odeur de monoxyde de carbone s'installa peu à peu.

Pauline saisit son chapelet dans ses frêles mains gercées par les travaux ménagers et elle entreprit de réciter ses prières préférées en fermant les yeux et en prenant de profondes respirations. Elle savait qu'elle s'en allait pour un long et merveilleux voyage, là où plus jamais elle n'aurait mal. Elle commença sa prière en s'adressant directement à son Dieu, lui faisant part de ce que son âme meurtrie par la méchanceté de l'homme, lui dictait :

« Mon Dieu, je vous en supplie, pardonnez-moi mes péchés et aujourd'hui, délivrez-moi du mal. Veuillez m'ouvrir les portes de votre maison même si je n'ai pas attendu que vous veniez me chercher. Je veux vous servir jour après jour et n'aimer que vous en qui j'ai mis toute ma confiance et mon salut éternel. Prenez grand soin de mes enfants et particulièrement de mon petit Pierre que je dois abandonner, car je n'ai plus la force de continuer. Ainsi soit-il. »

CHAPITRE 9

Un départ inattendu

(Mai 1960)

Ernest était fier de sa matinée dans la forêt. La température était clémente et il appréciait particulièrement ces longs moments de solitude.

Au volant de son vieux tracteur, il rapportait un gros
voyage de billots de quatre pieds qu'il finirait de débiter
les soirs, ou quand il ne voudrait pas s'éloigner de la
maison pour une raison ou une autre. Il transporterait
le bois nécessaire à la cabane à sucre et corderait ensuite
tout le reste dans la cour arrière pour qu'il puisse sécher
suffisamment en prévision de la prochaine saison froide.

C'est ce même bois qu'il marchanderait alentour dans
le courant de l'été et à l'automne, il remplirait ce qu'il
appelait sa « *shed* à bois ». Le restant serait bien aligné
derrière le garage. Tant que l'on aurait de la belle température, il se servirait de celui qui était à l'extérieur pour
en conserver le plus possible à l'abri pour les temps où il
serait plus difficile de circuler dans la neige accumulée.

Ce n'était jamais pareil d'une année à l'autre, c'est la
mère Nature qui décidait des tempêtes hivernales.

Après le dîner, il y aurait encore deux gros voyages de bois qui l'attendraient sur le nouveau terrain de monsieur Thompson, et il s'était choisi en majorité de l'érable, dont le potentiel de chaleur contenue était supérieur à d'autres essences, dont le peuplier et les résineux. C'est du moins ce que son père lui avait appris au fil des ans. Ça en serait ensuite fini pour cette année d'abattre des arbres. La sève qui montait à cette période de l'année avait beaucoup de mal à se tarir. Quand on utilisait ce bois-là, il y avait ce liquide qui bouillait dans les bûches et elles avaient alors peine à s'enflammer. Encore une partie de l'enseignement prodigué par son paternel, qui l'avait si bien formé au travail manuel.

En passant sur le rang, il aperçut sa maman qui, à cause de sa petite taille, était étirée au bout de ses bras pour mettre du linge à sécher sur la corde.

— Comme elle est vaillante pour son âge, il ne s'en fait plus des femmes comme elle, se dit-il.

Sa mère était fidèle et soumise à son mari, quoique depuis un certain temps, il trouvait qu'elle s'interposait plus souvent quand son vieux et lui discutaient. En le voyant passer, Amanda lui envoya la main, et il la salua avec sa casquette. Étant le dernier de la famille, il avait bénéficié pleinement de l'attention de ses parents. Manipulateur, il avait su bien profiter de l'un et de l'autre à leur insu et il le faisait encore aujourd'hui.

En arrivant près de son garage, il contourna la bâtisse pour se délester de son chargement. Son estomac qui agissait toujours comme une horloge lui fit sentir qu'il était tout près de midi.

Il se rendit donc à la maison et en entrant dans la cuisine, il constata que contrairement aux autres jours, la table n'était pas dressée. Malgré ses bonnes résolutions, sa pression commença rapidement à monter et il sut qu'il ne pourrait se contenir bien longtemps.

— Pauline, t'es où? cria-t-il pour exprimer son humeur colérique. Y est midi, pis le dîner est pas encore prêt, ronchonna-t-il.

Aucune réponse. Il se dit qu'elle avait dû se recoucher ce matin, au lieu de prier à côté du poêle comme elle le faisait depuis plusieurs mois. Il était plus que temps que ça change, il devait prendre position le plus tôt possible. Plus rien n'était pareil à la maison et sa femme était de plus en plus amorphe. Il fallait vraiment qu'il lui parle. Sa patience semblait maintenant atteindre ses limites.

Il se rendit dans sa chambre pour constater que tout était en ordre, mais qu'il n'y avait personne. Il pensa alors que Pauline était sûrement chez les parents Potvin avec le jeune Simon. Elle n'allait jamais ailleurs de toute façon et le petit n'était pas dans son parc non plus.

Il s'y dirigea donc d'un pas vif et c'est avec un air de bête enragée qu'il se présenta au domicile de ses parents. Ceux-ci étaient tout simplement attablés avec Simon assis dans sa chaise haute et mémère nourrissait tranquillement le bébé avec une petite cuillère en argent qu'elle avait eue en cadeau du vieux monsieur Thompson lorsque Ernest était né.

— Pauline est-tu icitte? demanda-t-il sans avoir au préalable salué qui que ce soit. Y a personne à la maison pis le dîner est même pas sur le poêle.

— Installe-toi à table, lui dit calmement sa mère, qui connaissait son fils mieux que personne. Tu vas manger avec nous autres dans ce cas-là. Quand y en a pour deux, y en a pour trois.

Mais Ernest ne comprenait pas ce qui se passait. Il était à la fois fâché que sa mère semble prendre cela si légèrement et abasourdi que son épouse soit sortie sans lui annoncer auparavant où elle souhaitait se rendre.

— Mais Pauline est où, batinse?

— Elle avait rendez-vous chez le docteur Lavallée, tu le savais pas?

Ernest était sans mots. Pour la première fois depuis leur mariage, Pauline aurait délibérément décidé de s'absenter sans l'avertir, comme s'il n'était plus le maître de la maison? Il ne comprenait rien.

— C'est quoi cette histoire-là? Quand je suis parti à matin, a m'a rien dit. Pouvez-vous m'expliquer comment a s'est rendue au village?

— Comment? On le sait pas plus que toé. Ta mère t'a raconté ce qui s'était passé quand Pauline est venue conduire Simon, intervint son père d'un ton autoritaire pour défendre son épouse qu'Ernest semblait vouloir accuser. On est assez bons de garder les enfants, c'est pas à nous autres de contrôler les allées et venues de ta femme.

Édouard Potvin s'agaçait de voir que son fils tourmentait sa pauvre Amanda de la sorte. Celle-ci, par contre, se sentait un peu coupable de n'avoir rien demandé de plus à Pauline. Mais elle avait cru que cette dernière s'y rendait avec Ernest, comme ils le faisaient à l'habitude, car elle n'avait pas de permis de conduire.

— C'est probablement Diane qui est passée la chercher. Tu sais ben qu'a chauffe pas le *truck*, pis c'est pas à la porte non plus, avança la grand-mère en ricanant pour détendre l'atmosphère.

Et elle ajouta :

— Quand elle est venue me porter le petit, elle était encore habillée en semaine, elle avait même son vieux tablier.

Ernest prit le téléphone et contacta immédiatement sa fille. Comme c'était l'heure du dîner, celle-ci était à la maison.

— Allo, Diane, c'est ton père.

— Oui papa, qu'est-ce qui arrive ? Vous avez jamais appelé chez nous en deux ans ! lui reprocha-t-elle, surprise de recevoir cet appel inopiné.

— Passe-moi ta mère, ordonna-t-il.

— Vous voulez parler à maman ? Mais je l'ai pas vue. Pourquoi elle serait ici alors que je travaillais ce matin ? Vous avez même été chanceux de me pogner à la maison parce que je viens juste de finir de dîner et j'étais sur le point de partir. Je veux pas être en retard, mais vous m'inquiétez. Comment ça se fait qu'elle soit pas à la maison un jour de semaine ?

— J'le sais pas, c'est pas mal son genre à ta mère de faire des cachettes, répondit méchamment Ernest, qui raccrocha le téléphone sans prendre le temps de lui expliquer quoi que ce soit. Sa seule préoccupation était de décider s'il devait s'en faire ou se fâcher.

— Qu'est-ce qu'a dit ? questionna son père, anxieux devant la situation qui semblait nébuleuse.

— Est pas là, répliqua-t-il sèchement.

Et Ernest quitta la maison de ses parents, les laissant pantois et inquiets.

— Qu'est-ce qu'y a ben pu se passer d'après toi, mon vieux ? Ça fait un an que ça va mal chez eux, ajouta la grand-mère qui commençait à se ronger les sangs. Ça me tourmente sans bon sens ces affaires-là, avoua-t-elle en berçant le bébé.

— On se mêlera pas de ça, la mère. On va garder le petit en attendant qu'a revienne. Tu sais, on s'inquiète toujours pour rien. Quand t'auras fini de débarrasser la table, on pourrait peut-être dire une dizaine de chapelets tous les deux. Ça fait jamais de tort de demander de l'aide pis du réconfort.

* * *

Ernest retourna chez lui, fit le tour de toutes les pièces et s'installa dans la berceuse près du poêle afin de réfléchir. Il n'avait rien remarqué de particulier ce matin au déjeuner. Pourquoi sa femme aurait-elle fait une visite au médecin sans lui en parler ? Il repensa à l'hiver qu'il avait passé dans cette maison et il avait l'impression que tout cela était arrivé à quelqu'un d'autre. Sa famille était décimée, anéantie, et il en était en partie responsable.

Il aimait Pauline qu'il traitait pourtant comme une esclave ; il le réalisait maintenant. Il lui fallait se repentir. Dès son retour, il attendrait le moment propice, quand les enfants seraient au lit, et il lui parlerait. Il lui étalerait ce qu'il avait vécu durant son enfance dans une maison empreinte de chicane et de violence. Il était le plus jeune de la famille et son père l'avait tellement protégé que ses frères et sœurs en étaient devenus jaloux. Même sa mère n'avait pas agi de la même façon avec lui, qui était l'héritier d'Édouard Potvin. Bien que ça ne puisse être une excuse, comment aurait-il pu faire mieux ?

Dès qu'il avait commencé à travailler, il n'avait eu qu'un seul but : devenir indépendant financièrement. Avec le peu d'instruction qu'il avait, il se devait de besogner du lever du soleil jusqu'à tard le soir s'il voulait y parvenir. Ses garçons ne lui apportaient pas l'aide qu'il escomptait et par la même occasion, il réalisait que de toute façon, il n'aimait pas gagner sa croûte avec les autres, pas même avec ses propres enfants.

L'hiver avait été très rude et Pauline avait eu de la difficulté à remonter la pente depuis son hospitalisation. Il trouvait pourtant cette semaine qu'elle avait meilleure mine. Sa décision était prise et il était de plus en plus convaincu de vouloir avoir une bonne conversation avec sa femme. Dès qu'elle serait rentrée, il lui dirait qu'il ferait en sorte qu'il y ait du changement au sein de leur famille.

Il lui proposerait de recommencer comme aux premiers jours de leur amour sur la berge du lac Brûlé, où ils avaient passé de longs après-midi à discuter et à observer dans l'eau le reflet du magnifique couple qu'ils formaient à cette époque. Il l'avait charmée par de délicates attentions et elle avait été conquise par la force et la détermination qu'il dégageait. Toutes les femmes auraient voulu être dans les bras d'un homme énergique et courageux et qui de plus était particulièrement plaisant à regarder. Pourquoi avait-il été aussi centré sur sa petite personne au cours de toutes ces années? Pauline était une bonne femme et il lui fallait véritablement faire un retour en arrière pour corriger ses bévues.

Ernest s'était contenu tout l'hiver et ne s'était jamais fâché contre elle ou contre les enfants. Il avait eu tellement peur qu'elle meure au bout de son sang au moment où elle était tombée l'automne précédent qu'il avait promis à la bonne sainte Anne de garder les mains dans ses poches quand il sentait la poudre lui monter au nez; il allait alors s'asseoir dans son garage. Il continuerait en ce sens et recommencerait une vie nouvelle.

Quand les enfants arrivèrent de l'école, ils trouvèrent leur père assoupi dans la chaise berçante près du poêle, l'air totalement inoffensif; une scène absolument inhabituelle pour eux. Ils en ressentirent immédiatement un profond malaise, comme si un malin avait soudain jeté un sort sur leur maison.

— Maman est pas là? demanda Albert visiblement inquiet, en dévisageant durement son paternel.

— Est partie chez le docteur à matin, répondit spontanément Ernest, surpris de s'être ainsi endormi en plein après-midi, quelque chose qu'il n'avait jamais fait de toute sa vie.

En disant cela, il eut soudain une idée. Il prit alors le téléphone et appela la clinique du docteur Lavallée.

— Bonjour, Madame, c'est Ernest Potvin du lac Brûlé. Pouvez-vous vérifier si ma femme a fini son rendez-vous avec le médecin? C'est moi qui devais aller la chercher et j'ai eu un empêchement.

— Je suis désolée, Monsieur Potvin, mais le docteur Lavallée ne fait pas de bureau aujourd'hui. Il devait se rendre à Montréal pour conduire son épouse auprès de sa belle-mère qui est en convalescence.

— Merci, Madame, j'ai dû me tromper de rendez-vous. Elle doit être partie chez ma fille. Excusez-moi de vous avoir dérangée.

Pendant ce temps, le petit Pierre avait quitté la pièce sans bruit. Terriblement inquiet, dès qu'il avait su qu'on ne trouvait sa mère nulle part, il s'était dirigé immédiatement chez ses grands-parents pour se faire annoncer qu'elle n'était pas là non plus.

Mais à quel endroit pouvait-elle s'être réfugiée ?

Mû par une impatience maladive, l'enfant était alors sorti à l'extérieur et s'était promené sur le terrain adjacent à la maison pour la chercher. Depuis le matin, il ne se sentait pas bien et il voulait la voir maintenant, c'était plus qu'un besoin, c'était une nécessité. Sa maman qui aimait tellement la nature pouvait très bien s'être réfugiée près de la rivière pour y réciter ses prières. Il la connaissait suffisamment pour la retrouver.

En passant devant le garage, l'enfant eut un violent haut-le-cœur et tomba à genoux sans trop savoir pourquoi. Son paternel, qui sortait alors de la maison, se dirigea lui aussi vers cet endroit sans pour autant lui prêter attention. Il marcha doucement vers son radio qui jouait et il perçut une odeur étrange.

Instinctivement, il se précipita vers le fond de la bâtisse où son camion neuf trônait, tel un joyau de collection. Il était soudain fermement convaincu que la vie s'apprêtait à lui rendre la monnaie de sa pièce.

Quelle macabre découverte, quel malheur, quel spectacle d'horreur: sa femme était là, assise au volant de son véhicule, inerte, les yeux grands ouverts sur le néant. Un chapelet ornait son cou et son précieux missel était tombé à ses pieds, libérant les nombreuses images saintes qu'il contenait. Il la prit délicatement dans ses bras comme un amant, le matin, désire réveiller celle qui lui a procuré de doux moments d'ivresse. Il tenta de la ramener dans son monde, afin de réinventer la vie à deux où plus jamais, il le jurait solennellement, il ne la ferait souffrir. Mais il était trop tard, le corps de sa belle était déjà froid. Il devait se rendre à l'évidence qu'il ne tenait entre ses mains que l'enveloppe corporelle de celle qu'il avait si mal aimée.

Quelques minutes plus tard, Yvon trouva son père en larmes, accroupi au sol avec sa mère qu'il semblait bercer comme une enfant, sa petite maman habillée aujourd'hui comme une magnifique princesse. Entre ses longs doigts raides, il y avait un délicat mouchoir de lin blanc avec des initiales brodées.

— Pourquoi elle est sans connaissance, papa, qu'est-ce qui y est arrivé? interrogea celui-ci d'un ton niais, refusant à tout prix de reconnaître le drame qui s'était joué quelques heures plus tôt. L'espace d'un instant, Yvon se retrouvait comme un jeune animal qui craint de perdre sa nourrice.

Contrairement à son habitude, Ernest utilisa sa voix la plus douce pour lui dire de se rendre chez son grand-père afin de lui demander d'appeler une ambulance, car

Pauline n'allait pas bien. À la raideur de ses membres, il savait bien qu'il n'y avait plus rien à faire, mais lui non plus ne voulait pas admettre la vérité et encore moins apeurer les enfants déjà troublés par un tel spectacle.

Pour la toute première fois, il n'avait pas le plein contrôle de sa vie. Tout s'écroulait et il s'en imputait pour l'instant l'entière responsabilité. Il était le seul fautif, et jamais il ne pourrait se remettre d'une atrocité de la sorte.

* * *

Au village, dans les jours qui suivirent, les gens chuchotaient au passage de la famille Potvin. On avait entendu dire que la femme d'Ernest était morte d'une crise de cœur, d'autres racontaient que c'était la faiblesse qui l'avait emportée et certains, plus audacieux, avançaient qu'elle avait délibérément mis fin à ses jours.

C'était un décès qui ne laissait personne indifférent. Plusieurs tentèrent de faire parler le docteur Lavallée, mais jamais il n'aurait enfreint le serment d'Hippocrate.

La dépouille de la belle Pauline, l'une des plus ravissantes créatures de la région, était exposée au Salon J.H. Vanier, sur la rue Sainte-Agathe, et c'est par dizaines que les gens se prosternèrent devant son modeste cercueil. Ernest se tenait immobile à ses côtés, recevait les condoléances et essayait de se défiler habilement quand on faisait allusion à la cause probable de son décès.

— Elle est donc bien partie vite, racontaient-ils.

— Je ne comprends vraiment pas ce qui a pu lui

arriver. Elle était délicate, mais également tellement forte, répondait Ernest, laissant sous-entendre un malaise inexpliqué ou une maladie encore inconnue.

À d'autres, il disait qu'elle n'allait pas vraiment bien dernièrement et qu'il l'avait emmenée chez un spécialiste pour lui faire passer des examens, ou il expliquait sommairement que depuis son dernier bébé, elle n'avait jamais réellement réussi à remonter la pente. Avec moult scénarios, personne ne saurait vraiment ce qui était arrivé sur le chemin Ladouceur au lac Brûlé sauf, bien entendu, les proches et le Très-Haut, que l'on ne pouvait duper, même si on s'appelait Ernest Potvin et que l'on était un vieil ours.

Après ce jour fatidique, les deux enfants de la famille Potvin qui demeuraient à Montréal, Rose et Luc, étaient revenus au lac Brûlé pour vivre auprès des leurs ces moments pathétiques. Les plus jeunes avaient été absents de l'école pendant quelques jours, le temps des funérailles.

Luc était ensuite retourné chez lui à Montréal et Rose accepta de rester avec son père pour l'aider avec la marmaille. Elle avait, à contrecœur, donné sa démission à la manufacture où elle travaillait depuis plus de deux ans. Elle abandonnait ainsi ses amis, mais elle avait surtout l'impression de réintégrer la prison d'où elle s'était évadée, ignorant que la vie se chargerait de lui faire purger sa peine.

Elle était convaincue qu'elle se devait de prendre soin des siens qui se retrouvaient seuls, totalement démunis. Simon avait tout juste onze mois et Pierre à peine sept ans. Yvon et Albert étaient adolescents, mais ils avaient quand même besoin d'une femme dans la maison quand ils étaient au lac Brûlé. Son rang dans la famille lui demandait de poser ce geste, mais jamais elle n'y laisserait sa vie comme sa mère.

Son père ne l'impressionnait plus depuis qu'elle avait fui le lac Brûlé quelques années auparavant.

Elle était bien déterminée à se venger et surtout à punir celui qu'elle jugeait totalement responsable de cette tragédie.

CHAPITRE 10

De la visite des États

(Été 1957)

En juillet 1957, Ernest avait reçu la visite de son frère Georges, qui résidait à l'étranger depuis bientôt dix-neuf ans. À ce moment-là, Rose et Luc étaient alors âgés respectivement de dix-sept et quinze ans et bien qu'ils l'aient entrevu lorsque mémère Potvin avait été très malade cinq ans plus tôt, ils ne le connaissaient pas, leur père leur ayant à cette époque interdit d'aller chez leurs grands-parents pendant qu'ils avaient un hôte.

Dans la maison d'Ernest, on ne mentionnait jamais ce parent qui s'était exilé vers la ville de Détroit aux États-Unis bien avant leur naissance. Les seules informations qu'ils avaient eues provenaient de leur grand-mère qui le dépeignait comme un homme d'affaires et un héros de guerre. Pour eux, c'était comme l'oncle Victor sauf que celui-ci était vivant et qu'étrangement, on en parlait encore moins.

On connaissait cette année-là une température anormalement élevée pour la période. Les touristes étaient nombreux dans la région et c'est la raison pour laquelle l'arrivée d'un véhicule dans l'entrée de la cour n'avait pas dérangé la famille, qui prenait alors le repas du midi. Il devait encore s'agir de quelqu'un de la ville qui s'était égaré, qui voulait une information, ou tout simplement qui désirait acheter des produits de la ferme. Parce que des individus demeuraient sur une terre, ces citadins croyaient tous qu'ils élevaient des poules, des cochons ou des vaches. Les villageois représentaient globalement à leurs yeux des habitants et ils semblaient présumer à tort qu'ils s'éclairaient toujours à la lampe à l'huile et qu'ils coupaient la laine des moutons pour se faire des chandails. Ignoraient-ils qu'ils avaient la radio et même, pour certains, la télévision ; qu'ils savaient également lire et écrire ?

Tout à coup, à la tablée familiale, on entendit des pas sur la galerie. Ernest, qui avait reconnu le visiteur, bondit tout de suite de sa chaise comme si on l'avait piqué profondément au derrière. Sans laisser l'occasion à son frère de mettre le pied dans sa maison, il s'installa devant la porte-moustiquaire et commença immédiatement à l'invectiver sans égard pour les enfants attablés derrière lui. À la façon dont il vociférait ses injures et ses blasphèmes, on aurait pu croire qu'il les avait répétées maintes et maintes fois. Juste au cas où l'occasion se présenterait un jour de pouvoir les proférer à celui à qui ils étaient destinés.

— Ah, ben batinse ! T'as du front tout le tour de la tête pour venir te montrer la face icitte, maudit enfant de chienne. Tu penses pas que tu nous en as assez fait ?

— Après autant d'années, on pourrait peut-être se

parler, mon frère? prononça simplement l'homme qui n'était vraisemblablement pas surpris par l'accueil que son cadet lui réservait.

— Jamais, as-tu compris? Jamais. Pis je te défends de dire que t'es de la même famille que moi. C'est pas mêlant, pour moi, t'es mort pis enterré. Retourne chez tes maudits Anglais. On n'a pas besoin d'une race de monde comme toi icitte.

Ernest avait peine à se contenir. Il était alors sorti sur la galerie et avait foncé sur Georges en l'insultant et en lui pointant l'index dans le poitrail. Il l'avait reconduit jusqu'à sa voiture et lui avait fait comprendre qu'il n'était pas le bienvenu. Il était bien au fait que celui-ci était arrivé durant la semaine à la demeure de ses parents pour voir sa mère malade, mais il ne croyait pas qu'il aurait le culot de se présenter ainsi chez lui.

Georges, qui était son aîné de plus de deux ans, connaissait très bien le caractère fougueux d'Ernest, et il savait pertinemment de quoi il était capable. S'il avait eu une quelconque malice, il aurait poussé la raillerie jusqu'à s'arrêter à cet endroit en premier, simplement pour mettre le feu aux poudres. Déçu, mais non surpris, il repartit donc aussitôt sans ajouter un traître mot, mais en jetant un coup d'œil vers la maison, dans l'espoir d'apercevoir sa belle-sœur, celle qu'il avait tant aimée jadis.

C'est Georges qui avait fréquenté Pauline le premier. Ils s'étaient rencontrés par hasard, un après-midi, au bord du lac Brûlé où elle prenait plaisir à aller faire la lecture ou simplement à rêvasser en écoutant le léger clapotis de l'eau pure. Sans le savoir, ils avaient le même lieu de recueillement. Lui s'y rendait pour sortir de la maison, où tout n'était que cris et disputes. Elle, de son côté, s'y réfugiait tout bonnement pour profiter de la nature, de l'odeur des fleurs et des herbes qu'elle adorait. Ils s'étaient revus plusieurs fois sans pour autant en parler à leurs proches, gardant pour eux ces moments sublimes d'intimité et de tendresse. Ils savouraient chaque minute de discussions profondes sur la vie, la famille, et ils en vinrent rapidement à élaborer des projets d'avenir qu'ils modifiaient parfois au gré de leurs rencontres, de leurs humeurs et de ce qu'ils avaient vécu le jour même dans leurs maisons respectives.

C'était en 1937 et Georges demeurait toujours chez ses parents. Il était monté au chantier pendant quelques hivers et travaillait activement pour le vieux monsieur Thompson durant les mois d'été, tout comme son frère Ernest. Il partageait une large partie des sous gagnés avec sa mère, dont l'époux n'était pas généreux de nature. Il en donnait également une bonne part à ses sœurs qui vivaient à Montréal, où il allait souvent pour profiter des sorties nocturnes de la métropole. C'est là qu'il dépensait le reste de son argent en menant la grande vie et en s'étourdissant pour oublier le quotidien épuisant. Il revenait ensuite travailler à la campagne contre son gré afin de renflouer son gousset.

Sa relation avec Pauline prenait cependant des proportions de plus en plus importantes. Il aurait voulu pouvoir partir avec elle et l'installer comme une reine, mais il n'avait malheureusement pas un sou. Il regrettait amèrement tout l'argent dépensé pour des futilités, qu'il s'agisse de boissons ou de femmes aux mœurs légères. Depuis qu'il était amoureux, plus rien d'autre n'avait d'importance à ses yeux. Il était prêt à tout pour fonder une famille avec celle qu'il aimait, qu'il chérissait et avec qui il désirait vivre toute son existence.

Avant-dernier du clan des Potvin, Georges savait d'emblée que la terre et les bâtiments étaient déjà légués à Ernest, le petit dernier. C'était une tradition familiale et son père n'y ferait aucune dérogation. Ses sœurs et lui n'auraient rien que des cicatrices et les souvenirs d'une période difficile qui s'était déroulée dans un rang de campagne. Il ne voyait donc aucun avenir au lac Brûlé pour lui, car jamais Ernest n'accepterait de lui fournir du travail et de son côté, il savait très bien qu'il n'avait pas le caractère pour endurer de se faire manipuler et dénigrer toute sa vie. Il avait d'autres ambitions, mais il lui fallait pour cela aller gagner son pain loin de la terre où il avait vécu. Il souhaitait pouvoir gâter la femme qui partagerait sa destinée comme il aurait aimé que son paternel le fasse avec sa propre mère.

De son côté, Pauline était la mignonne cadette d'une famille de deux enfants, chose rare pour l'époque. Son père, vieux garçon de quarante ans au moment de son mariage, avait épousé une célibataire qui avait dix ans de moins que lui. Ils n'avaient pu concevoir que ces deux descendants, qu'ils chérissaient tendrement. Les Cloutier vivaient au lac Brûlé sur la petite terre familiale tout près de la maison des Potvin. La santé précaire de madame Cloutier, qui avait enfanté à un âge assez avancé, se détériora à un point tel qu'elle décéda alors que Pauline n'avait que douze ans. La fillette demeurait donc seule avec son père plutôt âgé et son frère qui était son aîné de trois ans. Celui-ci s'occupait de la fermette en faisant l'élevage de cochons alors qu'elle-même avait pris en charge la maisonnée tout en veillant sur leur papa qui avait une frêle constitution.

Au fil de leurs rencontres qui se multipliaient à la satisfaction des deux cœurs, l'idylle s'installa à un point tel que le bonheur ne semblait exister que lorsqu'ils étaient l'un avec l'autre. Le temps s'arrêtait et ils pouvaient alors commencer à faire des projets communs en imaginant une vie de couple où la joie de vivre serait essentielle.

Pour ce faire, Georges décida de quitter la maison pour aller travailler à Montréal avec son beau-frère Léon. Grâce aux excellentes références fournies par celui-ci, il avait été embauché rapidement au sein de la même compagnie de tramway. Travailleur acharné, il désirait amasser suffisamment d'argent afin d'assurer des lendemains sans tracas à la femme de ses rêves.

Avant de se laisser, ils se rencontrèrent, l'âme tourmentée et le cœur lourd, aux abords du lac Brûlé. C'était à la tombée du jour, au moment même où le soleil saluait pour la toute dernière fois ce point d'eau dans lequel il aimait tant déployer ses reflets. Georges, qui n'était que tendresse, remit alors à sa promise un modeste mouchoir brodé de ses initiales, qu'il lui demanda de conserver jusqu'à ce qu'ils soient à nouveau réunis.

— Si un jour t'as de la peine, si tes yeux ne peuvent s'empêcher de verser des larmes, éponge-les avec ce simple morceau de tissu dans lequel j'ai déposé un baiser. Je te promets sur mon âme que je te consolerai à mon retour.

Pauline avait vécu beaucoup de chagrin à la mort de sa mère, mais elle était raisonnable et elle savait que Georges faisait ce sacrifice dans le seul but d'unir leurs destinées. Elle le laissa donc partir sans verser une seule larme, mais en agitant son mouchoir qu'elle mit ensuite sur son cœur.

Dès le départ de George, ils entreprirent une correspondance assidue. Chacune des lettres était empreinte de douceur et de promesses d'un avenir heureux. Elle conservait ces écrits dans un vieux coffre à bijoux que sa mère lui avait donné et qu'elle dissimulait dans le garde-robe en dessous de l'escalier qui menait à l'étage.

Ils ne se revirent que la veille de Noël, alors qu'il vint la rejoindre avant la messe de minuit. Il réveillonna chez elle avec son frère et son père. Comme il n'avait que deux jours de congé, il devait repartir tôt le lendemain pour reprendre son poste de chauffeur de tramway, et c'est le cœur gros qu'il prit la route pour Montréal, dans le dessein bien précis de se bâtir un nid pour le futur.

Les lettres furent donc le seul lien entre les tourtereaux pendant l'hiver, mais subitement, à partir du mois de mars, Pauline ne reçut plus aucune nouvelle de son soupirant. Dans sa dernière missive, Georges avait mentionné qu'il avait beaucoup de boulot et devait souvent remplacer des gars qui arrivaient en retard, ou qui tout simplement ne se présentaient pas au travail. Il avait, de plus, déménagé chez sa sœur Fernande, qu'il adorait.

Celle-ci avait un seul enfant et la famille demeurait dans un petit appartement, mais elle lui avait installé un lit de fortune dans la chambre de son fils. Il disait être plus heureux dans une maison familiale que seul, entouré de soûlons, dans une misérable pension d'un quartier défavorisé de la ville.

Pauline n'en prit pas ombrage, présumant hors de tout doute qu'il n'avait sûrement pas le temps d'écrire. Mais plus les jours s'écoulaient et plus la déprime prenait racine au cœur de la femme esseulée. En juin, son frère Léopold, qui était très inquiet, l'envoya chez une tante à Saint-Jérôme sous prétexte que celle-ci était malade et avait une grosse famille.

Au mois d'août, quand elle revint à la maison, elle était plus sereine, mais il y avait une lueur de tristesse au fond de son regard. Elle avait perdu sa bonne humeur et vaquait à ses occupations sans ardeur. Dès qu'elle avait un moment, elle se rendait au bord du lac et y demeurait de longues heures.

Un beau jour, Ernest, qui l'avait suivie, fit semblant d'être passé là par hasard et entreprit une conversation. Curieuse à l'idée d'avoir des nouvelles de Georges, Pauline se fit mielleuse et attentive.

— Bonjour, Pauline, il y a longtemps que t'es revenue ?

— Ça fait juste une quinzaine de jours. Ma tante aurait aimé ça que je reste encore, mais je m'ennuyais ben trop.

— C'est ben comprenable, à ton âge. C'était la première fois que tu partais de la maison ?

— Oui. Mais je n'avais pas le choix. Il faut savoir

s'entraider dans la famille. Et puis chez vous, tout le monde va bien?

— C'est pas si pire, en tout cas, on ne manque pas d'ouvrage. Si Georges était resté avec nous autres, ça aurait fait deux bras de plus, mais ça a l'air qu'il aime mieux la ville et ses frivolités.

Pauline parut surprise de la réponse d'Ernest et espérait en savoir plus, mais sans pour autant démontrer qu'elle était en quête d'informations quelconques. Elle s'enquit donc de la santé des parents Potvin et de ce qui s'était passé au lac Brûlé durant son absence cet été-là. Ernest, fin renard, raconta des anecdotes anodines qu'il inventait même parfois afin qu'elle puisse le trouver intéressant, mais il négligea de parler de son frère. Il savait que celle-ci était anxieuse d'avoir de ses nouvelles, mais il souhaitait la faire languir. Son plan fonctionna si bien que la jeune fille lui laissa entendre qu'elle venait souvent lire au bord du lac l'après-midi, entrebâillant alors la porte pour une nouvelle rencontre.

Au fil des jours, celui-ci trouva des excuses pour la rejoindre à cet endroit très significatif et avec le temps, une certaine familiarité s'installa entre eux. Elle obtint ainsi des informations qu'elle n'aurait pu acquérir ailleurs, mais elle en fut également terriblement blessée.

Ernest lui raconta donc qu'il avait appris que Georges fréquentait depuis déjà un moment la sœur d'un collègue de travail. Il ajouta même que cette relation semblait très sérieuse.

— Tu sais, mon frère n'en est pas à sa première blonde. Il n'avait pas encore treize ans qu'il faisait de l'œil à nos cousines de la ville. Ma mère l'avait surpris en arrière de la grange avec Rita, qui était beaucoup plus vieille que lui, et qui avait l'air d'avoir déjà goûté à ça.

Ernest broda autour de l'histoire d'un baiser volé comme s'il s'agissait d'une grave atteinte à la pudeur. Selon la description faite sous forme de parabole, Pauline imagina un terrible péché mortel, alors qu'en réalité ce n'était qu'une légère encoche au respect des convenances, une petite frivolité que les jeunes s'étaient innocemment permises.

Pauline, triste et déçue, se lia finalement d'amitié avec Ernest, qui était tout de même beau garçon, quoique moins raffiné que son frère au point de vue de l'habillement et des manières. Au fil du temps, elle développa pour lui des sentiments plus ardents. Il lui offrit même un joli coffret de bois qu'il avait confectionné à partir de retailles trouvées dans le garage de son père. Il avait pris la peine de sculpter deux cœurs entrelacés sur le dessus du boîtier.

Elle appréciait ses attentions, mais surtout, elle retrouvait en lui un peu de Georges ou du moins, il lui rappelait de doux instants passés en sa compagnie.
Ernest prétexta que sa mère avait une santé quelque peu défaillante et que ça l'inquiétait terriblement. Il demanda alors à Pauline si elle voulait bien l'épouser juste avant les fêtes, de façon à ce qu'elle puisse seconder celle-ci dans son quotidien.

Quelque peu désabusée de la vie et ne croyant plus au grand amour, elle accepta rapidement cette proposition, qui lui semblait juste et loyale. C'est donc dans la sacristie de l'église de Sainte-Agathe-des-Monts que, le mardi 22 novembre 1938, Pauline Cloutier prit pour époux Ernest Potvin, pour le meilleur et pour le pire. Un homme qu'elle ne connaissait que sommairement, mais qui avait su la convaincre par la ruse, la finesse et une bonne dose d'hypocrisie.

N'assistèrent à cette cérémonie que les témoins des mariés, soit le père d'Ernest et le frère de Pauline, puisque le paternel de celle-ci n'était pas suffisamment en forme pour y participer.

Il s'agissait d'un mariage de convenance pour Pauline, qui demeurerait ainsi tout près de sa propre famille et qui pourrait en conséquence veiller au bien-être de celle-ci, tout en se créant un nid bien à elle, avec de nombreux enfants qu'elle se jurait d'aimer plus que tout au monde.

* * *

Tout en roulant vers le domicile de ses parents, Georges se remémorait comment il avait appris en 1938 que sa belle Pauline ne l'avait pas attendu et qu'en plus elle était enceinte d'un individu dont on ignorait l'identité. Il avait donc conclu que c'était la raison pour laquelle elle avait cessé de lui écrire au mois de mars sans préambule bien que lui continuait à ce moment-là de lui envoyer réguliè-rement des lettres, qui étaient toutes restées sans réponse.

Quand il s'était rendu au lac Brûlé cet été-là pour essayer de comprendre ce qui se passait, son frère

Ernest s'était montré particulièrement aimable et s'était chargé de faire la nouvelle comme il entendait qu'elle soit interprétée.

— J'ai su que tu étais allé chez les Cloutier pour voir Pauline, avait lancé Ernest de façon à introduire le message qu'il prévoyait transmettre.

— Oui, mais son père m'a parlé qu'elle était à Saint-Jérôme pour relever une tante malade.

— C'est la version officielle qu'y donne le bonhomme Cloutier. Y serait trop gêné de raconter la vérité.

— Qu'est-ce que t'essayes de me dire par là ?

— Tu sais qu'au village on a pas mal plus de nouvelles qu'icitte, avait-il laissé sous-entendre.

— Oui pis après, lâche le morceau, arrête de tournailler autour du pot.

— C'est que j'voulais pas de faire de peine, avait-il ajouté d'un air dépité, mais j'ai entendu entre les branches, qu'elle était partie « obligée[17] ».

— Pas Pauline, ça se peut pas !

— Pépère disait toujours : « Méfiez-vous de l'eau qui dort. » En tout cas, est pas supposée revenir icitte avant d'avoir « acheté[18] ».

Georges était retourné à Montréal le jour même, abasourdi et bien enclin à ne plus remettre les pieds dans la région de Sainte-Agathe-des-Monts avant que les poules n'aient des dents. Pauline était l'amour de sa vie, il en était certain, mais il ne comprenait pas son

---

17 Obligée : enceinte.
18 Acheté : accouché.

comportement. Que pouvait-il s'être passé pour qu'elle décide de le quitter sans prévenir, et qui pouvait bien être le garçon qu'elle aurait rencontré et qui l'aurait ainsi déshonorée? Il était triste jusqu'à en mourir et il prit alors la décision de s'exiler. Dans les semaines qui suivirent, il partit en train en direction de Détroit où, heureusement, il se trouva rapidement un poste dans une manufacture de voitures.

Dans le mois de décembre, il avait reçu une lettre de sa sœur Fernande qui lui avait annoncé, en même temps que ses vœux de fin d'année, que son frère Ernest avait épousé Pauline Cloutier. Il avait encaissé durement cette nouvelle et il s'était étourdi dans les vapeurs de l'alcool en compagnie de jeunes filles avec lesquelles il ne sortait jamais plus de deux ou trois fois.

Lorsque la Seconde Guerre mondiale fut déclarée, il avait été contraint de faire son service militaire et avait été envoyé outre-mer avec l'armée américaine. En 1943, il avait été rapatrié aux États-Unis à la suite d'une blessure majeure à une jambe. Il avait été long-temps hospitalisé, mais en 1944, il avait finalement reçu sa décharge de son régiment puis avait réintégré son emploi à la compagnie General Motors.

Il n'était revenu au village qu'en 1952, alors que sa mère était très malade. Ça faisait maintenant quatorze ans qu'il était parti et il se croyait suffisamment fort pour retourner au pays; les blessures du passé étaient sûrement cicatrisées. Ses parents, avec qui il correspondait, lui avaient demandé à maintes reprises de venir les visiter, mais il prétextait toujours ne pouvoir laisser son travail. Cependant, quand il avait craint pour la vie de sa maman, il avait décidé de passer outre et de se rendre à son chevet. Sa présence avait amené madame Potvin à retrouver l'énergie de se battre pour recouvrer la santé, comme si elle avait manipulé le destin afin de revoir son fils adoré.

Par un bel après-midi de cet été-là, Georges s'était permis de retourner se promener au bord du lac Brûlé, afin de ressasser ses souvenirs les plus mémorables. Dès qu'il s'était approché de la berge, il avait cru être victime d'un mirage, mais c'était bel et bien sa chère Pauline, plus éblouissante que jamais, qui était assise sur la grosse roche qui avait été témoin de leurs conversations jadis. En le voyant, elle s'était mise à pleurer. Il était encore plus beau que dans ses souvenirs. Encore une fois, il sortit un mouchoir blanc puis le lui tendit pour qu'elle éponge ses larmes. Il la prit dans ses bras et la consola.

— Pourquoi as-tu arrêté de m'écrire tout à coup ? J'attendais tes lettres jour après jour alors que toi tu m'avais déjà remplacée par une fille de la ville.

— Il n'y a jamais eu de femme dans ma vie après mon départ du lac Brûlé. C'est toi qui as cessé de m'envoyer des lettres. Quand je suis venu pour te visiter à l'été, Ernest m'a dit que tu étais partie à Saint-Jérôme chez une parente et que probablement tu ne reviendrais pas avant plusieurs mois.

— Jamais de la vie ! Mon père et mon frère m'ont demandé d'aller chez ma tante à Saint-Jérôme en prétextant qu'elle avait besoin d'aide, mais en réalité c'était parce qu'ils me voyaient triste à mourir et ils voulaient me changer les idées.

— Tu n'étais pas enceinte à ce moment-là ?

Pauline se mit à rire jaune, un rire forcé et intempestif qui se transforma progressivement en un flot de larmes impossible à arrêter. Elle évacuait ainsi sa rage en réalisant combien elle avait été habilement dupée par celui qui était devenu son mari.

Ils se parlèrent donc comme ils avaient l'habitude de le faire dans une époque qui ne leur semblait pourtant pas si lointaine. Ils conclurent rapidement qu'Ernest était l'instigateur du scénario qui les avait séparés. Il avait fait en sorte de prendre la future femme de son frère, probablement en interceptant les lettres, et par la suite en semant du venin dans l'imaginaire de la jeune fille vierge.

Georges prolongea son séjour, prétextant la précarité de la santé de sa mère, et pendant quelques semaines, ils se revirent au bord du lac dès que Pauline pouvait s'absenter, et ce, au détriment de leurs convictions religieuses. Par un bel après-midi, n'y tenant plus, ils firent l'amour comme ils auraient dû pouvoir le faire durant leur vie de couple si un démon ne s'y était pas infiltré.

La passion prenant le dessus, les jours suivants, ils ne furent pas suffisamment sur leurs gardes et Ernest les surprit un soir en flagrant délit. Armé d'un fusil, il menaça de tuer son frère si celui-ci ne repartait pas aussitôt pour les États-Unis. Pauline enjoignit à Georges de l'écouter, car elle le croyait capable de mettre sa menace à exécution. Elle préférait le savoir vivant au loin plutôt que d'avoir sa mort sur la conscience.

Georges se rappela être parti avec le cœur lourd et déçu de n'avoir pas eu le courage d'assassiner cet être ingrat et manipulateur qui lui avait volé impunément le grand amour de sa vie.

S'il était revenu aujourd'hui, soit cinq ans plus tard, c'était délibérément dans l'espoir de la revoir. Même si ce n'était qu'un bref instant, il en avait besoin comme une plante a besoin d'eau !

Il se rendrait au domicile de ses parents à quelques centaines de pieds de là. Il jouirait ainsi du réconfort maternel toujours aussi sécurisant, même quand on est un homme de quarante-trois ans et surtout quand on est seul au monde.

Il en profiterait pour écouter ceux-ci lui raconter les dernières nouvelles de la région, en souhaitant ardemment que le prénom de Pauline soit mentionné pour nourrir son cœur encore meurtri.

* * *

De son côté, Pauline avait également semblé surprise de revoir Georges, mais elle avait fait en sorte de ne rien laisser paraître, de peur de déclencher les foudres de son mari. Elle s'était donc empressée de rappeler ses jeunes à l'ordre, d'une voix tout de même saccadée :

— C'est assez là ! Assoyez-vous pour finir votre dîner. On doit aller aux fraises cet après-midi. Dépêchez-vous un peu. Je voudrais avoir le temps de laver ma vaisselle avant de partir.

Comme les enfants n'avaient pas l'habitude de questionner ouvertement les parents à cette époque, ils avaient rapidement obéi, mais non sans montrer qu'ils étaient excités par l'arrivée de cet oncle inconnu qui venait de si loin. Pourquoi personne ne parlait jamais de lui et que tout à coup il arrivait chez eux ? Pourquoi leur père avait été si méchant avec lui, alors qu'il ne l'avait pas vu depuis aussi longtemps ?

Rose, dont la curiosité n'était rien de moins que maladive, avait tout de même eu le temps de l'apercevoir à travers la moustiquaire. Elle avait tout de suite été envoûtée par la beauté de ce personnage grand, élancé et viril. Il avait des cheveux soignés et une fine moustache bien taillée. Il portait des vêtements chics qui lui donnaient fière allure. Un individu à l'apparence et au comportement respectables comme on n'en rencontrait que très peu au village, un être racé avec un regard troublant pour une adolescente de dix-sept ans, qui réalisait aujourd'hui qu'il était le type même de prétendant qu'elle rêvait d'avoir un jour. C'était donc ça un homme qui venait des États ! Malheureusement, il s'agissait de son oncle et il était un peu trop vieux, mais qui savait s'il ne pourrait pas lui raconter comment ça se passait dans ce pays lointain ?

Rose, le nez toujours plongé dans les livres, aspirait à sortir de son rang de campagne et à aller vers d'autres cieux, mais c'était pratiquement impossible pour une jeune fille de bonne famille. Ou bien l'on se mariait et l'on avait plusieurs enfants, ou l'on devenait religieuse, et elle ne voulait ni l'un ni l'autre.

À travers les nombreux récits parcourus, elle s'imaginait l'héroïne d'une histoire abracadabrante et l'arrivée
de cet inconnu au village venait stimuler son imagi-
nation. Elle ferait en sorte de rencontrer son oncle de
quelque manière que ce soit, mais sans toutefois attiser
la colère de son paternel, dont elle craignait les sautes
d'humeur.

* * *

Le destin favorisa Rose deux jours plus tard, soit un
après-midi où elle se rendit chez monsieur Thompson
pour y faire le ménage, en remplacement de sa mère.
Ernest avait demandé à sa fille de s'occuper de ce travail pour quelque temps, car il disait que Pauline, qui
était enceinte, devait rester à la maison pour se reposer
et ainsi reprendre des forces. Nul ne savait qu'il avait
interdit à sa femme de sortir à l'extérieur; il voulait à
tout prix éviter qu'elle rencontre son frère maudit.

La famille Thompson s'absentait tous les mercredis
pour faire des courses au village et parfois même pour
se rendre à Saint-Jérôme afin d'avoir un plus grand
choix d'articles. Monsieur Thompson avait demandé
à monsieur Potvin de privilégier cette journée-là pour
faire faire les travaux ménagers à la maison de campagne, de manière à ne pas perturber la vie paisible de
madame Thompson et de sa fille Catherine.

Rose n'aimait pas particulièrement faire ce genre
d'ouvrage, mais elle appréciait la beauté des lieux et
la richesse qui s'en dégageait. Elle en profitait pour se

promener dans toutes les pièces de la grande demeure pour s'imprégner de la splendeur environnante. Quand elle était seule, elle fouillait sans gêne dans les armoires et touchait les beaux vêtements de la bourgeoise.

Cette journée-là, à la fin de l'après-midi, elle s'apprêtait à balayer la galerie arrière quand elle vit son oncle Georges qui marchait vers le bord du lac. Elle simula un éternuement violent pour signaler sa présence, ce qui eut l'effet escompté. L'homme se retourna doucement puis fit un signe de la main amical à la jeune fille qu'il venait d'apercevoir. Cherchant à expliquer pourquoi il se trouvait sur les lieux, il s'approcha lentement du chalet dans le but de se présenter à l'employée.

— Bonjour, Mademoiselle, je m'excuse de vous déranger, mais je voulais tout juste revoir le bord du lac. Mon nom est Georges Potvin et je suis le fils d'Édouard Potvin, que vous connaissez sûrement.

— Faites comme chez vous, oncle Georges, lui répondit Rose, intimidée par ce bel homme qui s'adressait à elle si gentiment et avec un léger accent. Je remplace ma mère qui fait habituellement le ménage ici. Est-ce que vous vous souvenez de moi, Rose, la fille de votre frère Ernest ?

— Rose, eh bien ! Je ne t'aurais jamais reconnue. Tu étais une toute petite gamine avec de longues tresses et te voilà devenue une grande et magnifique jeune femme. Comme tu ressembles à Pauline ! lui répondit-il avec une certaine nostalgie, un vague à l'âme difficile à dissimuler.

— Je sais, on me dit tout le temps ça. Luc et moi, on ressemble à maman, tandis que Diane et Yvon ont plus les airs de papa. Il semble qu'Alfred tient plus de pépère quand il était jeune et Pierre, ben c'est un cadeau du Bon Dieu, d'après mémère qui l'adore. C'est le plus beau, le plus fin, mais c'est sûrement comme ça quand c'est le dernier d'une famille.

— Oui, j'ai constaté combien ma mère était proche de ce petit-là, mais c'est facile, *it's a lovable child.*

— J'aime ça vous entendre parler avec votre accent. C'est drôle que je vous rencontre ici aujourd'hui !

— Je venais souvent ici autrefois. J'aimais bien m'asseoir et lire au bord du lac et parfois aller pêcher. Monsieur Thompson nous laissait toujours passer sans y redire.

— Est-ce que vous êtes revenu au lac Brûlé pour une bonne secousse ?

— Je ne crois pas. Ça fait tellement longtemps que j'ai quitté la région. Et puis tu sais, j'aurais de la difficulté à revivre dans un endroit où tout le monde se connaît et se mêle des affaires des autres. Quand tu as vécu dans une grande ville comme Détroit, tu es habitué à beaucoup plus de liberté.

— Comme ça doit être bon de pouvoir habiter au loin comme vous. J'aimerais bien moi aussi m'en aller d'icitte un jour, mais j'ai peur de manquer de courage. Ça semble plus facile quand on est un garçon, jamais papa ne m'accordera la permission.

— Si j'avais attendu l'autorisation pour partir, je crois que je serais encore ici. Tu sais, ton grand-père Potvin n'était pas vraiment commode quand on était enfants. Je peux même t'avouer qu'il ressemblait étrangement à mon frère Ernest, ton père, sans vouloir te blesser.

— Vous ne me faites pas de peine du tout, répondit-elle impulsivement. J'aimerais mieux rester vieille fille plutôt que d'avoir un mari comme lui plus tard.

C'était un puissant cri du cœur de celle qui ne souhaitait aucunement reproduire le schéma familial qui l'avait tant fait souffrir.

L'arrivée de monsieur Thompson et de sa famille mit fin brusquement à la conversation, au grand regret de la jeune femme. Georges salua sa nièce avec déférence, pressé qu'il était d'aller rencontrer les arrivants. Il s'était dirigé vers eux d'un pas alerte démontrant l'assurance déconcertante qu'il possédait. Rose en ressentit une immense fierté.

Elle l'entendit ensuite discourir longuement avec le patron de son père dans la langue de Shakespeare, comme on le disait à l'école. Comme elle aurait aimé pouvoir parler l'anglais si librement, ça lui aurait donné la confiance nécessaire pour se trouver un emploi dans la grande ville de Montréal, comme certaines filles du village l'avaient fait avant elle.

Dès qu'elle eut fini d'aider madame Thompson à rentrer ses achats et à dépaqueter ce qui venait de l'épicerie, elle prit congé et se dirigea vers la maison en songeant à sa courte conversation avec son oncle Georges. Elle avait de quoi rêver pour les quelques jours à venir.

Elle souhaitait également savoir pourquoi son père était tellement en furie quand son frère était arrivé chez lui. Il lui fallait découvrir la vérité et c'était peut-être mémère Potvin ou même sa propre mère qui pourrait lui faire des confidences. Elle se devait d'être habile pour ne pas froisser qui que ce soit, mais elle ouvrirait bien grandes ses oreilles dans les prochains jours...

CHAPITRE 11

La campagne après la ville

(Mai 1960)

Au moment où Rose avait appris le décès de sa pauvre maman, elle n'avait pas eu l'occasion de pleurer beaucoup, d'autres occupations ayant préséance. Elle avait tout de suite pris en charge ses jeunes frères, qui étaient tout à fait démunis. Elle se reprenait maintenant la nuit quand elle était certaine que personne ne pouvait l'entendre. Dans chacune de ses larmes, elle revoyait les événements qui avaient fait en sorte qu'elle décide un jour de quitter la résidence familiale. C'était à la suite de la dernière visite de son oncle Georges, quelques années plus tôt. Il n'était resté que quelques jours chez ses grands-parents et elle n'avait malheureusement pas eu l'occasion de lui parler à nouveau.

À la maison, le climat s'était envenimé et il flottait dans l'air une animosité palpable. Durant cette même semaine, sa mère, enceinte de quelques mois, s'était mise à saigner abondamment et elle avait fait une fausse couche. À son retour de l'hôpital, son père l'avait ouvertement accusée d'avoir fait exprès de provoquer la perte de cet enfant qu'il croyait être son successeur. Elle avait eu besoin d'une importante convalescence afin de recouvrer la santé physique tandis que son caractère était devenu jour après jour plus amorphe.

Un soir, alors que Rose avait fait allusion à la visite de l'oncle Georges, dans le but bien précis d'en apprendre davantage sur la raison du conflit fraternel, Ernest, qui se trouvait à proximité, la gifla et elle se mit à saigner du nez sur-le-champ.

Pauline réagit comme si c'était elle-même qui avait reçu la correction et, pour défendre sa fille, s'empara du tisonnier, avec lequel elle menaça Ernest qui répliqua vivement :

— Viens pas te mêler de ça ! Elle a couru après ! C'est juste ça qu'a mérite.

— Tu peux me frapper Ernest Potvin, mais je te jure sur la tête de ma pauvre mère que tu vas laisser mes enfants tranquilles, dit-elle d'un ton ferme et définitif. Y sont pas responsables de nos erreurs, ajouta Pauline qui n'avait pourtant pas l'habitude de répliquer à son mari.

— Tes enfants, c'est aussi les miens, à ce que je sache ben naturellement, rétorqua-t-il ironiquement.

— Ben ça paraît pas à la manière que tu les traites. Le bonhomme Pichette soigne mieux son chien que toi tu t'occupes de tes propres enfants.

Depuis ce jour, Rose était convaincue qu'elle quitterait la maison dès que l'occasion se présenterait. Elle ne voulait plus vivre au lac Brûlé où, lui semblait-il, l'air était vicié par la colère ambiante.

Peu de temps après, une requête émanant d'une tante de Montréal fit en sorte que sa grand-mère lui demanda si elle pouvait aller aider celle-ci, car elle avait une terrible pneumonie. Elle avait encore un enfant qui n'allait pas à l'école et son mari travaillait de longues heures. Ça devait être juste pour l'hiver, mais ça s'était prolongé jusqu'au printemps. Finalement, Rose s'était ensuite trouvé un emploi dans une manufacture de couture où elle se plaisait et avait de bonnes amies.

Elle ne revenait à la maison qu'à l'époque des fêtes, mais elle demeurait cependant en ville pendant ses courtes vacances, prétextant profiter de cette période pour donner un coup de main aux corvées domestiques. Elle était si heureuse de vivre en pension au sein d'une famille unie comme celle-là qu'elle ne comptait pas les heures ou les services rendus.

C'est en repensant à tout ceci qu'elle réalisa amèrement qu'elle avait très peu vu sa mère dans les deux dernières années.

Pendant tous ces mois, elle avait pu développer une magnifique relation de confiance avec Fernande, qui était si différente de son père. Incompréhensible, pour la jeune fille, de croire qu'ils soient frère et sœur alors qu'ils étaient tellement dissemblables. Fernande était dans la fleur de l'âge quand elle était partie pour Montréal, où elle avait épousé un chauffeur de tramway, Léon Demers, un homme excessivement généreux.

Au cours de leurs longues conversations, Rose avait appris que sa tante avait aussi fui une maison où la violence assombrissait la lueur du jour.

C'est également chez Fernande que l'oncle Georges s'était installé comme chambreur, peu de temps après son arrivée à Montréal. Au fil du temps, une belle complicité s'était établie entre eux et il lui avait avoué tout l'amour qu'il avait pour Pauline et les projets d'avenir qu'ils avaient faits ensemble. Elle avait été témoin du moment où les lettres de Pauline avaient cessé d'arriver et jour après jour, elle avait attendu le courrier avec lui. Plus tard, elle l'avait consolé au moment où il avait appris que son frère cadet lui avait ravi sa belle. Elle n'avait cependant pu le retenir quand, par la suite, il avait choisi de s'exiler aux États-Unis pour guérir sa peine, ou à tout le moins tenter de l'apaiser.

Rose avait hérité d'un trait de caractère de son grand-père Potvin et on lui en faisait souvent mention.

— T'es plus curieuse qu'une belette ! lui disait-on, t'es curieuse comme pépère Potvin, c'est encore pire !

Connaissant l'attachement de son oncle Georges pour sa tante Fernande, elle avait découvert, au cours des conversations avec cette dernière, une partie de l'histoire ancienne. Pauline, sa pauvre mère, avait un jour perdu l'homme qui était l'amour de sa vie. Il semblait qu'Ernest, son père, avait profité de la naïveté de celle qui n'était alors qu'une toute jeune femme pour se l'approprier ignoblement, en formulant de fausses accusations. Il l'avait mariée et engrossée jusqu'à ce qu'elle lui donne l'héritier tant désiré. À son grand désarroi, il n'avait pu réprimer ses ardeurs suffisamment et il s'était retrouvé avec une famille de sept enfants vivants.

En 1952, le destin avait voulu que l'oncle Georges

revienne des États-Unis pour visiter sa vieille mère malade et les quelques semaines passées au lac Brûlé avaient suffi à raviver la flamme entre les deux cœurs blessés de même que la haine entre les deux frères.

Fernande croyait en connaître l'origine, mais pouvait-elle faire suffisamment confiance à Rose pour lui faire part de ses soupçons, alors qu'elle était encore si jeune? Elle craignait de nuire à sa relation avec la famille si elle se laissait aller à la confidence avec la fille la plus fouineuse qu'il lui ait été donné de rencontrer.

À l'annonce du décès de sa maman, toute cette douleur avait refait surface dans le cœur de Rose, lui faisant éprouver une sensation de souffrance identique à celle perçue au moment où son père l'avait frappée la dernière fois. Elle s'était affaissée au milieu de la cuisine, ne pouvant retenir ses pleurs, et sa tante l'avait prise dans ses bras pour la bercer. Elle était redevenue une toute petite gamine qui réalisait combien elle avait besoin de sa mère, celle-là même qui l'avait quittée bien avant qu'elle ne soit vraiment sevrée de son amour.

Elle avait la ferme intention de ne plus laisser voir à son père qu'elle pouvait être démolie par les épreuves et elle se promettait de lui faire payer tout le mal qu'il avait fait aux siens. Il lui avait un jour déclaré la guerre; elle profiterait aujourd'hui du fait qu'il était éclopé pour s'imposer et prendre une large partie de son territoire. Elle voulait le blesser, mais ne savait pas encore comment parvenir à ses fins. Elle se devait de jouer ses cartes habilement, sinon il la chasserait de sa demeure et il aurait gagné encore une fois.

Elle souhaitait de tout son cœur revenir s'installer sur le chemin Ladouceur au lac Brûlé afin de protéger ses frères qui demeuraient pour le moment à la maison avec cet homme vil et ingrat.

* * *

Au lendemain des obsèques, Rose, qui avait pris soin des siens depuis son arrivée, s'était levée de très bonne heure et avait préparé le déjeuner pour son père qui partait travailler tôt.

— Papa, j'aimerais ça rester pour soigner les enfants, si ça ne dérange pas. Je m'occuperais de la maisonnée et de la marmaille asteure que maman est plus là pour le faire.

— Juste pour la semaine ou pour plus longtemps?

— Tant que ça pourra faire l'affaire, pourvu qu'on puisse s'entendre vous pis moi.

— T'as ben beau, ma fille, moi je pense qu'on est capable de s'accommoder. Ma mère s'était offert pour venir faire les repas, mais c'est pas ben ben de son âge de prendre en charge une charrue[19] comme ça.

— J'en ai jasé avec mémère que je prévoyais de rester. Elle m'a dit qu'elle m'aiderait un peu si j'avais besoin d'elle. Elle m'a cependant mentionné qu'elle voulait absolument continuer à s'occuper de Pierre parce que ça la désennuie. Moi je sais que c'est surtout à cause que c'est son préféré pis c'est correct de même. Il est assez fragile de toute façon que ça lui fera pas de tort.

---

19 Une charrue: une grosse famille (beaucoup de travail).

Son père ne fit aucune objection. Il n'avait jamais beaucoup porté attention aux enfants dans la maison et encore moins à celui-ci. Seul Simon, qui commençait tout juste à gazouiller, avait pour lui une importance toute particulière.

Dès qu'Ernest mettait les pieds dans la cuisine, le petit chérubin s'excitait tant qu'il ne l'avait pas pris dans ses bras, et il pouvait le garder ainsi pendant des heures. Depuis la mort de son épouse, il berçait le poupon, comme s'il réalisait finalement que c'était tout ce qui lui restait de la femme qu'il avait un jour courtisée sur la berge du lac Brûlé. La bête blessée devenait dans ces moments-là bien inoffensive.

Au début, son ambition était uniquement de prendre la bien-aimée de son frère, mais avec le temps, il s'était attaché à cette créature qu'il avait connue rayonnante et si charmante. Avec les années, elle avait perdu de son éclat ; il réalisait aujourd'hui qu'il lui avait fait ombrage tout simplement. Dans son cercueil, elle était tout aussi belle que le premier jour où il l'avait embrassée. Comme si la liberté qu'elle avait retrouvée dans la mort l'avait embellie.

Pauline avait été la seule et unique victime du conflit fraternel. Ernest l'avait utilisée pour satisfaire sa soif égocentrique.

Il était bien résolu à laisser Rose prendre le contrôle de la maison. Sa vie à lui se déroulerait maintenant dans son garage, où il attendrait que le petit Simon soit assez grand pour venir l'y rejoindre. Il lui montrerait tout ce qu'il savait faire et en ferait son bras droit. Quand il serait devenu un adulte et qu'il lui aurait donné un petit-fils, il se retirerait et lui léguerait tous ses biens. Ainsi, il n'aurait pas peiné en vain pendant toutes ces années. Il se sculpterait lui-même un bâton de vieillesse à sa convenance.

Pour les autres enfants du clan Potvin, la vie au lac Brûlé serait bien différente maintenant que Pauline avait déserté son nid. Ses oisillons apprendraient-ils à voler sans elle?

* * *

Rose trouvait très difficile le retour à la routine campagnarde. Ses nombreuses amies lui manquaient ainsi que les activités sociales. Au lac Brûlé, il n'y avait que des résidences et des chalets. Elle devait donc se rendre à Sainte-Agathe-des-Monts si elle voulait sortir et fraterniser avec des jeunes de son âge, mais c'était tout de même à une distance de près de cinq milles. Elle devait toujours attendre que quelqu'un aille en ville et lui offre un *lift*[20], et c'était la même chose pour le retour. Elle enviait sa sœur Diane, qui restait au village et qui s'amusait bien chaque fin de semaine. Le temps lui manquait également à cause de ses nombreuses responsabilités familiales. Elle n'avait pas l'expérience de sa mère et elle devait parfois recommencer plus d'une fois une corvée afin de la réussir parfaitement. Heureusement que sa grand-mère Potvin venait faire son tour régulièrement pour la seconder et surtout, pour lui donner des trucs

---

20 Donner un *lift*: conduire en voiture.

qui lui permettaient de simplifier les besognes. C'est particulièrement en ce qui avait trait à l'élaboration des repas qui semblaient se succéder à un rythme effarant que la jeune femme avait le plus besoin de structure.

En reprenant la charge de la maisonnée, elle avait aussi accepté de s'occuper de l'entretien de la maison de la famille Thompson. Chaque mercredi matin, après que le déjeuner était terminé, elle allait conduire le petit Simon chez mémère Potvin puis elle se rendait à la résidence des bourgeois. Elle avait l'impression de vivre, ces journées-là, dans un monde bien à elle.

Une matinée du mois de juillet, monsieur Thompson était parti très tôt et avait laissé une note sur la table de la salle à manger. Il avait l'obligation de rentrer à Montréal dans les plus brefs délais, son épouse devant être hospitalisée d'urgence. Il confierait sa fille à ses parents et ne regagnerait sa résidence secondaire que plus tard dans la semaine.

C'était comme un cadeau qu'elle recevait. Aucune contrainte de temps.

Rose se sentit donc privilégiée à l'idée de pouvoir passer toute la journée seule dans cette magnifique demeure. Elle commença ses corvées par la chambre de la fillette, qui, comme toutes les jeunes adolescentes, avait tendance à tout laisser traîner. Dès qu'elle eut refermé cette porte, elle entreprit de ranger les deux autres chambres, réservées pour les amis. Ces pièces ne servaient pratiquement plus, les Thompson ne recevant que très rarement. Elles ne nécessitaient alors que quelques coups de plumeau.

Quand elle pénétra finalement dans la spacieuse «chambre des maîtres», elle ressentit un bien-être et un ravissement immédiats. Les motifs fleuris du papier peint se mariaient à la perfection avec les tentures et le couvre-lit satiné. Elle s'octroya le plaisir de s'imaginer vivre dans un tel environnement alors que chez elle il n'y avait que des stores à rouleaux dans les fenêtres et de lourds édredons de couleur foncée, lesquels étaient fabriqués de retailles de vieux vêtements récupérés ici et là.

Elle décida donc de profiter abondamment de chaque coup de chiffon pour s'approprier un peu de l'air ambiant.

Que fallait-il faire au Bon Dieu pour naître sous une si belle étoile?

Elle compléta son ménage par les pièces du rez-de-chaussée en terminant par l'entretien du grand salon. Elle venait tout juste de s'asseoir pour relaxer pendant quelques minutes, quand elle entendit quelqu'un monter sur la galerie arrière.

— Monsieur Thompson, dit-elle, surprise qu'il l'ait trouvée bien installée à la cuisine avec une galette et une tasse de thé. Je ne vous attendais pas aujourd'hui. Je prenais une petite pause, car je ne me suis même pas arrêtée une seule minute pour dîner ce midi.

— Voyons Rose, ne vous en faites pas. Je suis tout juste passé pour venir chercher des effets pour ma femme. Elle sera hospitalisée quelque temps et elle a oublié des articles personnels.

— Je suis désolée pour elle. Vous lui ferez toutes mes salutations. Est-ce que je dois tout de même revenir mercredi prochain, comme prévu?

— Naturellement, ma chère, j'ai décidé de m'installer au chalet pour terminer mes dossiers pendant l'été. Ma fille Catherine restera chez sa grand-mère une grande partie de la saison, car nous avons fermé la maison de Westmount. Il est possible qu'elles viennent passer quelques week-ends avec moi, mais je vous préviendrai au besoin.

Alors, Rose crut le moment propice pour parler avec son patron à propos de ses gages.

— Je ne voudrais pas vous achaler avec ça aujourd'hui, mais je me demandais si vous pourriez me payer directement à l'avenir pour le ménage que je fais ici le mercredi. Je sais que vous avez l'habitude de régler les affaires d'argent avec mon père, mais pour l'ouvrage de maison, ce serait plus simple pour moi. Vous comprenez que j'ai laissé ma job à Montréal pour venir m'occuper de ma famille, mais je suis habituée à recevoir un salaire toutes les semaines.

— Je n'y vois aucun inconvénient, mais est-ce que votre paternel sera d'accord avec ça?

— Vous savez bien que oui, sinon je ne vous en aurais pas parlé sans qu'il ne soit au courant. Nous avions décidé ça quand j'ai choisi de déménager par ici et il devait en discuter lui-même avec vous, mais il a dû oublier. Papa dit qu'il ne veut pas m'empêcher d'être indépendante concernant mes finances et il se trouve chanceux que j'aie pris la décision de revenir chez nous.

— Eh bien! Ça me fera plaisir et si ça fait votre affaire, je vous paierai toutes les deux semaines, en commençant tout de suite.

Il mit la main dans sa poche et sortit une liasse de billets de banque comme elle n'en avait jamais vu. Il lui tendit la somme prévue et elle le remercia, se disant du même coup que son père serait surpris, l'automne venu, de constater que le montant recueilli serait amputé des gains du ménage, qu'elle utiliserait à sa guise.

Dès qu'elle se rendrait à Sainte-Agathe-des-Monts, elle en profiterait pour s'ouvrir un compte d'épargne bien à elle. Jamais elle n'accepterait de vivre sous le joug financier de qui que ce soit. Elle aurait de l'argent pour sécuriser ses arrières quoi qu'il arrive.

À son retour à la maison, elle prépara le repas en savourant secrètement sa victoire. Elle annonça à son père que des amis de Sainte-Lucie viendraient la chercher après le souper pour aller au cinéma Roxy à Sainte-Agathe-des-Monts. Quand elle vivait à Montréal, elle avait l'habitude de faire ce genre de sorties et elle ne voulait pas que celui-ci croie qu'elle resterait tous les soirs assise dans le salon pour garder les enfants.

— Je m'occupe de laver Simon et Pierre et de les mettre en pyjama. Vous aurez juste à les coucher.

— Pas de problème, ma fille, lui dit-il, faisant contre mauvaise fortune, bon cœur. Il savait bien qu'il n'avait plus aucune emprise sur elle et il en avait bien besoin au jour le jour.

Elle profita de son humeur sereine, ou plutôt de son impassibilité passagère, afin de lui faire la demande qu'elle s'était répétée mentalement plusieurs fois lors des dernières journées.

— Avez-vous pensé à me donner une couple de

piastres pour mes dépenses? À moins que vous aimiez mieux que je me trouve une petite jobine en ville.

— Non, t'inquiète pas, Rose. J'm'en va te laisser un peu plus d'argent pour la *grocery* à chaque semaine. Tu t'en prendras là-dessus pour ce que tu as besoin. Ça t'arrange-tu comme ça?

— Oui papa. On devrait être capable de s'entendre sans problème.

Elle ne le reconnaissait plus. Lui habituellement si radin, elle eut soudain l'impression qu'il n'avait plus la même inclinaison. Elle se doutait bien que c'était exceptionnel et temporaire et elle se devait d'en profiter au maximum. Chassez le naturel et il revient au galop, mais en attendant, elle exploiterait cet état de léthargie.

* * *

Et la vie reprit ainsi son cours dans un calme relativement inhabituel. Même les enfants étaient moins enclins à se disputer. Mémère disait que ce sont les cris qui engendrent les chicanes et l'instigateur de celles-ci était, pour le moment, plutôt abattu.

Depuis le départ de la mère, chaque membre de la famille semblait déboussolé et errait çà et là en tentant de trouver sa route sans oser demander de l'aide à qui que ce soit. Leur guide avait quitté l'expédition et ils ne voyaient personne apte à la remplacer.

Du chant du coq au coucher du soleil, les journées se succédaient avec une similitude déconcertante. Le temps paraissait s'être mis en mode ralenti, à défaut d'être en mesure de s'immobiliser complètement.

Rose avait de la difficulté à se faire des amis, car elle n'avait pas autant de liberté qu'elle l'aurait cru, la charge de travail étant plutôt lourde. De plus, la période où elle avait vécu à Montréal avait créé un vide autour d'elle. Il n'y avait qu'Annette Labelle qui lui était restée fidèle : elles avaient entretenu une correspondance durant toute son absence. Elle était même allée visiter Rose à quelques reprises dans la grande ville, où elles avaient sillonné la rue Sainte-Catherine à pied d'un bout à l'autre plus d'une fois.

Le mercredi soir était donc le congé qu'elle s'octroyait et elle profitait de toutes les occasions pour se rendre au village. Si ce n'était pas possible, elle appelait Roméo, son ami chauffeur de taxi, qui lui faisait un bon prix, car il la trouvait vraiment à son goût.

Après une soirée de répit, elle était prête à reprendre les rênes pour une autre longue semaine. Et ainsi le temps s'écoulait heureusement avec, jour après jour, un peu moins de tristesse dans l'air.

Rose avait déjà hâte au prochain mercredi où elle retournerait dans la grande maison des Thompson. Mais comme les heures lui semblaient interminables d'attendre autant pour vivre à nouveau seule dans ces lieux qui lui apportaient de si merveilleux moments.

D'une semaine à l'autre, elle prenait plus de libertés et se surprenait à devenir plus hardie. Ce jour-là, elle avait poussé l'audace jusqu'à ouvrir le téléviseur au salon. Cet impressionnant meuble en bois de couleur chêne avec ses haut-parleurs sur les côtés et ses nombreux boutons pour le son, les postes et les différents réglages l'attirait depuis déjà une bonne secousse. De marque Electrohome, un nom qu'elle n'avait jamais entendu, elle présumait que ça devait coûter une petite fortune et elle était prête à parier que ça venait des États-Unis. Ce n'était pas un « Séraphin » comme son père qui dépenserait son argent pour un si superbe objet.

Regarder une émission de télévision en plein après-midi, c'était inconcevable. Elle s'était tout de même amusée sachant qu'elle transgressait des règles non dites. Elle avait fermé l'appareil tout juste avant l'arrivée de son patron, qui n'aurait sûrement pas aimé qu'elle ait pris une telle initiative. Après tout, elle était payée pour faire le ménage et non pas pour se divertir à ses frais.

Lors de sa prochaine journée de travail, elle devrait trouver un autre défi à relever. Elle avait sept jours devant elle pour y penser.

Ce soir, elle s'endormirait moins triste, car elle avait une très bonne idée de ce qu'elle souhaitait faire dans la maison des Thompson. Elle avait tellement hâte que le mercredi arrive de nouveau.

Sa grand-mère ne disait pas qu'elle était fouineuse pour rien, mais il y avait toutefois un danger à pénétrer dans une cage dont la porte était restée ouverte…

CHAPITRE 12

La folle du logis

(Été 1960)

Il était plutôt rare que l'on rencontre madame Thompson au lac Brûlé. Elle ne sortait que le mercredi avec son époux et sa fille Catherine, quand ils allaient faire des courses au village. Le reste du temps, elle demeurait à la maison.

Depuis peu, elle refusait catégoriquement de les accompagner lors de ces sorties, s'emmurant dans sa chambre pendant que Rose s'activait aux tâches ménagères.

On racontait qu'elle avait une santé délicate, qu'elle supportait difficilement les rayons du soleil et qu'elle avait besoin de beaucoup de repos. On savait qu'elle avait fréquenté l'hôpital à quelques reprises, mais personne n'osait demander la nature de son mal qui, vraisemblablement, était tenue secrète.

Le fait qu'elle n'ait eu qu'un seul enfant était déjà peu ordinaire dans le patelin, où il était étrange de voir une si petite famille. L'époque des foyers de douze ou quatorze marmots était révolue, mais on dénombrait tout de même souvent cinq à six rejetons par maison.

Cette année-là, à la suite de l'hospitalisation de sa femme, monsieur Thompson avait fait le trajet entre Sainte-Agathe-des-Monts et Montréal presque tous les jours. Quand on s'informait de la santé de celle-ci, il répondait évasivement, de façon à limiter les discussions relatives à ce sujet.

Depuis la mi-août, il restait cependant au chalet et travaillait dans son bureau. Il passait aussi beaucoup de temps dans le solarium, entouré d'une multitude de livres et de journaux. Sa cuisinière, madame Gagnon, venait tous les jours pour préparer les dîners et les soupers, sauf le mercredi, où Rose prenait la relève afin de lui donner au moins une journée de congé. Elle la remplaçait également si celle-ci devait s'absenter pour une raison ou une autre.

Rose avait remarqué que depuis quelque temps, son patron n'était plus le même homme. Il s'isolait et ne parlait que très peu aux employés, pas même à Ernest, qui passait faire les travaux à l'extérieur de la maison. Il semblait abattu par le chagrin ou l'amertume et il n'avait vraiment pas bonne mine. Ses yeux, habituellement si vifs et étincelants, étaient maintenant assombris par des cernes couleur de tourment.

Avec cette attitude découragée, il l'intimidait doublement. Ce midi-là, alors qu'elle s'apprêtait à lui servir sa tasse de thé, la poignée de la théière céda et pour éviter de l'asperger avec le liquide brûlant, elle eut le réflexe de pivoter vivement sur elle-même et elle s'ébouillanta. Elle ne put réprimer un cri de douleur et elle s'accroupit afin d'encaisser le mal.

Monsieur Thompson, réagissant très rapidement, s'empressa de la secourir. Il constata alors qu'elle s'était brûlée sévèrement le mollet et la cheville.

— Mademoiselle Rose, qu'est-ce qui est arrivé?

— C'est la théière qui a cassé tout d'un coup, répondit-elle en gémissant. Je suis désolée, je ne pouvais pas savoir.

— Ne vous en faites pas. L'important, c'est cette blessure qu'on doit traiter le plus tôt possible. Ne restez pas là, venez vous étendre sur le divan du salon, je m'occupe de vous faire une compresse humide.

— Non, laissez faire. Je vais mettre un peu de beurre dessus et ça va passer. C'est juste une brûlure.

Rose était gênée de voir son patron ainsi agenouillé devant elle. Cet homme qui avait tellement de soucis ces temps-ci n'avait pas besoin de se préoccuper d'une banale femme de ménage. Mais il insistait et utilisait un ton qui ne laissait aucune place à la discussion.

Il l'aida donc à se diriger vers le salon et la fit allonger sur l'élégant canapé de style victorien. Il entreprit d'enlever doucement son petit bas de coton en constatant que la peau semblait vouloir rester accrochée au tissu. Il répugnait à meurtrir cette jeune fille qu'il considérait comme une jolie fleur du printemps.

L'homme n'est pas fait pour vivre seul. La présence hebdomadaire, ainsi que la proximité de cette magnifique beauté dans son entourage, tourmentait sa bonne conscience.

— Est-ce que je vous fais mal?

— Non, ça peut aller, répondit-elle entre deux sursauts

provoqués par la douleur qui persistait malgré tout. Si vous le permettez, j'aimerais retourner chez moi et me faire des compresses.

— Pas question de partir d'ici comme ça. Je téléphone tout de suite au docteur Lavallée et il viendra vous soigner directement à la maison.

— Je suis désolée, Monsieur Thompson, mais ce n'est pas nécessaire. Ce n'est pas si grave que ça et puis je n'ai pas les moyens de payer un médecin pour une simple brûlure.

— Qui vous a dit que vous auriez à débourser quoi que ce soit? Le docteur Lavallée est mon ami et vous êtes ici chez moi, alors c'est moi qui me charge de tout. Reposez-vous pour l'instant en attendant qu'il arrive.

Rose resta ainsi allongée sur le canapé en pensant que si son père la voyait, il pesterait contre elle et il l'empêcherait de revenir travailler au chalet des Thompson.

Elle était nerveuse et excitée par la situation, si bien qu'elle ne ressentait maintenant que très peu de douleur à l'endroit de la brûlure, pourtant assez importante. Une fois qu'on eut appliqué des compresses d'eau froide sur la zone atteinte, Rose tenta de se détendre en imaginant mille et un scénarios. Elle était cependant troublée par l'attitude chevaleresque de monsieur Thompson qui était omniprésent, faisant la navette entre la cuisine et le salon pour remplacer les serviettes rafraîchissantes sur la délicate petite jambe de sa ménagère. Pour Rose, tout cela semblait totalement irréel, complètement chimérique. Elle faisait sûrement un rêve et elle allait se réveiller sous peu pour en rire.

William était anxieux et souhaitait que le médecin arrive le plus tôt possible afin de prodiguer les soins requis par l'état de Rose.

Comme à son habitude, le docteur Lavallée ne tarda pas. Il eut tôt fait de traiter la jeune patiente sans pour autant juger de la présence de monsieur Thompson, qui était seul au chalet avec une jeune ménagère alors que son épouse était hospitalisée dans un établissement de Montréal. Il laissait ce genre de ragots aux gens des alentours qui s'en délectaient.

Après le départ du médecin, monsieur Thompson revint au salon avec une carafe.

— Allez, buvez ceci, vous verrez : ça soigne les brûlures, les éraflures, les maux de dents et biens d'autres malaises.

Mais Rose songea qu'elle devrait trouver le moyen de s'enfuir et de s'en retourner chez elle le plus tôt possible. La situation lui sembla subitement gagner en complexité.

— Merci, Monsieur Thompson, mais je ne voudrais pas vous déranger plus longtemps. Heureusement que j'avais terminé le ménage.

— Il n'est pas question que vous partiez ainsi. Allez, accompagnez-moi avec ce simple verre. Après toutes ces émotions, ça nous fera du bien à tous les deux. Soyez sans crainte, dès que nous aurons repris nos esprits, je vous promets que je vous reconduirai à votre domicile en voiture. Disons que c'est une prescription du docteur Lavallée pour contrer un choc émotif et que l'on soit obligé de la prendre sous peine de plus grands malaises.

Le ton familier de l'homme fit en sorte qu'elle accepta cet intermède inhabituel dans sa vie de tous les jours. Ils se mirent à parler du temps où elle travaillait à la manufacture à Montréal et des endroits qu'elle fréquentait, de ses soirées au cinéma et des tournées de magasinage qu'elle faisait avec une amie.

Encouragée par l'écoute attentive, elle raconta comment elles jouaient les grandes dames en essayant de beaux vêtements qu'elles savaient ne pouvoir s'offrir avec le maigre salaire qu'elles gagnaient. D'importants magasins, décelant le stratagème des jeunes filles, leur refusaient même l'accès aux salles d'essayage.

Pour la première fois depuis plusieurs semaines, elle vit monsieur Thompson rire de bon cœur au récit imagé qu'elle faisait de ses journées de congé. Elle ajouta qu'elle s'ennuyait terriblement depuis qu'elle était revenue à la campagne, mais qu'elle se devait de remplacer sa mère auprès de ses frères.

Elle évita cependant de parler de son père et de la relation qu'elle entretenait avec lui, de crainte de trop en dire. Elle devait se garder une certaine pudeur et de prendre en considération que monsieur Thompson était avant tout son patron. Même si elle lui en voulait terriblement, elle se devait de respecter le fait que l'argent qu'il gagnait chez les Anglais servait en partie à nourrir sa famille.

William lui parla à son tour de son travail et du peu d'amis qu'il avait à cause de la santé délicate de son épouse. Il disait ne pouvoir inviter qui que ce soit à la maison, ne sachant jamais comment elle réagirait.

Il mentionna que cette année, l'état physique de celle-ci s'était de beaucoup détérioré, sans pour autant démystifier la nature du mal dont elle souffrait.

Rose aurait bien aimé connaître cette mystérieuse maladie, mais elle n'osait poser de questions trop précises.

— Est-ce que ça fait longtemps que votre femme est malade ? demanda-t-elle, avant d'ajouter précipitamment, pour se disculper :

— Excusez-moi, je suis peut-être indiscrète, ma mère me le reprochait toujours.

— Non Rose, on discute tout simplement. Pourquoi ne m'appellerais-tu pas William, je ne suis pas si vieux que cela ? Et puis, il me semble que ça m'aiderait de pouvoir enfin parler avec quelqu'un de jeune et de dynamique. Tu sais, depuis déjà plusieurs années, l'état de santé de mon épouse occupe une grande partie de ma vie et c'est parfois très lourd à porter.

— C'est bien correct Monsieur William ou plutôt William.

Rose se permit de rire de son audace d'appeler son patron par son prénom. L'énervement passé et le sherry aidant, on aurait dit qu'elle se détendait et avait même le goût de profiter des circonstances actuelles bien qu'elles lui paraissent plutôt inhabituelles.

William se mit donc à discourir de sa relation avec son épouse, Irène. L'écoute intéressée de la jeune fille qu'il observait attentivement depuis plusieurs semaines le poussa à faire le point sur sa situation. Il ne craignait pas les répercussions d'un tel aveu alors qu'il était si loin de son cercle d'amis de Westmount. Il avait le sentiment que Rose saurait être discrète et qu'elle pourrait même devenir une bonne confidente.

Il raconta donc que son mariage avait été arrangé par les paternels des deux familles, lesquelles étaient assez bien nanties. Les fréquentations avaient été de courte durée et jamais il n'avait été question du fait qu'Irène avait toujours eu des problèmes de santé mentale. Plusieurs périodes de dépression profonde vécues dans l'adolescence de celle-ci avaient inquiété les parents, qui craignaient qu'elle ne puisse trouver un mari. Le père avait donc utilisé ses contacts pour repérer un prétendant à la hauteur de ses ambitions et c'est sur le jeune fils Thompson que s'était porté son choix.

William avait découvert la maladie de sa femme lors de leur voyage de noces. Le premier soir, ils s'étaient rendus à l'hôtel Roosevelt de New York où ils avaient dégusté un succulent repas dans la prestigieuse salle à manger de l'établissement. De retour à leur chambre, Irène avait insisté pour se coucher, car elle disait avoir un violent mal de tête et William était descendu au bar afin de prendre un dernier verre. Ce n'était pas ce qu'il envisageait pour cette première nuit avec sa femme, mais il se ferait patient et il ne voulait aucunement la bousculer alors qu'il la sentait si fragile émotionnellement.

Vers quatre heures du matin, Irène avait tiré son époux du sommeil en le secouant vigoureusement, comme si un grave danger était imminent.

— William, réveille-toi ! Ça me serre tellement dans la poitrine que j'ai peine à respirer. Appelle mon père ou ma mère, ils sauront quoi faire.

— Mais dis-moi ce qui s'est passé, lui demanda-t-il, constatant qu'elle transpirait abondamment et qu'elle était effectivement très essoufflée.

— J'ai peur de mourir, William. Il faut que tu m'emmènes à l'hôpital, avait-elle supplié avec des mots entrecoupés par une respiration haletante et des pleurs incessants.

Ne sachant pas quoi faire, il avait tout de même tenté de la faire parler, mais elle refusait d'expliquer quoi que ce soit et elle devenait de plus en plus agitée. Il avait donc appelé à la réception de l'hôtel et demandé les services d'urgence. En peu de temps, Irène avait été conduite à l'hôpital Bellevue situé sur la 1ʳᵉ Avenue à Manhattan à l'intersection de la 28ᵉ Rue. C'était le plus vieil établissement hospitalier américain et fort heureusement, il était réputé pour la qualité de ses soins psychiatriques.

Irène y avait donc séjourné pour une durée d'une semaine, tout au plus. Les docteurs avaient diagnostiqué un cas d'anxiété aiguë. Elle avait reçu une médication adaptée à sa condition précaire et on avait mentionné à William qu'elle semblait également avoir de sérieux symptômes de psychose maniacodépressive.

À sa sortie de l'établissement hospitalier, le praticien américain demanda à ce qu'elle soit vue immédiatement par son médecin traitant dès son retour à Montréal, car il jugeait que son état était fragile et très instable.

Dès son arrivée dans la métropole montréalaise, elle fut donc hospitalisée à l'Hôpital Saint-Jean-de-Dieu pendant plus de dix semaines. C'est à ce moment-là que ses beaux-parents avouèrent à William que leur fille unique avait des antécédents en la matière et qu'un psychiatre s'occupait de son cas depuis déjà plusieurs années. Ils mentionnèrent à William qu'ils croyaient qu'elle était pour ainsi dire guérie, car il y avait déjà plusieurs mois qu'elle n'avait pas eu d'épisodes taciturnes, indolents ou attristés, mais que le stress du mariage n'était probablement pas étranger à cette petite récidive.

Toutefois, la maladie semblait plutôt chronique et il n'était pas rare que dans les changements de saison, madame Thompson fasse un court retour à l'hôpital. C'était ainsi que ça se passait pour le couple Thompson pendant plus de quinze ans.

Depuis le printemps dernier, Irène Thompson avait fait beaucoup de rechutes et malgré son arrivée à leur maison d'été où elle se plaisait habituellement, elle n'avait jamais véritablement repris le goût de vivre. Elle avait ainsi dû à nouveau être internée à l'Hôpital Saint-Jean-de-Dieu.

Croulant sous la culpabilité, William avoua à ce moment-ci à Rose qu'il n'était pas retourné la voir depuis déjà plus de dix jours. Son confinement dans cet immense édifice et l'air abattu de celle-ci étaient terriblement pénibles à accepter pour lui.

Il souhaitait inconsciemment justifier la distance qu'il entendait créer avec son épouse malade. Il rêvait de profiter un peu de la vie avant qu'il ne soit trop tard.

Leur fille Catherine, tourmentée par la situation, avait demandé à sa grand-mère paternelle si elle pouvait demeurer chez elle en attendant l'automne, période où, à sa demande, elle serait placée dans un couvent de Montréal. C'était sa décision, car elle ne pouvait plus tolérer l'ambiance familiale avec une mère à ce point malade et un père distant à cause de son travail accaparant.

William était au bout du rouleau, mais il regrettait présentement d'avoir flanché en se confiant aussi ouvertement.

— Qu'est-ce que tu vas penser de moi maintenant ? J'ai abandonné ma femme dans un hôpital de malades mentaux et je reste ici enfermé dans ma maison de campagne à faire la belle vie.

— Je ne pense pas que vous faites la belle vie, vous travaillez toute la journée. Bien au contraire William, je vous trouve terriblement généreux et charitable d'avoir ainsi sacrifié toutes vos jeunes années. Pauvre madame Thompson, est-ce que vous croyez qu'elle va s'en sortir ?

— Je t'avoue que j'en doute fortement ou tout au moins, je cultive beaucoup moins d'espoirs qu'auparavant. Je suis à mon tour rendu à un point où je n'ai plus la volonté de côtoyer la maladie au jour le jour. J'ai demandé au responsable de l'institution qu'on lui trouve une place dans une maison de convalescence où elle pourra habiter en permanence. Un milieu de vie où il y aura suffisamment de médecins et d'infirmières qui sauront ce dont elle a besoin pour être bien à défaut de pouvoir être parfaitement heureuse. C'est terrible à dire, mais je ne crois pas que je pourrai à nouveau vivre sous le même toit que ma femme, bien que je ne lui veuille aucun mal.

Tout en discutant, il avait rempli le verre de Rose

avant de quitter son fauteuil pour venir s'asseoir par terre au pied du divan où elle était allongée. Le calme de cet après-midi d'été et l'épanchement de certains de ses sentiments profonds lui donnèrent soudain le goût de toucher délicatement la joue de la jeune fille, comme on effleure un fragile bibelot de porcelaine. Le geste était si raffiné que Rose accepta la caresse sans résister, d'autant plus qu'elle avait depuis peu le fantasme de se voir cajoler ainsi par cet homme galant et cultivé. Mais ce qui ne devait être qu'un désir plus ou moins conscient semblait se réaliser, tel un souhait formulé.

— Rose, si tu savais tout le bien que ça m'a fait de parler avec toi aujourd'hui. Il a malheureusement fallu que tu te blesses pour que je m'épanche auprès de toi. Je t'en prie, s'il te plaît, ne me juge pas.

— Ne vous en faites pas William, je n'ai jamais rencontré un homme aussi délicat que vous. J'adore vous entendre parler et je pourrais vous écouter encore pendant des heures et des heures.

— Nous reprendrons cette conversation, si tu le veux bien. En attendant, je me dois d'aller faire quelques appels dans mon bureau. Repose-toi un peu, je te conduirai chez toi en voiture en fin d'après-midi.

Quand il revint dans le salon une heure plus tard, Rose avait déjà quitté la maison. Sur la table de la cuisine, elle avait laissé ce simple mot :

« J'ai passé un après-midi de rêve, mais je crois que je dois me réveiller avant de croire que tout cela s'est réellement passé. Ne craignez rien, personne ne saura la nature de notre conversation. J'ai beaucoup de respect pour vous. Je reviendrai mercredi prochain pour faire à nouveau les travaux ménagers. »

Et elle avait signé : une Rose ébouillantée.

William prit le petit mot et sourit de contentement. Il le plia puis le mit dans la poche de sa chemise précieusement, comme s'il voulait lui faire une place contre son cœur. Qu'est-ce qui lui arrivait ? Il avait depuis bien longtemps cessé de regarder les filles de vingt ans avec des yeux semblables.

Bien sûr, il avait des relations avec quelques jeunes prostituées, mais jamais il n'avait ressenti le moindre attachement pour l'une d'entre elles. Il s'agissait simplement d'un réseau de célibataires que ses collègues et lui utilisaient et avec lesquelles ils effectuaient des sorties. Elles se présentaient souvent comme des veuves de guerre, mais en réalité, elles faisaient le plus vieux métier du monde. Son rang de bourgeois ne lui permettait pas d'écart de conduite et il se devait d'être prudent et circonspect.

Mais depuis peu, à la suite d'événements imprévus, Rose était apparue dans sa maison et pour lui, plus rien n'avait été pareil dans sa vie. Il était tiraillé, ne voulait plus repartir pour Montréal et s'éloigner de celle qui avait redonné un peu de vigueur à son cœur, qu'il croyait tari de ce type de sentimentalisme exagéré.

* * *

Deux jours plus tard, monsieur Thompson vit arriver Ernest Potvin, à qui il avait demandé de venir réparer la clôture du terrain qu'il avait acquis l'année précédente. Il en profita donc pour téléphoner à Rose, qu'il savait maintenant seule à la maison.

— Bonjour Rose, William Thompson à l'appareil. Comment ça va ?

— Ça va bien, répondit-elle, surprise de cet appel. J'ai un peu de misère à marcher, mais ça sera sûrement mieux d'ici quelques jours.

— Je suis heureux d'entendre cela.

— Est-ce que madame Gagnon est malade, avez-vous besoin de quelqu'un pour les repas ? Je peux venir travailler, même si ça me prend un peu plus de temps à me déplacer.

— Non Rose, ce n'est pas cela. J'appelais juste pour savoir comment tu allais. Le docteur Lavallée avait demandé à revoir ta blessure pour s'assurer qu'il n'y aurait pas d'infection et il voulait changer ton pansement aujourd'hui. Je pourrais t'y emmener en fin de journée, car j'ai des commissions à faire au village.

Rose était abasourdie. Il l'avait appelée pour aller la conduire chez le médecin. Elle n'avait cessé de penser à lui depuis cet après-midi-là. Elle était consciente qu'elle ne pouvait se permettre de cultiver de l'espoir. Peut-être avait-elle amplifié démesurément ce qui s'était réellement passé, mais bien malgré elle, de grandes émotions refaisaient tout de même surface.

En réfléchissant profondément et en dosant avec de la sagesse, elle envisageait d'être dans l'obligation de retourner à Montréal pour éviter cette promiscuité qu'elle redoutait, tout en ayant quand même la tentation de déguster un fruit défendu, mais tellement alléchant.

— Je ne voudrais pas vous déranger pour si peu. Un homme occupé comme vous n'a pas besoin de ce genre de problème.

— Et si je te disais que j'ai vraiment le goût d'aller avec toi chez le médecin?

Rose se sentit soudain très mal à l'aise des propos tenus par William. On voyait bien qu'il n'avait pas l'habitude des services téléphoniques ruraux, qui constituaient le passe-temps préféré des commères qui salivaient en écoutant les conversations de leurs voisins. Elle détestait ces chipies qui s'alimentaient de ragots et de calomnies. Elle devait à tout prix écourter cet entretien avant d'ameuter tout le voisinage. Elle en profita pour s'amuser un peu.

— Vous savez Monsieur Thompson, je crois que notre ligne est défectueuse cet après-midi, car j'entends un drôle de bruit en arrière. Ça ressemble étrangement au son que la vache du bonhomme Émile fait quand elle voit passer le bœuf du voisin.

Et sans plus attendre, on put discerner un court soupir de colère en même temps qu'un gloussement nerveux. Au moins deux appareils raccrochèrent brusquement, à de brefs intervalles. Ce serait drôle de surveiller les femmes du rang cette semaine afin de savoir qui était à l'écoute à ce moment-là.

William, habitué dans la grande ville de Montréal, n'avait pas pensé qu'on pouvait écouter sur les lignes téléphoniques en plein après-midi. Il se dit cependant qu'il devait être prudent, non seulement pour lui, mais surtout pour sa belle Rose. Les racontars sont plutôt prompts à noircir la réputation des jeunes filles. Il ne voudrait en aucun cas lui nuire par son attitude empressée.

— Rose, je comprends très mal également sur mon téléphone, mais je passerai chez vous en fin de journée, comme convenu. Le docteur Lavallée m'a confirmé qu'il vous attendra. Au revoir.

— C'est ça, à plus tard, répondit Rose faiblement, ne réalisant plus vraiment ce qui lui arrivait.

Elle agissait comme une marionnette et faisait en sorte que rien ne puisse rompre ses ficelles. Elle devait se préparer pour sortir avec William cet après-midi, et ce, sans que son père trouve à redire sur sa conduite. Mais que pourrait-elle bien porter ? Elle n'avait pas tellement de temps pour se dénicher de quoi être présentable.

Seule dans sa chambre, elle explora le peu de vêtements qu'elle possédait et opta finalement pour une jupe marine légèrement au-dessus du genou, assortie d'un fin lainage rouge à pois et d'un bandeau uni rouge qui séparait sa petite figure de sa longue chevelure blond cendré. Il s'agissait d'un habillement qu'elle avait acheté à Montréal au printemps, mais elle se sentait mal à l'aise de le porter ici à la campagne. Elle craignait qu'on ne juge sa tenue, d'autant plus qu'elle serait vue en compagnie d'un homme de la ville, quelqu'un prisé par bien des jeunes femmes du village.

Comme son père ne serait pas de retour avant son départ, c'est à son frère Albert qu'elle demanda d'aller conduire Pierre et le petit Simon chez leur grand-mère, à qui elle avait téléphoné plus tôt dans la journée. Elle prépara le souper et dressa la table, en expliquant à Albert ce qu'il aurait à faire pour que son vieux n'ait pas de raison de rouspéter. En aucun temps son repas ne devait être retardé, sous peine de chamailleries plus ou moins grandes.

Ce frère-là était à l'image même de leur mère, docile et serviable. Il était cependant très émotif et vivait lui aussi difficilement le départ de la toute première femme de sa vie. Il manquait d'entrain, mais s'amusait tout de même depuis que Rose était revenue de Montréal. Elle avait une lourde tâche à accomplir et il ne voulait rien lui refuser, sachant qu'elle avait besoin de penser à elle à l'occasion. Le ressourcement était nécessaire pour tous et si sa propre mère en avait eu un peu, elle n'aurait peut-être pas abandonné le bateau.

Il comprenait également que la visite chez le médecin était importante, car il entendait Rose se plaindre quand elle marchait dans la maison. Elle avait peine à se pencher pour ramasser des objets et même s'il tentait de l'aider pour les divers travaux à effectuer au quotidien, il ne pouvait quand même pas tout faire. Sa mère disait souvent que lorsqu'on est une femme responsable d'une famille, il n'y a pas de place pour la maladie.

À quatre heures précisément, la Pontiac Parisienne rouge de William s'arrêta devant l'entrée. Il descendit de la voiture et alla frapper à la porte. Rose, qui était prête, se dépêcha de sortir sur la galerie, et Albert vint saluer monsieur Thompson, qu'il appréciait particulièrement.

William prit galamment le bras de Rose pour l'aider à marcher et à s'installer dans son véhicule. Celle-ci était tout émue de se trouver à nouveau en présence de celui qui faisait battre son cœur si fort depuis les deux derniers jours. Tout au long de la route, ils parlèrent de la pluie et du beau temps. Chacun craignait d'aborder un sujet où l'intimité pourrait s'immiscer et créer une gêne.

En arrivant à l'hôpital de Sainte-Agathe-des-Monts, William se hâta d'ouvrir la portière de Rose afin de lui tendre encore une fois le bras et ainsi d'avoir à nouveau l'occasion de la toucher. Il ressentit à son contact une onde chaleureuse qu'il aurait aimé pouvoir maintenir plus longuement. Ils marchèrent ensuite vers la réception où William se présenta avec une prestance déconcertante. Il demanda à la dame en poste de prévenir le docteur Lavallée qui, selon ses dires, l'attendait pour soigner la jeune femme qui l'accompagnait. Rose avait l'impression de flotter sur un nuage, d'être une tout autre personne. Elle se laissait diriger, semblable à un cours d'eau sous l'effet du courant.

Tout se déroula comme dans le récit d'un délicieux roman. Le médecin examina sa blessure, puis lui refit un pansement plus léger qu'il conseilla de remplacer tous les jours avec un onguent médicamenteux qu'il lui remit. William écouta pour deux et il rassura Rose en lui disant qu'elle n'aurait rien à payer. Avant de quitter l'hôpital, il défraya tous les coûts inhérents aux soins prodigués et à la médication.

Dès qu'ils prirent place dans le véhicule, il se tourna vers Rose et lui demanda alors, d'une voix teintée d'envie et de retenue :

— Est-ce que ça va, Rose? Tu n'as pas trop mal?

— Non, William, tout s'est bien passé. Je suis tout simplement nerveuse d'être ainsi dans l'automobile avec vous, au vu et au su de tout le monde au village.

— Et depuis quand n'aurais-je pas le droit de faire soigner les personnes qui sont à mon service?

— Oui, vous avez raison, mais il me semble que vous en faites un peu trop pour une pauvre fille comme moi.

— Je ne veux plus jamais t'entendre avoir de tels propos; tu auras suffisamment de gens pour t'écraser dans la vie, donc à l'avenir, évite de le faire toi-même.

— Merci, William, de me parler comme ça. Tout a l'air tellement simple avec vous. Vous êtes un homme très bon et d'une grande intelligence.

— Et il me faut te spécifier que mon pauvre esprit s'affaiblit quand j'ai faim alors, qu'est-ce que tu aimerais déguster ce soir?

— Ne serait-il pas préférable que vous veniez me reconduire à la maison? Vous savez William, je ne suis pas de votre niveau. On ne vit pas dans les mêmes maisons, on ne fréquente pas les mêmes endroits et même, on ne mange pas les mêmes aliments que vous autres. Je le vois très bien quand vous rapportez des articles d'épicerie au chalet.

— Je m'en fous royalement. Je suis bien avec toi et j'ai le goût de prendre un bon repas. Tu sais que je ne dois rien à personne et toi non plus, alors n'en déplaise à qui que ce soit, j'aimerais que tu acceptes sans condition cette invitation.

— Si on était à Montréal, ce serait beaucoup plus

simple, mais ici dans le Nord on ne peut pas se virer de bord que tout le monde est au courant.

— Imagine-toi donc que j'y avais pensé et pour éviter que tu ne sois mal à l'aise, je vais t'emmener à l'auberge Alpine Inn à Sainte-Adèle. À cet endroit, il y a très peu de chances qu'on rencontre quelqu'un de Sainte-Agathe.

Rose n'était pas dupe et pendant les deux années où elle avait travaillé à Montréal, elle avait vu plusieurs jeunes filles de la manufacture qui sortaient le soir avec les patrons. Elle s'était toujours dit que ce n'était pas son genre et qu'elle se respectait beaucoup trop pour agir de la sorte. Mais avec monsieur Thompson, c'était tout à fait différent. Elle le connaissait depuis qu'elle était toute jeune. Bien sûr, elle fantasmait sur ce remarquable mâle, mais ce n'était que son imaginaire qui venait s'immiscer dans sa conscience. La réalité était tout autre. Pourquoi un homme de la trempe de William Thompson aurait-il eu des vues sur une jeune fille comme elle alors qu'avec tout l'argent qu'il possédait, il pouvait avoir toutes les plus belles femmes de la ville de Montréal?

— Vous êtes trop gentil William, mais vous n'êtes pas obligé de faire tout ça, dit-elle en rêvant cependant de ce souper en tête à tête avec lui dans un si magnifique endroit.

Et de sa voix la plus douce, il lui fit cette simple réplique :

— Après tout Rose, il est légitime que je puisse offrir un repas copieux à celle qui s'est ébouillantée pour me servir une tasse de thé !

CHAPITRE 13

Souvenirs en fumée

(Août 1960)

Depuis le décès de sa femme, Ernest Potvin, le vieil ours grincheux, était devenu un animal éclopé. Celui que l'on voyait autrefois comme un monstre était plutôt complètement désemparé. Même sa chère Pauline n'aurait pu soupçonner une telle fragilité chez lui.

Tout cela avait commencé alors qu'il était tout jeune. Son père, Édouard Potvin, avait dès sa naissance jeté son dévolu sur lui. Il s'était épris maladivement de cet enfant et il imaginait en lui son successeur. À force de le louanger et de le vanter ainsi au détriment de ses frères et sœurs, ceux-ci l'avaient pris en grippe au fil des années.

Il avait tant l'exclusivité de l'attention de son paternel qu'en retour, il était totalement isolé du reste de sa famille.

Il en fut de même pour les amis lorsqu'il commença l'école. Puisqu'il était habitué d'être porté aux nues, il avait développé avec le temps un ego démesuré. Il était devenu arrogant et imbu de lui-même. Certains jours, il aurait aimé se joindre aux autres pour participer à un jeu, mais à chacune de ses tentatives, ça tournait mal. Il n'acceptait pas de perdre et il était très compétitif, alors il n'hésitait pas à utiliser la tricherie et le mensonge pour atteindre ses buts, ce qui n'en faisait pas un bon parti pour les sports d'équipe.

C'est ainsi qu'il grandit, en ajoutant la violence et la colère à sa liste des moyens utilisés pour parvenir à ses fins. Il avait tellement vu son père s'adresser à ses frères et sœurs en criant qu'il semblait imaginer qu'il était normal pour un adulte d'agir ainsi envers les siens. Avec les années, alors qu'Édouard perdait de la malice en prenant de l'âge, Ernest, lui, en gagnait. On aurait pu croire qu'il y avait un transfert qui s'effectuait entre les deux. Il poussa l'audace jusqu'à escroquer son paternel, lui subtilisant de l'argent et même ses propres biens, avant que celui-ci n'ait finalement décidé de les lui léguer entièrement.

Il avait donc appris par l'exemple, mais il avait dépassé son maître en matière de manipulation. Très jeune, il avait eu l'ambition de devenir quelqu'un et il avait commencé à soustraire une partie des quelques sous gagnés qui devaient servir au bien-être de toute la famille, auquel tous ses frères et sœurs participaient. Dans une vieille boîte à cigares, il cachait les sommes qu'il disait avoir perdues ou ne pas avoir reçues. Et si un membre du clan avait le malheur de laisser traîner la moindre pièce de monnaie, il se l'appropriait sans gêne. Il prônait cependant haut et fort qu'il fallait être honnête et loyal, mais il ne le mettait pas en application.

Il avait développé une force de caractère incroyable. Sa plus belle victoire de jeunesse avait été de faire chanter le petit curé Lalancette, qu'il avait surpris dans la sacristie au moment même où il exhibait ses parties génitales devant un jeune servant de messe. Alors que bien d'autres seraient ressortis aussitôt, il était entré et avait été porter les nappes que sa mère avait fabriquées sur une table tout juste à côté de l'homme d'Église, lequel avait une sainte misère à se reculotter. L'enfant de chœur pétrifié avait été chassé rapidement et Ernest, qui n'avait alors qu'une douzaine d'années, avait fait mention au prêtre qu'il n'avait rien vu, mais qu'il avait bien l'intention d'aller s'acheter des bonbons avant de retourner à la maison. Ensuite, «innocemment», il avait tendu la main vers celui-ci qui avait très bien interprété le geste empreint de vengeance.

Il avait ainsi manipulé l'homme pendant plusieurs années, augmentant les demandes selon ses besoins. Lorsque l'évêché transféra le curé dans une paroisse avoisinante de Montréal, Ernest eut l'audace de se pointer au presbytère avant son départ afin de lui soutirer une partie de l'argent qu'il avait reçu en cadeau des citoyens aisés qui voulaient le remercier pour tous ses bons et loyaux services.

Une autre de ses victimes fut sans contredit Georges Potvin, à qui il avait ravi la femme de sa vie. Avec la mort tragique de Victor, que sa mère idolâtrait, Georges avait eu le privilège de devenir l'aîné de la famille et Ernest en avait été fortement dépité. Il s'était donc vengé en commettant ce geste, par lequel il avait détruit l'avenir de son propre frère et par le fait même celui de Pauline, qu'il n'aimait pas de prime abord. Il voulait tout simplement que celui-ci ne puisse la posséder et il avait à peu de choses près réussi son mauvais coup.

Sa victoire ne s'était pas avérée complète, car il y avait eu retour du balancier quelques années plus tard. Quand sa mère avait été malade, Georges était revenu au pays et il avait revu sa belle Pauline. Les deux cœurs séparés par la vilenie s'étaient à nouveau rencontrés et durant quelques semaines, l'amour avait eu sa vengeance. Georges était reparti pour Détroit, mais il avait laissé à Pauline un magnifique bébé, qui naquit tout juste neuf mois après son départ forcé.

Le petit Pierre était le fils de son frère, l'ennemi tant exécré et c'est pourquoi Ernest ne pouvait aimer ce rejeton. Chaque fois qu'il le regardait tout contre sa mère, c'est comme s'il surprenait Georges enlaçant celle qu'il avait faite sienne malgré tout.

De bonne foi et sans préméditation aucune, celui-ci avait eu sa revanche sur lui. Après toutes ces années, alors qu'il était là, assis seul dans son garage, il prenait conscience que le bilan de sa vie était bien pitoyable.

Ernest avait eu la résidence familiale et il avait toujours considéré qu'il avait simplement touché son dû. Son avarice avait fait en sorte qu'il avait beaucoup négligé les travaux d'entretien de celle-ci et il réalisait aujourd'hui que tout semblait vouloir tomber en ruine. Le toit coulait, les planches de la galerie étaient pourries et menaçaient de céder à tout moment et les carreaux des fenêtres nécessitaient d'être solidifiés avec du mastic comme le faisait son père bien avant que ça devienne une nécessité.

Cette maison n'avait plus d'âme depuis que Pauline avait décidé de partir, et il avait encore à sa charge quatre enfants. Bien que sa fille Rose se soit offerte généreusement pour en prendre soin, il n'était pas naïf et il se doutait bien qu'en raison de son jeune âge, elle souhaiterait un jour quitter le chemin Ladouceur et retourner dans la grande ville de Montréal.

Il avait placé de l'argent à la Banque Canadienne Nationale et il en avait également caché dans un pot de grès enterré dans la cave de sa maison, tout comme son père l'avait fait bien avant lui. Il possédait en tout environ vingt-cinq mille dollars, en plus du terrain et de l'humble demeure où ses parents vivaient, qui lui reviendraient après leur décès. Malgré tout cela, ce matin-là, il avait l'impression d'être l'homme le plus malheureux de la terre.

Il sentit tout à coup une énorme larme descendre lentement sur sa joue flétrie et s'imprégner dans sa barbe vieille de quelques jours. Puis ce fut un autre sanglot suivi d'un autre, et ce, jusqu'à ce qu'éclate soudain un flot de gros pleurs qu'il ne put contenir. Il n'avait pas pleuré souvent dans sa vie, même s'il en avait eu envie à plusieurs reprises. Dans ces moments-là, il avait utilisé la colère pour drainer ses larmes.

Au début de la semaine, le petit Simon avait fait ses tout premiers pas, à l'âge de quatorze mois. Il avait un certain retard dans ce domaine sur ses frères et sœurs, mais Ernest ne s'en était pas aperçu. Il réalisait aujourd'hui que bien qu'il ait été souvent à la maison, il n'avait pas vu grandir ses autres rejetons ou plutôt il les avait vus, mais ne les avait pas regardés. Ses priorités étaient ailleurs et tant qu'un enfant ne pouvait travailler, c'était pour lui en quelque sorte une nuisance. Il riait des gens qui s'épanchaient sur les berceaux. Pour lui, un petit bébé c'était comme un poussin, il ne rapportait rien et en retour, il demandait beaucoup de soins.

Fort heureusement, malgré la tourmente, Rose et mémère avaient pris le temps de souligner le premier anniversaire de naissance de Simon. Amanda avait été très claire à ce sujet.

— Faut pas mêler les cartes. Ce petit-là va avoir un an juste une fois dans sa vie et j'ai pour mon dire qu'on doit le fêter comme on l'a fait avec tous les autres.

— Vous croyez qu'on a le droit de faire ça même si on est en deuil ? avait demandé Rose.

— Qu'est-ce que tu penses que ta mère aurait souhaité qu'on fasse ? Pauline était rendue à bout et d'après moi, elle ne serait pas partie si elle n'avait pas été sûre qu'on était là pour cet enfant-là et pour ceux qui sont pas encore majeurs et vaccinés !

— Si vous le racontez comme ça mémère, c'est certain qu'on aura la bénédiction de monsieur le curé ! avait ajouté Rose.

Dans son garage, Ernest avait un camion neuf dans lequel sa femme avait mis fin à ses jours. Jamais il ne pourrait s'en servir et il avait tenté de le vendre au village, mais ce véhicule était assurément maudit. Le concessionnaire de Sainte-Agathe-des-Monts lui avait offert une somme dérisoire, et il ne voulait pas perdre la face et faire rire de lui en lui cédant son bien pour une bouchée de pain.

S'il avait pu retourner en arrière, aurait-il pu changer quoi que ce soit sans pour autant ramper devant ceux qu'il avait si bien dominés pendant toutes ces années? C'était sa visite à la grand-messe de ce matin qui lui avait remué les méninges de la sorte. Le révérend avait parlé de justice et d'amour de son prochain et il avait cru qu'il s'adressait directement à lui. Comme sa mère disait, «il avait mis le chapeau… car il lui faisait».

Il se devait de faire du changement et il aurait besoin d'une personne à qui il pourrait se confier, une personne qui ne le jugerait pas et qui lui permettrait de faire des pas dans une direction différente, mais tout de même accessible. Il en avait assez de se lever jour après jour et de se battre pour tout et pour rien. Son existence n'était qu'un perpétuel combat et c'était devenu psychologiquement épuisant de maintenir une telle cadence.

Ce matin-là, assis dans son garage, il se sentait bien seul. Il se jugeait sévèrement et souhaitait trouver une solution pour atteindre un certain équilibre…

* * *

Pierre était allé à la messe de dix heures et demie avec ses grands-parents Potvin. Il était à l'aise avec ceux-ci et il avait l'impression de les distraire dans leur vie parfois monotone. Au sortir de l'église, ils avaient tous dîné chez Diane, l'aînée de la famille. Elle voulait que mémère et pépère puissent enfin goûter à sa fameuse lasagne dont elle leur parlait depuis si longtemps et puisqu'elle travaillait toute la semaine, elle n'avait que le dimanche pour faire ce genre d'invitation. La perte de sa mère avait beaucoup rapproché Diane de ses aïeuls.

Ils avaient bien ri quand le grand-père Potvin avait fait la moue devant son assiette, qu'il regardait d'un œil plutôt moqueur.

— Es-tu ben sûre qu'y a pas personne qui a été malade icitte hier? Ça m'a l'air ben drôle cette affaire-là.

— Pépère, c'est des pâtes avec de la sauce à spaghetti. C'est juste du fromage qui a fondu sur le dessus. C'est nouveau, mais c'est bon en maudit. Ça fait changement que de manger de la fricassée.

— Je dis ça pour t'étriver ma fille, mais en même temps, j'aimerais ça que tu expliques au vieux docteur Joannette qu'est-ce que tu as mis là-dedans, pour qu'il puisse me soigner au plus sacrant, si jamais j'suis malade.

— Ce n'est sûrement pas pire que le boudin ou le foie de veau que vous avez essayé de nous faire manger quand on était jeunes, répliqua Pierre qui s'amusait bien à taquiner ses grands-parents.

— Toi, mon petit snoreau[21], tu serais ben mieux de prendre ma part si tu veux que je t'emmène encore à la pêche.

Et il avait continué à divertir tout le monde avec le fromage qui s'étirait et restait collé dans sa longue

---

21 Snoreau: personne espiègle, particulièrement un enfant.

moustache. C'était comme une thérapie pour ces gens habitués à vivre dans les problèmes depuis trop longtemps.

Après le repas, le jeune couple offrit d'aller reconduire leurs visiteurs qui étaient descendus au village avec un voisin pour assister à la messe. En arrivant à proximité de leur domicile du lac Brûlé, ils remarquèrent qu'il y avait une circulation inhabituelle, alors que l'on était en fin de semaine.

Jules, percevant l'inquiétude des grands-parents, décida de faire une blague pour détendre l'atmosphère et demanda :

— Mon Dieu, y a-tu le feu chez vous, Monsieur Potvin, pour qu'il y ait autant de monde aujourd'hui sur le chemin Ladouceur ?

À peine eurent-ils fait quelques centaines de pieds qu'ils constatèrent effectivement qu'un terrible incendie achevait de ravager la toute petite maison du couple Potvin ! Malgré le travail de tout un chacun, il semblait impossible de préserver quoi que ce soit.

Mémère Potvin sortit rapidement de la voiture et tenta de s'approcher, mais la fumée et la chaleur étaient tellement denses qu'elle dut reculer, et c'est dans les bras de son vieux mari qu'elle s'écroula en sanglotant amèrement. Sa vie venait de s'envoler en flammes ; elle se retrouvait à tout près de quatre-vingts ans avec pour tout bien une petite sacoche noire en tissu contenant un ancien missel et un chapelet. Son époux essayait en vain de la consoler, mais ses propres larmes se mêlaient à celles de sa femme. Il ne leur restait plus rien, pas même un simple et banal souvenir. Ils étaient complètement dépouillés et démunis financièrement.

Le vieux Édouard Potvin songea qu'il aurait été mieux pour lui et sa belle Amanda, celle qui avait été son seul et unique amour, de mourir tout de suite plutôt que de devoir se mettre à quêter d'un bord et de l'autre pour terminer leurs jours sur cette terre.

Diane essaya de réconforter ses grands-parents, mais ils étaient inconsolables et complètement défaits. Elle jugea alors qu'il serait préférable qu'ils quittent les lieux du drame. Elle les conduisit donc au domicile de son père, où Rose les reçut avec beaucoup d'empathie. La famille tenta d'apaiser leurs inquiétudes en discutant devant une bonne tasse de thé et des petites douceurs, mais leur impuissance par rapport à un événement de la sorte était palpable. Rose, qui avait eu connaissance du début de l'incendie, était parvenue à se calmer peu à peu et elle avait dès lors évalué la situation et rapidement pris position.

— Faites-vous-en pas mémère, on va s'occuper de vous. La maison est grande icitte, vous allez pouvoir rester avec nous autres.

— Ton père, qu'est-ce que tu penses qu'il va dire de ça ?

— D'après moi, y sautera peut-être pas au plafond, mais il ne fera pas de chiard[22] non plus. Vous le connaissez assez bien pour savoir qu'il doit bien avoir un cœur quelque part. Vous êtes ses parents après tout, il vous doit bien ça ! Moi je suis certaine que tout ira

---

22 Chiard : chicane, grand désordre.

bien, c'est Rose Potvin qui vous le dit ! ajouta-t-elle pour essayer de les rassurer et ainsi leur démontrer qu'elle était déterminée à s'occuper d'eux.

— On ne veut surtout pas déranger. Qui est-ce qui a besoin de deux vieux dans sa maison ? leur fit remarquer pépère qui était indépendant depuis qu'on lui avait coupé le cordon d'avec sa mère.

— En tout cas, on ne vous laissera pas coucher dehors ; j'ai déjà préparé la grande chambre d'en bas pour vous deux. Vous n'avez pas le choix, c'est moi la maîtresse de maison depuis quelques mois, dit-elle en riant, afin de détendre un peu l'atmosphère lourde de désarroi.

Quand Ernest revint un peu plus tard, il trouva ses parents attablés avec une tasse de thé. Mémère avait sur elle le petit Simon qui, même s'il avait appris à marcher dernièrement, ne refusait jamais de se faire prendre ou bercer. Il était gâté par son paternel et semblait ne pas vouloir s'en passer de sitôt.

— Toute une épreuve qui vous arrive là, le père, déclara Ernest. Heureusement qu'avec les assurances, on va pouvoir penser à reconstruire avant que l'hiver s'installe pour de bon. C'est jamais le bon *timing*, mais il faut quand même voir les bons côtés.

— Ça me soulage de t'entendre Ernest. Je suis bien content que t'aies assuré notre maison. C'est le plus important, pis il y a des fois que je me demandais si tu avais pris la peine de le faire, mais je ne voulais pas te bâdrer[23] avec ça.

---

23 Bâdrer : Embêter, déranger quelqu'un.

— Je n'ai jamais pris d'assurance pour vous, répliqua Ernest d'un ton rageur. Voulez-vous me dire, le père, que vous avez pas assuré la seule cabane qu'y vous restait? Pourtant vous en aviez une quand vous aviez cette maison icitte. Vous avez probablement décidé d'économiser, pis là on se retrouve dans le trouble.

— Aurais-tu oublié que c'était toi le propriétaire, Ernest Potvin? C'était pas à nous autres c'te petite cabane-là, comme tu l'appelles avec ton air dédaigneux. Aussitôt qu'elle a été déménagée sur le terrain, tu es venu chez nous pour qu'on te la signe comme le reste de nos biens que tu as hérité de notre vivant.

— Batinse, ce n'est pas parce que la maison me revenait à votre mort qu'il fallait que je paye en plus une assurance.

— Ah ben, ma vieille, on a le cul sur la paille[24]. Avoir travaillé toute une vie pour se retrouver tout nu dans la rue, ça n'a pas de maudit bon sens. J'aurais le goût de me jeter dans le lac Brûlé! Qu'est-ce que j'ai fait au Bon Dieu pour vivre tout ça?

Le grand-père sortit alors de la maison, ne pouvant plus retenir ses larmes. Il se mit à marcher vers les décombres de son dernier domicile. Il semblait avoir vieilli de dix ans en l'espace de quelques minutes.

Il se sentait bien seul, isolé avec sa pauvre vieille, qui constituait maintenant son unique richesse. Il implora la Vierge Marie de lui faire signe et de lui envoyer la force de traverser cette horde d'épreuves.

---

24 Avoir le cul sur la paille: être ruiné.

* * *

Tout au long de la nuit, Ernest avait jonglé avec ce nouvel échec que la vie lui faisait vivre. Il se retrouvait aujourd'hui avec un lourd fardeau sur les bras. Depuis longtemps, il avait été décrété comme étant l'unique héritier de ses parents et il s'en trouvait, habituellement, fort aise. Ça voulait également dire qu'il devait veiller sur eux jusqu'à leur mort, ce qui devenait maintenant plus préoccupant, voire embarrassant.

Combien de temps allaient-ils vivre encore? Il y songeait sans aucun remords.

Rose avait pris l'initiative de céder la chambre de son père à ses grands-parents afin d'éviter qu'ils aient à monter à l'étage. Ernest n'avait pas pu donner son opinion, car, à son arrivée, tout était fait et ses effets personnels avaient été déménagés en haut dans celle qu'elle-même occupait depuis son retour au lac Brûlé. Elle se contenterait maintenant de partager l'espace avec Pierre et Simon où elle s'installerait un petit lit de camp qu'on avait remisé depuis déjà un bon moment dans le grenier.

En attendant, le plus important était de vivre tous ensemble et de voir ce qu'on pourrait faire plus tard. Rose se sentait capable de gérer le tout et s'y appliqua dès le lendemain matin. Sitôt debout, elle trouva sa grand-mère en train de se bercer dans la cuisine en disant son chapelet. Celle-ci avait déjà mis la table et elle avait préparé une chaudronnée de soupane[25]. Son

---

25 Soupane: bouillie de gruau.

vieux mari s'était levé très tôt et il était sorti marcher.

— Avez-vous réussi à dormir un peu, mémère?

— Oui, ma belle fille; pis inquiète-toi pas. On était assez fatigués qu'on s'est pas fait prier pantoute. Je pense même que j'ai pas eu le temps de finir de dire mon chapelet. J'espère que je serai pas plus punie pour autant, ajouta la vieille dame qui craignait toujours de décevoir son Dieu.

— Aujourd'hui mémère, je vais me rendre à Sainte-Agathe et on en profitera pour acheter un peu de linge pour vous pis pour pépère.

— Avec quel argent penses-tu qu'on pourra payer ça?

— Faites-vous-en pas. J'en ai demandé à papa; y m'a dit qu'il paierait le principal en attendant que vos chèques de pension rentrent par la malle.

— On veut pas être un poids pour lui. Il me semble qu'il a eu son lot de tracas lui aussi cette année.

— Vous, mémère, vous en avez pas eu des problèmes dans votre vie? Je pense que vous vous en êtes assez bien sortie. C'est à son tour maintenant de prendre ses responsabilités.

— Oui ma belle fille, mais moé, c'est pas pareil. Asteure, j'suis assez vieille; y me reste pas ben ben des années à vivre.

— Arrêtez donc vous, on veut pas que vous partiez. Qu'est-ce que le petit Pierre ferait si vous étiez pas là? C'est quasiment le vôtre celui-là, c'est vous qui l'avez élevé. Je trouve assez qu'il vous ressemble avec ses beaux yeux bleus. Il y a juste vous, mon oncle Georges, pis Pierre qui avez des yeux comme ça. C'est tellement frappant.

— Il faudrait arrêter de jaser si on veut que tout soit prêt pour le déjeuner, coupa la grand-maman qui ne tenait pas à terminer cette discussion qu'elle jugeait troublante. Ton père va se lever ben vite et si j'ai bonne mémoire, y est à prendre avec des pincettes le matin.

— Vous avez tout à fait raison, mémère. D'habitude, on fait mieux de mettre des gants blancs, répondit Rose en riant.

La grand-mère avait réussi à détourner la conversation en ce qui avait trait à la ressemblance de Pierre avec son fils Georges. Elle s'en était toujours douté, mais à la mort de sa bru, son mari lui avait raconté que Georges lui avait fait des confidences sur la relation qu'il avait eue avec sa belle-sœur. C'était là ce qui justifiait qu'Ernest déteste autant son frère aîné.

Le fait qu'Ernest tolère qu'elle élève le jeune garçon avait confirmé tous ses soupçons. L'enfant ne devait pas être la victime des erreurs des adultes et sa faible constitution faisait en sorte qu'il avait besoin de plus de soins et de stabilité que tous les autres en avaient nécessité. Elle se demandait comment ça se passerait maintenant qu'ils devaient tous vivre sous le même toit. À tout le moins, son Ernest avait une meilleure attitude depuis que sa femme était décédée. Il semblait en avoir retiré une certaine leçon. « À toute chose, malheur est bon », pensa-t-elle.

Un peu plus tard dans la matinée, mémère, ne voyant pas revenir son mari, commença à s'inquiéter et elle suggéra à Rose d'aller faire un tour au garage afin de savoir s'il s'y trouvait. Il était parti très tôt et n'avait pris qu'une tasse de thé. Elle l'attendait toujours pour déjeuner, mais il n'était pas encore rentré alors que l'on approchait de l'heure du dîner.

Rose sortit donc et se rendit dans le bâtiment, où son père était en train de réparer de la machinerie.

— Papa? Avez-vous vu pépère dans les alentours?

— Non, je l'ai pas vu de l'avant-midi. Je le pensais avec vous autres dans la cuisine?

— Non, pis mémère commence à être inquiète. Il est parti de bonne heure à matin et puis il n'a même pas déjeuné. Il doit avoir faim sans bon sens.

— Il s'est peut-être rendu faire un petit tour chez le bonhomme Legault. Ça va y faire du bien de parler avec son vieux chum au lieu de ronger son frein icitte. Quand je vais avoir fini de limer mes haches sur la meule, j'irai faire une tournée pis j'vous le ramènerai.

Sur ces paroles, Rose retourna à la cuisine pour rassurer sa grand-mère. Elles s'activèrent ensuite à mettre les patates à cuire et à dresser la table. Quand Ernest rentra à la maison pour le dîner, il s'attendait à y trouver son père, fatigué d'avoir fait une longue marche en solitaire.

— Papa est pas encore icitte?

— Ben non, je pensais que tu nous l'aurais ramené, comme Rose me l'avait dit en revenant du garage.

Soudain, tout le monde sembla s'énerver. Ce n'était pas dans les habitudes d'Édouard Potvin de s'éloigner ainsi sans donner de nouvelles, mais il était tellement perturbé depuis la veille.

— J'va me rendre *checker* autour de sa vieille maison, il doit être parti fouiller dans les cendres en espérant trouver quelque chose. Viens-tu avec moé, Rose? Mémère peut ben garder les enfants.

— Ben oui, papa, s'empressa-t-elle de lui répondre.

Jamais auparavant Ernest n'avait demandé à sa fille de l'accompagner où que ce soit. Elle n'avait rien fait de toute sa vie avec son père, si ce n'est corder du bois à l'occasion et toujours en se faisant chicaner, car elle ne faisait pas ça comme il le voulait. Aujourd'hui, l'ambivalence de ses émotions la rendait fière comme un paon de marcher à côté de lui dans le rang en direction des lieux incendiés.

En arrivant sur le terrain, Ernest dit à Rose de faire attention, car certaines pièces de la structure de la maison tenaient encore debout. Il était probable que ça s'écrase à tout moment. Il lui faudrait s'occuper de tout démolir, maintenant qu'il savait qu'il n'y avait pas d'assurance et qu'il n'en retirerait rien.

Heureusement qu'il n'avait pas investi dans cette vieille bâtisse qu'il avait achetée pour une bouchée de pain. C'était une maison abandonnée, qui ne comportait que deux chambres à coucher, un petit salon, une cuisine ainsi qu'une minuscule salle de bain. Il s'était dit à ce moment-là que c'était assez pour deux personnes âgées. Le propriétaire du terrain avait été content de s'en débarrasser, pourvu qu'on la transporte avant l'hiver, ce qui avait été fait rapidement, car Ernest avait hâte d'être enfin le seul maître dans la grande demeure familiale.

À cette époque, il avait craché très haut dans les airs et aujourd'hui, ça lui retombait dessus. Il devait maintenant héberger son père et sa mère, et ce, jusqu'à la fin de leurs jours.

Ils avaient beau chercher, ils ne voyaient nulle part le vieux Édouard et Rose commençait vraiment à être inquiète. Tout à coup, Ernest, qui s'était aventuré dans les décombres, perçut un murmure rauque.

— Papa, c'est-tu vous ? Répondez-moi, vous êtes où ?

Il entreprit alors de déplacer doucement les débris, sans savoir s'il avait la berlue ou s'il avait réellement entendu gémir. Soudain, un chuchotement lui parvint clairement du dessous d'un tas de planches. Sans plus attendre, il somma Rose de retourner à la maison.

— Va vite trouver mémère et appelle chez Legault, le voisin. Dis-y de venir icitte avec une pelle pis dis-y que ça presse. Demande à Albert de s'en venir lui aussi, au plus sacrant. J'pense que si on retarde, papa peut y passer.

Rose se dépêcha de se rendre quérir les gens du voisinage, mais elle redoutait le pire. Quand elle revint enfin, Ernest avait commencé à enlever des morceaux de bois avec précaution, afin d'éviter que ça ne s'écroule encore plus. Il continuait de parler avec son paternel pour s'assurer qu'il était toujours en vie. Au moment où monsieur Legault arriva, Ernest demanda à sa fille de retourner à nouveau à la maison pour appeler le docteur, car il était certain qu'après avoir été enseveli de la sorte, son père aurait besoin de soins.

De plus, il savait bien que sa mère ne serait pas en meilleure forme quand elle apprendrait la nouvelle, alors le cher médecin aurait du pain sur la planche.

À l'arrivée du docteur, les deux hommes avaient réussi tant bien que mal à déplacer quelques pièces de bois et ils constatèrent que le vieillard était enterré sous divers morceaux et qu'il semblait avoir le bassin coincé sous un madrier. Édouard Potvin avait voulu descendre dans la cave de service afin de récupérer un pot de grès contenant ses maigres économies, mais un éboulement s'était produit. Si personne n'était venu à sa recherche, il aurait sans doute rendu l'âme.

Ils appelèrent une ambulance et avec l'aide de plusieurs personnes qui s'étaient amenées pour porter assistance, ils parvinrent à dégager le blessé, qui fut conduit ensuite à l'hôpital de Sainte-Agathe-des-Monts. Il était dans un bien piètre état, tellement que l'on craignait pour sa vie.

On lui diagnostiqua une fracture du bassin et des côtes cassées en plus de nombreuses contusions et quelques brûlures. Il souffrait terriblement et ressentait le poids de ses quatre-vingts ans sur chacune de ses plaies. Le pauvre homme avait terriblement de douleur et se lamentait tant qu'on dut lui administrer des calmants afin d'atténuer la souffrance.

C'était à croire que la malédiction s'était abattue sur la famille Potvin. Ernest se demandait où ça allait s'arrêter.

En soirée, Fernande arriva de Montréal. Elle se rendit à l'hôpital en compagnie de sa vieille mère, laquelle était atterrée. Bien qu'on ait préparé mémère au pire, celle-ci fondit en larmes quand elle vit dans quel état se trouvait le seul et unique homme de sa vie. Terriblement mal en point et très affaibli, il était méconnaissable, tant il avait subi des brûlures partout sur son corps usé par les années.

L'épreuve de l'incendie l'avait déjà beaucoup affecté et sa chute dans les décombres semblait lui avoir donné le coup de grâce. Il n'avait pas l'air de vouloir se battre pour remonter la pente, qu'il trouvait sûrement trop raide pour un vieil homme comme lui.

Fernande tenta de rassurer sa mère en invoquant les bons soins qu'il recevait dans cet établissement. Elle lui dit également qu'il pourrait même venir consulter dans un grand hôpital de Montréal s'il en ressentait le besoin, mais elle se doutait bien, tout au fond de son cœur, que c'était peine perdue. Les blessures étaient trop graves et l'état de santé de l'homme, beaucoup trop précaire.

Édouard, dans les rares moments où il reprenait quelque peu connaissance, songeait que sa bonne Amanda serait beaucoup mieux sans lui. Elle vivrait auprès de son fils et de sa famille et ce serait un moins gros fardeau pour Ernest.

Dans le courant de la nuit suivante, Édouard Potvin, ce vieil ours apprivoisé, abdiqua et accepta que la fin était venue pour lui. Il n'avait pas voulu continuer à lutter sur cette terre et avait finalement déposé les armes. Sa foi profonde lui promettait un avenir meilleur et il avait jugé bon de s'en remettre à son créateur.

Seul dans sa chambre d'hôpital, dans les dernières minutes de sa vie, il avait cru apercevoir sa belle-fille Pauline, vêtue d'une élégante longue robe de taffetas de soie bleu ciel qui faisait un contraste avec le halo lumineux qui l'enveloppait. Elle lui tendait la main, l'invitant à la suivre, avec le doux sourire qui lui seyait si bien.

Le deuil avait entaché le chemin Ladouceur au lac Brûlé. La haine avait eu le dessus sur l'amour et elle avait tué le bonheur.

Amanda Potvin avait apprivoisé son vieil ours, mais le destin avait voulu qu'elle soit obligée de retourner dans la maison familiale auprès de son fils qu'elle trouvait encore plus grognon. Saurait-elle se faire une petite place sans pour autant revivre les affres du passé?

CHAPITRE 14

Un hiver serein

(Octobre 1960)

L e mois d'octobre avançait à grands pas et bientôt, il serait temps de fermer la résidence secondaire de monsieur Thompson. Rose appréhendait déjà son départ, se disant que les jours seraient longs et interminables sachant qu'elle ne pourrait même pas l'apercevoir à l'occasion.

Auparavant, quand elle circulait dans la maison de celui-ci pour effectuer les travaux ménagers, elle jouait à la grande dame en riant et en fouinant dans les beaux vêtements et les accessoires féminins de sa riche bourgeoise. Maintenant, c'était devenu accablant pour elle de simplement penser que William Thompson avait été là quelques heures plus tôt.

Elle savait pertinemment qu'il la fuyait, car tous les mercredis où elle devait venir travailler chez lui, il était absent. Il laissait toujours une seule note brève sur la table, un mot très impersonnel, où il mentionnait qu'il était à l'extérieur pour toute la journée et qu'il ne rentrerait pas pour les repas.

Quand elle pénétra dans la chambre principale par cette matinée d'automne, une vague de mélancolie lui serra la gorge et des larmes noyèrent ses joues rosies par le soleil campagnard. Pourquoi la vie était-elle si malveillante avec elle?

Bien sûr, elle avait à peine vingt ans, mais elle avait déjà eu son lot de misère. Avait-il fallu que sa mère soit accablée pour décider de mettre fin à ses jours aussi tragiquement? Était-elle vouée à une destinée triste comme la sienne?

Assise sur le pied du grand lit à baldaquin, elle songea soudain à cette unique soirée passée en compagnie de William, à l'auberge Alpine Inn de Sainte-Adèle. Une ambiance chaleureuse régnait dans la salle à manger, où trônaient de majestueux foyers de pierres au milieu de tables habillées de nappes blanches. Une seule fleur dans un vase au centre de celles-ci créait une agréable palissade entre les regards des convives.

Rose était effarouchée et ne savait comment se comporter. William, qui n'en était pas à ses premières armes, s'était cependant fait prévenant auprès de celle qui occupait ses pensées depuis les dernières semaines.

Tout autour d'elle, des gens en majorité anglophones discutaient affaires pour certains et sentiments pour d'autres. Plusieurs hommes âgés étaient en compagnie de très jolies femmes habillées avec un chic fou. Dans quel monde différent l'avait-il conviée? C'était un univers qu'elle ignorait jusqu'à ce jour, bien qu'il soit établi à seulement quelque milles de son domicile.

En arrivant, William avait commandé un gin *gimlet*

pour elle et un scotch pour lui. Il avait amorcé la conversation avec tout de même un certain malaise, soucieux de ne pas laisser entendre à la jeune fille qu'il était infidèle à son épouse depuis de longues années.

— Tu peux me croire Rose, ce n'est pas dans mes habitudes de sortir ainsi avec des femmes. Je suis bien conscient que je suis marié, mais comme je te l'ai mentionné, je pense à toi depuis le premier jour où je t'ai rencontrée.

— Mais William, je suis terriblement mal à l'aise parmi tous ces gens. Je ne suis pas de votre rang et ils le savent tout autant que moi.

— Arrêtez tout de suite, jolie dame, dit-il avec un sourire enjôleur qui laissait voir une magnifique dentition. Vous les valez tous, et bien plus encore.

— Vous allez me faire rougir, répondit-elle en riant.

Le repas s'était déroulé dans une ambiance feutrée, au son d'une douce mélodie jouée au piano par un homme qui, même s'il était assis, avait l'air plus grand que la majorité des gens. Celui-ci semblait ne faire qu'un avec son instrument dont il flattait le clavier de ses dix doigts. Tout comme les longues draperies de velours, celui-ci faisait partie intégrante de ce décor de scène.

Rose, qui n'était pas habituée à la haute gastronomie, avait dégusté avec avidité tous les mets que William avait commandés. Sans connaître tous les aliments disposés habilement dans son assiette, elle s'était délectée de chaque bouchée en regardant cet homme qu'elle désirait comme une jeune princesse rêve de son valeureux prince charmant.

Tout au long de ce souper, William l'avait galamment guidée, en lui présentant les plats qui lui étaient servis ainsi que la façon de les apprécier. Elle avait le vif sentiment de participer à un repas digne de la royauté.

La soirée prenant de l'âge et la douceur du vin réchauffant les esprits, ils avaient eu l'impression que la mélodie appelait leurs deux corps à valser sur sa portée. William s'était levé pour s'approprier délicatement la main de Rose et la conduire sur la piste de danse; celle-ci n'eut aucune envie de se soustraire à cet instant magique. L'envoûtement créé par l'ambiance les guidait vers une oasis où tout ce qui les entourait n'était plus que fictif.

William enveloppait sa belle de tout son corps, la faisant bouger au rythme de leurs cœurs. Il aurait voulu la posséder entièrement, et ce, pour toute la vie. À ce moment précis, il aurait souhaité ne penser qu'à lui, mais il se devait de restreindre l'ardeur de sa passion. Rose ne comprenait vraiment plus rien. Son corps semblait se mouler à celui de William, si fort, si robuste et pourtant si doux. L'odeur enivrante de sa peau lui faisait tourner la tête. Tout cela relevait de l'enchantement et elle s'attendait à se réveiller d'une minute à l'autre.

Des gens avaient alors commencé à quitter les lieux et Rose, habitée par une terrible frayeur de succomber, lui avait demandé gentiment de la raccompagner. Elle devait cesser immédiatement ce jeu dangereux.

— William, j'aimerais rentrer à la maison maintenant. Voulez-vous bien me ramener, s'il vous plaît?

— J'aurais pourtant souhaité que ça ne finisse jamais,

dit-il tout en acquiesçant à la demande de celle-ci.

Durant la période de temps où il avait été régler la note, Rose s'était rendue à la salle de toilette où elle en avait profité pour se mettre un peu d'eau froide sur la saignée des poignets et sur les tempes. Elle voulait à tout prix reprendre ses esprits et être en mesure de retourner dans son monde avant qu'il ne soit trop tard pour faire marche arrière.

Tout au long du trajet entre Sainte-Adèle et le lac Brûlé, aucun mot n'avait été prononcé. Que des soupirs et des réflexions personnelles pour chacun d'eux.
Rose se demandait comment tout cela allait se terminer et elle se sentait coupable d'avoir agi de la sorte alors que son patron était un homme marié qui avait une famille. Qu'adviendrait-il si les gens apprenaient ce qu'elle s'était permis ce soir-là?

De son côté, William, qui était plus expérimenté, ne vivait aucune culpabilité, mais il était plutôt décontenancé par la tournure des événements, qui lui laissait entrevoir la possibilité d'entreprendre une belle idylle sans pour autant effrayer la jeune fille. Il en avait vraiment envie. Au lieu de reconduire Rose directement chez elle, William avait alors choisi de se stationner profondément dans l'entrée de son chalet, à l'abri des regards indiscrets.

— Qu'est-ce que vous faites, William? avait-elle demandé, soudain inquiète de ce qui pourrait lui arriver à jouer ainsi avec les sentiments.

Il avait pris les mains de Rose dans les siennes, les avait caressées doucement et lui avait murmuré:

— Je ne veux pas te laisser de la sorte, Rose. Nous n'avons pas échangé un traître mot depuis que nous sommes partis de Sainte-Adèle. Dis-moi, par hasard, regretterais-tu cette soirée en ma compagnie?

— Non William. Elle avait prononcé cela candidement de sa petite bouche rosée qui faisait envie à l'homme qui avait peine à contenir ses émotions.

N'y tenant plus, il avait flatté sa joue tout doucement et avait déposé un léger baiser sur ces lèvres si désirables, baiser qui s'était prolongé jusqu'à ce que leurs corps se rapprochent jusqu'à n'en faire qu'un. La ligne à franchir était mince, Rose s'était détachée vivement et avait demandé :

— S'il vous plaît, William, ramenez-moi à la maison. Nous n'avons pas le droit.

— Mais pourquoi? Nous ne faisons de mal à personne!

— Et votre femme, y pensez-vous?

Ces paroles avaient eu l'effet d'une douche froide et il avait décidé d'accéder à sa demande. Il n'avait pas l'habitude de fréquenter des demoiselles qui se souciaient de son statut d'homme marié. Il aimait Rose, mais il devait également réaliser que la situation était différente et qu'elle risquait de devenir compliquée.

Il avait démarré la voiture pour finalement la reconduire à quelques centaines de pieds de sa demeure, dans le but de préserver la clandestinité de leur rendez-vous, au grand soulagement de la jeune fille.

— Ne m'en veux pas Rose, mais je suis amoureux de toi. Je n'y peux rien.

— Oubliez-moi William. Ce sera mieux comme ça.

Elle s'était dirigée rapidement vers la galerie de sa maison sans oser se retourner. Elle avait le cœur triste à mourir de ne pouvoir aimer librement cet homme qui avait éveillé, en toute connaissance de cause, la femme aimante qui sommeillait dans ses entrailles.

À cette heure tardive, toute la famille Potvin roupillait, sauf le jeune Albert qui, sans vouloir offenser sa grande sœur, ne pouvait dormir sans être sûr que celle-ci était de nouveau à l'abri dans la chambre voisine de la sienne. Maintenant que sa mère n'était plus là, il désirait s'assurer que Rose était en sécurité en tout temps. Il savait qu'elle était sortie avec monsieur Thompson et tout en respectant ses choix, il craignait une blessure à l'âme pour sa frêle sœurette.

Il reconnut son pas feutré dans l'escalier et il s'endormit finalement, sans toutefois entendre les douloureux soupirs et sanglots que sa protégée ne pouvait réprimer.

* * *

C'est à partir de ce soir-là que William avait esquivé habilement les rencontres avec Rose et elle s'en croyait totalement responsable.

Avait-elle fait quelque chose pour l'attirer dans son giron ? Aurait-elle dû être plus réservée dans son habillement quand elle savait qu'elle allait le rencontrer ? Elle lui avait peut-être laissé penser qu'elle était une fille facile et il avait voulu en profiter.

Il avait de toute façon pris sa décision et elle avait

mal, terriblement mal. Le souvenir des baisers échangés était aujourd'hui plus douloureux que sa brûlure à son paroxysme. William avait préparé ses bagages de façon à ne pas revenir au lac Brûlé avant un bon moment. Il avait joué avec le feu et, de ce fait, il avait définitivement blessé une pauvre créature en lui laissant miroiter l'amour alors qu'il n'était pas libre d'aimer.

Son père, monsieur Douglas Thompson, était le seul responsable de son malheur. S'il lui avait permis de rencontrer un cœur compatible au sien, il ne serait probablement pas en peine et n'aurait pas cherché à draguer une innocente biche.

Il ne lui restait plus qu'à faire ouvrir sa maison de Westmount et à se remettre activement au travail. Il oublierait sûrement la plus belle Rose qu'il ait pu tenir dans ses mains. Il tenterait d'éviter toutes les fleurs à l'avenir. La passion n'était pas pour lui. Il y avait des femmes pour combler ses besoins primaires, il les engagerait donc en sachant bien qu'aucune d'elle ne raviverait sa capacité d'aimer. À bien y penser, il finirait probablement ses jours seul et deviendrait comme le bonhomme Potvin, un ours grincheux.

* * *

L'hiver avait pris place et la famille Potvin menait une vie bien rangée. La grand-maman s'occupait toute la journée dans la maison, la nuit étant réservée pour prier et pleurer le départ de son vieil amant qu'elle avait réussi à apprivoiser et à chérir pendant plus de cinquante ans.

Pour Rose, la tâche était beaucoup moins ardue depuis que mémère Potvin la secondait si habilement. Elle avait plus de temps libre, mais à quoi bon, puisque le cœur n'y était pas?

Le paternel était finalement retourné besogner dans les centres de ski. Il avait travaillé plusieurs hivers au mont Kingston, lequel était devenu le mont Sainte-Agathe. Cependant, l'incertitude créée par les nombreuses discussions entre la Ville de Sainte-Agathe-des-Monts, une ligue de citoyens et les nouveaux acquéreurs l'avait incité à poser sa candidature au mont Sauvage, à Val-Morin. Même si cette pente de ski se voulait moins prestigieuse, elle était avant tout familiale et fort achalandée. Son patron avait été catégorique, il privilégiait le personnel fiable et honnête. Pour lui, travailler était un privilège et l'on devait avant tout prouver que l'on avait du cœur au ventre.

Ernest Potvin partait très tôt le matin en direction du mont Sauvage pour ne revenir qu'en fin de journée. Bien qu'il ait un très mauvais caractère, il était tout de même consciencieux et doué pour les travaux manuels. Il partait toujours le dernier, ce qui, malgré ses sautes d'humeur, en faisait un homme de confiance pour son employeur.

À la maison, il tentait cependant de reprendre sa façon de tout régenter, mais ensemble, Rose et mémère avaient vite fait de le remettre à sa place. Il craignait que Rose se décide à retourner vivre à la ville. C'est la raison pour laquelle il n'avait pas protesté quand il s'était aperçu que monsieur Thompson la payait directement. Ses gages se trouvaient diminués, mais il avait en quelque sorte les mains liées. Comme c'était malgré tout acceptable, il s'était dit qu'il valait mieux se taire que de risquer d'être ligoté encore plus solidement.

En après-midi, la veuve Gagnon venait parfois rendre visite à mémère Potvin, comme elle le faisait avant que sa demeure ne parte en flammes. Elles jasaient de l'époque où les deux couples jouaient aux cartes certains soirs d'hiver. C'était chacun leur tour de se recevoir. Une fois les enfants couchés, on s'adonnait à quelques parties de cinq-cents ponctuées de jurons et de coups de poing sur la table. Les hommes buvaient quelques verres de gros gin et les femmes sirotaient une tasse de thé. Quelques bons biscuits frais du jour agrémentaient le tout et il n'était pas rare qu'avant de se quitter, on mette quelques tranches de pain sur le poêle à bois, pour manger des rôties copieusement garnies de tête de fromage ou de confitures. Ces soirées enjouées leur permettaient de se libérer l'esprit des tracas quotidiens.

— Adéline, dit mémère un après-midi, ça te tenterait qu'on joue une petite partie de cartes, même si on est juste toutes les deux ?

— Pourquoi pas ? Ça fait longtemps en mosanic que j'ai pas joué à d'autres choses que mon jeu de patience.

— Ça va nous faire passer les journées pis pendant ce temps-là, on parlera pas de notre prochain !

Et les deux femmes se retrouvaient de plus en plus souvent pour tuer le temps. Elles avaient, à deux, beaucoup de vécu et semblaient heureuses de ne pas s'enliser dans une solitude qui aurait pu devenir malsaine.

Adéline Gagnon avait cinquante ans et elle n'avait pas été choyée par la vie. Elle mesurait à peine cinq pieds et deux pouces et elle avait un fort surplus de poids. De plus, elle souffrait d'un strabisme latent, ce qui lui donnait une allure plutôt gênante quand on s'adressait à elle personnellement. Elle avait malheureusement perdu son mari après seulement dix ans de mariage. Alors qu'il travaillait à la ferme d'un voisin, il avait reçu un coup de patte de son cheval directement sur la tête et ça lui avait été fatal. Elle avait dû élever seule ses deux garçons et sa fille en faisant du ménage, de la cuisine et de la couture pour les autres. À maintes occasions, Amanda lui avait été d'un grand soutien, l'aidant dans certains travaux ou la conseillant sur la façon d'agir ou de soigner un enfant. Elle la considérait comme une mère.

La vie ne lui avait pas fait de cadeau, mais en revanche, elle était assez fière de sa progéniture. Sa fille aînée, Madeleine, maîtresse d'école à Sainte-Agathe-des-Monts, avait épousé le fils Larivière, un plombier. Son deuxième, un garçon nommé Jean, lui aussi plombier, s'était marié avec la sœur de son beau-frère.

C'était toutefois moins reluisant en ce qui avait trait au cadet de la famille, Euclide, qui ne semblait pas vouloir se caser. Il demeurait encore à la maison et il ne travaillait que lorsque ça lui tentait. Il était physiquement bien proportionné, mais tout comme sa mère, il louchait et il en avait développé un grand complexe dès le moment où il avait commencé à fréquenter l'école.

— Euclide, regarde-nous quand on te parle! disaient les enfants pour le taquiner.

— Je vous regarde, répondait-il innocemment.

On lui avait même fait croire que s'il secouait sa tête très souvent, il pourrait parvenir à replacer ses yeux à la bonne place. Adéline l'avait donc surpris à se remuer le crâne en s'examinant dans le miroir installé dans le passage de la maison et elle avait exigé qu'il lui avoue la raison de cette attitude bizarre. Ayant elle-même eu à subir des railleries dans sa jeunesse, elle lui avait expliqué qu'il devait accepter ce handicap et ne pas se soucier des commentaires désobligeants des gens méchants.

Euclide abusait des boissons alcooliques depuis son adolescence et il partait souvent pour trois à quatre jours, sans qu'elle sache où il se trouvait. À son retour, il racontait toutes sortes d'histoires plus saugrenues les unes que les autres, et restait plus ou moins sobre jusqu'à ce qu'une nouvelle cuite lui donne l'envie de décoller du nid. Il avait de la difficulté à garder un emploi, car on ne pouvait se fier à lui. Son frère et son beau-frère avaient bien tenté de le faire travailler avec eux, mais dès qu'il recevait quelques dollars, une soif insatiable le saisissait et l'on ne le revoyait plus pendant quelques jours.

Adéline était contente d'avoir une confidente en la personne de madame Potvin, car ça lui donnait du moral pour continuer. Elle était même moins inquiète depuis que cette dernière lui avait mentionné que si elle se souciait moins de son jeune garçon, il deviendrait peut-être plus autonome. Elle l'avait joliment couvé celui-là. Il était plus que temps qu'elle lui permette de se débrouiller un peu.

— Vous savez Amanda que je commence à faire comme vous m'avez conseillé avec Euclide et ça va pas si mal.

— Je vous l'avais dit qu'il fallait le laisser prendre un peu de responsabilités si vous voulez un jour qu'il s'occupe de ses affaires par lui-même. Vous serez pas toujours là pis vous le savez. En même temps, vous êtes pas obligée de le torcher jusqu'à votre mort !

— Vous avez ben raison, tout ce que vous me racontez, c'est juste la vérité. Hier soir quand je suis revenue à la maison, il était enragé en mosanic parce que j'arrivais plus tard que d'habitude.

— Et qu'est-ce que vous lui avez dit ?

— Que j'étais ben assez vieille pour savoir quand je devais rentrer chez nous ! Pis quand il m'a demandé ce que j'avais préparé pour le repas, j'y ai répondu que je n'avais rien de fait d'avance et qu'on mangerait de la soupane avec des toasts pis une tasse de thé.

— De la soupane pour souper ? Y devait pas être trop trop content votre gars.

— Non, pis moé non plus ! s'exclama Adéline, en riant un bon coup. Mais ça valait la peine d'y voir la face.

Madame Potvin ne pouvait espérer mieux que d'avoir une amie comme celle-ci qui la faisait toujours rigoler. Son ange gardien l'avait sûrement guidée chez elle pour la réconforter et de son côté, elle lui serait peut-être utile. On n'est jamais bon juge quand il s'agit de nos propres enfants.

Dès que les gamins d'Ernest revenaient de l'école, les deux femmes cessaient leurs jeux et elles s'activaient afin de préparer une collation sucrée aux garçons qui appréciaient cet accueil chaleureux et attentionné. La maison semblait revivre un tant soit peu.

Ensemble, les deux dames avaient rapiécé différentes vies brisées et en avaient fait un scénario malgré tout intéressant. Sans être une comédie, ce n'était pas non plus un drame. Le rire avait sa place ainsi que les discussions simples et banales, mais à la fois remplies de sérénité. Personne ne laissait paraître les larmes que l'on réservait pour les coulisses.

Adéline ne savait pas ce qui l'attendait dans le futur, mais son entrée dans la maison des Potvin avait une odeur de promesse.

Une toile se tissait lentement autour d'elle sans qu'elle le réalise vraiment. Qui avait commencé le travail, Amanda ou Ernest ?

CHAPITRE 15

Un Noël triste

(Décembre 1960)

Cette année-là, Rose n'avait pas tellement le cœur aux réjouissances, mais elle avait eu une bonne discussion avec sa tante Fernande quand celle-ci était venue visiter mémère le mois précédent et qu'il avait été question de ce qu'on ferait pour la période des fêtes.

— Je sais qu'on est en plein deuil, mais c'est le seul temps où toute la famille se réunit. La mort de mon père et de ta mère nous ont complètement déboussolés, mais faut penser que la vie continue!

— Mais vous croyez pas que le monde va nous critiquer si on fait ça?

— Ça fait plus de trente ans que je reste à Montréal et je peux te dire que les qu'en-dira-t-on, ça me fait ni chaud ni frette!

— Je sais, mais quand on vit en campagne, on pourrait imaginer que toutes les commères vivent par icitte.

Mémère portait attention au discours des deux femmes sans intervenir, mais elle souhaitait maintenant y mettre son grain de sel.

— Les enfants, j'ai écouté ce que vous racontiez, mais asteure je vais vous donner mon opinion. J'ai passé toute ça quand mon Victor est mort à la guerre et j'étais pas mal débinée pour pas dire que j'étais à terre. J'avais invoqué le frère André pour qu'y m'accorde la force et me guide dans le bon chemin. Et un matin, j'ai décidé que c'était le temps de faire à manger pour être capable de recevoir tout mon monde.

— Pauvre mémère, dit Rose attristée d'entendre celle-ci revivre des souvenirs d'une tristesse infinie.

— J'ai prié tout le temps que je faisais mes tartes cette année-là. Je vous dirais, sans exagérer une miette, que j'ai tellement braillé en faisant mon ragoût que j'ai pas eu besoin de le saler ! ajouta-t-elle avec son vieux sourire empreint de taquinerie. Cette année-là, je pense qu'on a eu le plus beau jour de l'An, même si, par respect, on avait pas fait les fous autant. On aurait cru que tout le monde avait apprécié d'être là tandis que Victor nous avait quittés si jeune.

Le récit de la dame âgée semblait avoir éclairé Fernande, qui entreprit donc de statuer, délivrant du même coup Rose, qui ne serait pas seule à porter le poids de cette décision.

— Tu sais Rose, pour les enfants, les fêtes de Noël et du jour de l'An c'est ben important. T'imagines-tu les jeunes retourner en classe au début janvier et entendre les autres raconter comment ils se sont amusés ?

— Vous dites ça pis je me rappelle que même si on était pas riche, je me faisais toujours une gloire d'apporter à l'école la belle carte de Noël que vous m'aviez envoyée par la malle, adressée à mon nom.

— Je faisais ça avec tous mes neveux et mes nièces, mais je ne pensais pas que ça pouvait vous faire plaisir autant que ça!

— C'est ben certain. Pis on avait comme d'habitude notre orange pis nos *candy* dans notre bas de Noël.

— C'est décidé, cette année on revient fêter icitte comme quand j'étais jeune. On a pas le choix, asteure que la maison de papa pis maman est brûlée, on est obligés de rétablir la tradition. C'est le p'tit Jésus qui doit être en dessous de ça!

— Pis qu'est-ce qu'Ernest va dire d'après toi Fernande? demanda la grand-mère inquiète de déranger son fils qui était maintenant contraint de l'héberger.

— Je pense que cette année, y dira pas grand-chose, ajouta Fernande. On croirait que le vieil ours a décidé de faire comme sa gang... pis de dormir tout l'hiver.

* * *

Albert et Yvon semblaient ne plus avoir leur place dans cette maison du lac Brûlé où tout tournait autour de Simon, ou bien de mémère qui n'avait plus de résidence bien à elle et pour qui la perte de son mari avait été si cruelle. On cherchait à apaiser la douleur de ceux-ci, mais en négligeant ceux qui faisaient aussi partie de la maisonnée.

Les derniers mois avaient fait en sorte que les deux garçons s'étaient ligués afin de trouver une échappatoire. Ils passaient donc la plupart de leur temps à

Sainte-Agathe-des-Monts et faisaient tout ce qui était possible pour s'inviter chez leur sœur Diane où tout leur paraissait plus gai et surtout beaucoup plus simple.

Le jeune couple sortait beaucoup et ils avaient également plusieurs amis qui venaient jouer aux cartes et les deux jeunes restaient bien sagement assis au salon, à les écouter et à zieuter les belles filles, malheureusement un peu trop vieilles pour eux. À fréquenter ces gens plus âgés qu'eux, ils se divertissaient et faisaient peu à peu leur éducation de la vie d'adulte.

Ils occupaient tous les deux la chambre d'invités qui, bien qu'étroite, leur convenait très bien. Ils s'y rendaient particulièrement pour fumer en cachette, mais Jules était un fin renard et les avait un jour confrontés.

— Comme ça on se cache pour faire de la boucane ? avait-il lancé aux deux jeunes surpris avec une cigarette à la main.

— Tu vas pas le dire à papa ? avait tout de suite répliqué Albert pour s'assurer qu'il n'y aurait pas de chicane.

— Non, je ne suis pas un bavard, mais je vais vous expliquer par exemple que j'ai terriblement peur du feu.

— On est prudents, inquiète-toi pas, ajouta Yvon. T'as pas besoin de t'en faire.

— Pis on met jamais nos botchs[26] de cigarette dans les poubelles, sortit d'emblée Albert pour étoffer les propos de son frère. On a un vieux cendrier qu'on a placé en dessous du lit pis quand on va aux toilettes, on jette ça dans la bolle et on *flushe*.

---

26 Botchs de cigarettes : mégots de cigarettes.

— Ça fait que t'as pas besoin d'avoir peur le beau-frère, ajouta Yvon qui était toujours plus arrogant.

— Les gars je vous fais confiance, mais j'ai plus d'expérience que vous deux. Quand ça adonnera, je vais en parler avec votre sœur et si c'est de son dire, vous pourrez fumer dans le salon avec nous autres.

— Tu ferais ça pour nous, sans farce ?

— Oui et je pense que ce serait mieux comme ça. Mais faut que Diane soit d'accord avant.

Les garçons avaient une terrible confiance en ce beau-frère et il avait une très bonne influence sur eux.

Jules leur avait raconté comment il avait commencé à fumer très jeune avec son voisin. Il avait trouvé une vieille pipe et la première fois, ils avaient utilisé un mélange d'herbage ramassé alentour du hangar. Comme des grands, ils avaient chargé leur pipe et, tour à tour, ils avaient pris de petites bouffées en toussant un peu et en crachant à l'occasion. Ils se pensaient suffisamment entraînés et afin de faire comme le grand-père, ils avaient aspiré une bonne dose de cette mixture. Peu de temps après, Jules, qui avait de fortes nausées et qui était blanc comme neige, avait vomi sur la galerie de la maison.

— Je gagerais ma chemise que t'as commencé à fumer mon garçon ! lui avait dit pépère Labrie, amusé par l'événement.

Celui-ci se berçait à l'extérieur et il l'avait vu venir au loin. Il n'était pas dupe et s'était aperçu qu'une de ses vieilles pipes avait disparu. Il en avait quelques-unes qu'il laissait dans le bas de l'armoire à côté de son bocal contenant son tabac et en allant remplir sa blague, il avait constaté que ses affaires étaient déplacées et qu'il lui en manquait une.

— Pourquoi vous dites ça pépère? avait demandé le jeune, inquiet d'avoir été découvert.

— J'ai été jeune moi aussi. Mais j'avais été plus *smart* que toi et en empruntant la pipe, j'avais pris le tabac en même temps. Ça fait que j'avais pas fumé de la cochonnerie comme tu viens de vomir sur la galerie. La prochaine fois que tu voudras essayer ça, demande-moi-le pis j'te donnerai du bon Petit Canadien[27] et je te transmettrai des trucs. En attendant, va chercher une bolée d'eau pour nettoyer ton dégât avant que ta mère arrive.

Albert et Yvon écoutaient attentivement Jules qui était un excellent conteur et ils s'amusaient à imaginer la scène.

Ces moments en famille leur permettaient d'oublier l'ambiance oppressante qui subsistait chez eux. Ils venaient au village et faisaient le plein d'une énergie positive qui leur accordait un certain équilibre quand ils retournaient à la maison.

* * *

Lorsque l'oncle Léon se présenta au lac Brûlé cette année-là, il avait dans le coffre arrière de sa voiture un gros sac de toile rouge qu'il n'avait sorti qu'après le dîner du jour de l'An.

---

27 Petit Canadien : Variété de tabac au goût corsé que l'on cultivait au Québec.

— Les enfants, avait-il dit lentement, cette année le père Noël était pas mal mêlé d'après moi. Fernande, raconte donc aux jeunes qu'est-ce qui est réellement arrivé.

Il venait de passer le flambeau à sa femme afin qu'elle puisse elle-même diriger ce moment de pur bonheur.

— Juste avant qu'on laisse pour monter dans le Nord, Léon est sorti dehors pour partir son char et il a trouvé ce sac-là dans le banc de neige. Y avait une note dessus. C'était écrit : Chemin Ladouceur, lac Brûlé. Ça fait qu'on l'a apporté icitte, mais on sait pas encore qu'est-ce qu'y peut y avoir dedans.

Les enfants étaient excités par cet événement inhabituel. Bien sûr, la semaine précédente, ils avaient eu chacun un petit cadeau en dessous de l'arbre, alors que Rose avait pris la peine d'aller au village pour magasiner. À peu de frais, elle avait trouvé des surprises pour chacun d'eux, mais jamais elle n'aurait cru que la tante Fernande et l'oncle Léon aient pu engager des frais pour acheter des étrennes aux jeunes. Ils avaient pourtant déjà leur famille à gâter.

Léon avait donc joué le rôle de père Noël et remis à chacun des enfants son présent joliment emballé. L'ambiance était réellement à la fête et Ernest se sentait particulièrement diminué, n'ayant aucunement contribué à ces dépenses qu'il jugeait inutiles et surtout exagérées. En prétextant devoir aller mettre du bois dans son vieux poêle au garage, il avait quitté la maison le temps que les jeunes se réjouissent. Il reviendrait quand le calme serait de retour.

Cette année, mémère avait remis des sous à Fernande et elle lui avait demandé de faire ces achats à Montréal.

— Tu sais ce que les enfants pourraient aimer et toi, en ville, tu trouveras de bien plus belles affaires. Je te donne cet argent-là, mais si t'en manques, dis-moi-le et je t'en redonnerai d'autre. Ces petits-là ont pas eu la vie facile cette année et j'ai le goût de les gâter. T'achèteras des étrennes pour les tiens aussi pis pour ceux de Berthe. Je veux pas de passe-droit. Faut que ce soit égal pour tous mes petits-enfants.

C'est ainsi que Fernande et Léon avaient entrepris un magasinage de dernière minute et ils avaient acheté des crayons de couleur, des livres à colorier et des bolos pour tous les jeunes.

Les plus vieux avaient reçu des Slinky, ce jouet en métal en forme de ressort qu'on pouvait faire descendre dans les marches d'un escalier. Il y avait aussi des jeux de *Pick Up Sticks*, de longs et minces bâtonnets de différente couleur qu'on laissait tomber sur la table. Le bâton noir était utilisé comme outil pour ramasser les autres, mais le but était d'en récupérer le plus possible sans que les autres bougent.

Pierre avait reçu un cadeau assez particulier, un *Frosty Snow-Man*. C'était un bonhomme de neige en plastique avec, de chaque côté de ses pieds, deux petites bouteilles rouges. On insérait des cubes de glace dans la tête du bonhomme, on activait une manivelle et on produisait ainsi de la neige qui sortait de son ventre arrondi. On mettait ensuite dessus les essences de différentes saveurs et ça devenait une espèce de cornet.

On aurait pu croire que quelqu'un avait déboursé un surplus pour que Pierre ait ce présent si spécial, mais personne ne fit aucune allusion.

À la fin de la remise de cadeaux, Léon tournait le sac à l'envers pour montrer qu'il n'y avait plus rien à l'intérieur, au grand désarroi des enfants qui étaient surexcités par autant d'abondance.

— J'veux ben m'assurer qu'y reste rien dans le fond de cette poche-là, disait Léon en insérant sa tête à l'intérieur du sac, sachant fort bien qu'il provoquerait le rire de tout le monde.

— T'es sûr que t'as ben regardé ? insistait Fernande, qui avait manigancé cette scène avec Léon durant la semaine. T'es pas capable de trouver tes boutons de manchette dans ton tiroir, ça fait que j'ai pas ben ben confiance en toi. Donne-moi cette poche-là pour que je *checke* comme il faut !

Et Léon l'avait remis à Fernande, sous le regard amusé de la famille. Celle-ci avait plongé sa main tout au fond et elle en avait sorti une minuscule boîte emballée d'un papier particulièrement raffiné. Une jolie carte était retenue sur le dessus avec un petit cordon doré et le nom du destinataire y était inscrit.

— Léon peux-tu me dire si je lis bien ? Y me semble qu'il est écrit Fernande sur le carton, c'est-tu ben ça ?

— Ben non, tu vas être obligée de changer tes lunettes ben vite, parce qu'il est écrit en toutes lettres : « Rose ».

La jeune fille ne s'attendait pas à recevoir quoi que ce soit, maintenant qu'elle tenait la maison et s'occupait de la famille. Les cadeaux, c'était pour les enfants. Elle était tout émue et n'osait s'avancer pour prendre possession de la superbe boîte.

— Rose, je pense que le père Noël trouve que t'as été pas mal généreuse cette année. Sans qu'on te le demande, t'as abandonné ton travail pour revenir t'installer ici au lac Brûlé et prendre soin des tiens. J'apprécie ce que tu fais également pour mémère dont tu t'occupes beaucoup alors que plusieurs d'entre nous sont à l'extérieur. Il y a aussi le fait que tu auras vingt et un ans le 23 janvier prochain. Pour toutes ces raisons, je te dirais que j'ai parlé directement à *Santa Claus* et il a tenu à ce que je te choisisse un cadeau de la meilleure qualité.

C'est très émue que Rose avait pris possession de son présent, qu'elle avait développé minutieusement. Il s'agissait d'une petite boîte de velours bleu avec l'inscription « Birks », cette bijouterie réputée. À l'intérieur, elle découvrit une superbe bague en or rose ornée d'un grenat ovale, qui lui allait à merveille à l'annulaire droit.

Mémère se réjouissait d'avoir vécu une journée où la bonne humeur avait pris le dessus. D'un commun accord, il avait été entendu qu'on ne raconterait pas d'histoires et qu'on ne chanterait pas comme les autres années, le cœur n'y étant pas, mais cette remise de cadeaux avait créé une ambiance teintée de magie.

Elle savait combien d'argent elle avait remis à Fernande pour les achats et elle avait terriblement hâte d'être seule avec elle pour lui poser une question :

— Dans la carte de souhaits que tu as reçue de ton frère Georges, y aurait-il eu par hasard un chèque destiné à payer cette magnifique bague ?

CHAPITRE 16

Une dentelle de verglas

(Février 1961)

En février 1961, Rose devait aller passer quelques jours chez sa tante Fernande avec sa compagne Annette Labelle. Leur ami le chauffeur de taxi, Roméo Bélec, devait se rendre à Montréal pour aller chercher quelqu'un et leur avait offert de les conduire gratuitement, ce qu'elles n'avaient pu refuser. Elles n'auraient à payer que leur billet d'autobus pour le retour, une aubaine qu'elles ne voulaient absolument pas manquer.

Ce fut donc le matin du samedi 25 février qu'ils partirent très tôt, puisque Roméo devait être chez son client à dix heures, pas une minute de plus. Il tombait une faible neige mouillée et le temps était décidément clément. Les habitants en riaient, car ils disaient que le printemps serait hâtif cette année-là. Cependant, tout au long de la route, le climat changea graduellement en pluie avec de fortes bourrasques, transformant peu à peu le tout en verglas. La chaussée était tellement glacée que ça donnait l'impression et la sensation que l'on circulait sur un interminable miroir.

Rose paraissait quelque peu inquiète, mais elle mettait toute sa confiance en son ami Roméo. Elle le savait prudent et expérimenté.

Pour sa part, Annette avait une peur bleue et ne semblait pas vouloir croire en qui que ce soit. Elle n'aimait déjà pas faire de longs voyages en automobile, elle qui continuait de penser que c'était beaucoup moins risqué du temps où l'on se fiait aux chevaux et à leurs charrettes plutôt qu'à ces engins du diable.

— Roméo, arrête aussitôt que tu pourras, c'est ben trop glissant, on va se tuer, lui dit Annette, qui devenait de plus en plus hystérique.

— C'est pas dangereux, Annette, calmez-vous ! demanda gentiment, mais fermement Roméo, qui avait quand même l'habitude des personnes de la campagne rébarbatives à ces escapades vers la métropole. On peut rouler tranquillement. Petit train va loin, ajouta-t-il pour essayer de l'apaiser un peu.

— On ne sera pas mieux si on se tue avant d'arriver, rétorqua-t-elle, au bord des larmes.

— Ben voyons Annette, Roméo c'est un bon chauffeur, tu devrais te raisonner, argumenta Rose convaincue que Roméo était en plein contrôle de la situation.

— J'aurais ben dû rester chez nous à Sainte-Agathe au lieu de te suivre. Comment est-ce qu'on va pouvoir revenir avec un temps pareil ?

— Calme-toi Annette, arrête de faire l'enfant. Ça paraît que t'es pas sortie souvent de ton village, t'es peureuse comme un lièvre, avait sermonné Rose avec une intonation ironique, clouant le bec de sa compagne.

La peur de celle-ci se changea subitement en frustration. De quel droit sa copine se permettait-elle de lui parler sur ce ton?

Rose jugeait que Roméo avait besoin de tous ses sens pour manœuvrer son véhicule et qu'il n'était pas souhaitable qu'il soit distrait par des enfantillages. Elle savait que celui-ci occupait cet emploi depuis qu'il pouvait conduire, et, de plus, il prenait soin de sa voiture tout autant qu'il dorlotait sa femme, et ce n'était pas des blagues.

Roméo, pour sa part, avait bien essayé de sécuriser ses passagères, mais il était lui-même surpris de la tournure des événements. Il avait vu bien du mauvais temps dans sa vie, mais ce jour-là, c'était vraiment particulier. Il avait l'impression d'avoisiner la période des fêtes, alors qu'on était à l'aube du mois de mars.

Enfin, ils arrivèrent chez la tante Fernande avec plus de trois heures de retard et ils entrèrent tous les trois, épuisés par tant d'énervement. Annette avait réellement tapé sur les nerfs de Roméo, qui avait pourtant la réputation d'avoir une patience angélique. Il se réjouissait de savoir que les filles avaient prévu retourner à Sainte-Agathe-des-Monts en autobus.

Le chauffeur avait bien besoin d'un bon café et il voulait en même temps téléphoner à son client pour l'aviser qu'il ne pourrait reprendre la route tout de suite; il était préférable d'attendre que la pluie se calme un peu et que l'on ait fait un épandage de sel ou de sable sur la chaussée. Il fut entendu qu'ils se rappelleraient plus tard dans l'après-midi.

La tante Fernande profita de la visite imprévue pour faire un excellent dîner et rassembler tout le monde autour de la table. Les enfants étaient tous à la maison et elle leur avait bien spécifié qu'il n'était pas question de sortir à l'extérieur, ils visiteraient leurs copains une autre fois. Quand il y avait du mauvais temps, elle préférait avoir tous les siens alentour d'elle. Elle n'hésitait jamais à leur faire manquer un jour de classe en pareille situation. Elle disait toujours à Léon que ce n'était pas quelques heures de plus ou de moins qui en feraient des avocats! De toute façon, on avait de la visite et c'était la politesse qu'ils restent afin de voir leur cousine Rose et ses amis.

La température rigoureuse fit en sorte que tout le monde se retrouva au salon à plaisanter avec Roméo, qui racontait, avec beaucoup de verve, les nombreuses péripéties d'un chauffeur de taxi à la campagne. Bien sûr, il faisait attention devant les enfants et modifiait certaines situations afin qu'elles soient acceptables pour leurs chastes oreilles. Il y avait cependant des phrases que l'on pouvait aisément interpréter à double sens et les adultes s'amusaient ferme de voir les jeunes rire à crédit[28].

— Encore une autre, Monsieur Roméo, disaient les gamins qui n'avaient pas rigolé ainsi depuis très longtemps.

— C'est correct, mais c'est la dernière. Imaginez-vous donc que la semaine dernière, j'ai fait monter dans mon

28 Rire à crédit: sans comprendre le sens.

automobile une vieille dame qui revenait de la confesse. Elle était enragée noire, fâchée après monsieur le curé qui lui avait donné une pénitence bien particulière. Elle s'était accusée d'avoir mangé des bines au lard un vendredi, alors qu'elle aurait dû jeûner.

— C'était quoi sa pénitence, Monsieur Roméo? demanda Denis, le plus curieux de tous les enfants du quartier.

— Eh bien, leur raconta Roméo en imitant monsieur le curé, il lui a déclamé ceci d'un ton autoritaire: «Ma bien chère enfant, pour une dame de votre âge, pratiquement la doyenne du village, quelle faute terrible vous avez commise. Heureusement que le Seigneur est bon et qu'il vous pardonnera, pourvu que vous disiez un rosaire et que pendant la prière vous vous absteniez de péter, même si vous en avez envie.»

Les enfants se mirent à rire en cœur avec les grands, qui savaient bien que Roméo avait le tour de raconter des blagues. Tout le monde passa un après-midi joyeux même si dehors la température semblait ne pas vouloir s'améliorer. La pluie était toujours aussi intense et le froid de fin de journée fit en sorte qu'en peu de temps, tout fut recouvert d'une épaisse couche de givre.

Impossible pour le chauffeur de taxi de reprendre la route. On ne voyait ni ciel ni terre.

Ils jouèrent aux cartes en s'éclairant à la lampe à l'huile, car très tôt dans la soirée il y eut une panne de courant. Fernande alluma également des cierges bénis afin de conjurer le mauvais sort, comme le faisait sa mère durant les orages quand elle vivait au lac Brûlé. Très croyante, elle avait conservé ces coutumes familiales.

Les enfants eurent le droit de veiller avec les adultes et ceux-ci racontèrent comment ça se passait dans le temps où l'électricité n'existait pas.

— Ça me fait penser au temps où il fallait qu'on aille à la bécosse en arrière de la maison, commença le chauffeur de taxi habitué de narrer des histoires dans l'unique but de divertir les gens.

— Vous avez connu ça, Monsieur Roméo, des bécosses? demandèrent-ils. Pouvez-vous nous expliquer comment c'était faite parce que maman veut jamais nous en parler! On dirait qu'elle est gênée de ça.

— C'est pas parce que je suis gênée, mais c'est pas tellement des souvenirs que j'aime brasser, répliqua Fernande pour se justifier. Mais si monsieur Roméo est d'accord pour vous raconter comment ça se passait, je suis certaine qu'il le fera d'une façon qui sera plus gaie que ce que j'en ai dans ma pauvre mémoire!

— Me voilà professeur asteure et dans un domaine assez particulier. Eh bien! Même si je ne suis pas un ingénieur, je peux vous en parler un peu. C'est comme une minuscule maison, mais ousse qu'on n'aime pas rester trop longtemps. Quand j'étais jeune, la nôtre avait à peu près seize pieds carrés pis six ou sept pieds de hauteur. Dans ça, il y avait comme un petit banc fermé avec un trou sur le dessus pour pouvoir s'asseoir. J'ai même vu à des places que du monde avait fait deux trous, un à côté de l'autre.

— Ça veut dire qu'y fallait aller à la toilette avec quelqu'un d'autre? demanda Julie qui, en plein dans l'adolescence, s'imaginait très mal devoir partager cet endroit avec qui que ce soit.

— Tu sais ma jeune fille, quand t'as le va-vite[29] et que t'es ben pressé pour te soulager, t'es pas mal moins gêné, lança Roméo en ricanant.

— Mais ça devait puer là-dedans? renchérit Denis, se plissant le nez à s'en défaire la figure.

— Des fois oui, pis des fois non, ça dépendait de celui qui l'avait visité avant. Mais mon père prenait pas mal soin de ça. Il mettait de la chaux régulièrement dans le trou et ça tuait les odeurs pis ça éloignait la vermine.

— Mémère Potvin nous racontait que vous utilisiez des catalogues pour vous essuyer.

— Pas juste pour ça! dit-il en regardant Léon et Fernande du coin de l'œil, les prévenant de bien écouter ses propos, qui ne s'adresseraient probablement pas qu'aux enfants. Moi je gardais toujours certaines sections du catalogue pour la lecture et à la place, je me torchais avec des feuilles du journal. Mais c'est vrai que le papier glacé était plus doux que celui de *La Presse* ou de *La Patrie*, ajouta-t-il en riant et en se tapant sur les cuisses.

Fernande détourna la conversation vers un autre sujet afin d'éviter quelques débordements possibles. On s'affaira ensuite à installer des lits de fortune puisque tout le monde devait rester à coucher sur les lieux.

Très tôt le lendemain matin, Roméo se leva avec l'espoir de pouvoir reprendre la route de bonne heure.

---

29 Va-vite: diarrhée.

Il eut malheureusement une mauvaise surprise quand il regarda dehors. Le vent avait cessé, mais c'était comme si toute la ville de Montréal avait été arrosée et mise dans une immense glacière. Les bâtisses et les arbres étaient tous recouverts d'une épaisse dentelle de glaçons. C'était magnifique, mais en même temps désolant. Il espérait que cette tempête ne touchait pas le Nord, comme on nommait communément les Laurentides, car sa femme était seule à la maison avec les enfants. Il avait tenté de l'appeler la veille au soir, mais la ligne téléphonique était en dérangement. Il essaierait à nouveau de la joindre durant la matinée. En plus de perdre une autre journée de travail, il s'inquiétait pour les siens. Il ne voulait pas qu'ils manquent de quoi que ce soit. Il adorait sa belle Gisèle et savait qu'elle était terriblement nerveuse quand elle n'avait pas de nouvelles pendant de longues périodes.

Fernande et son mari, Léon, se levèrent à leur tour et vinrent trouver Roméo dans la cuisine. Ils constatèrent qu'il n'y avait toujours pas d'électricité. Heureusement, ils avaient une fournaise à l'huile au milieu de la place pour les réchauffer. Bien que l'odeur du mazout soit parfois déplaisante, il était réconfortant de ne pas être à la merci de l'énergie électrique pour tout ce que l'on utilisait et surtout le chauffage du logis.

Il fallait donc improviser un déjeuner froid : des céréales et des bananes pour tout le monde.

— Pensez-vous que ça peut durer longtemps, Monsieur Léon ? demanda Roméo à son hôte qui ne parlait que très peu.

— Difficile à dire, parce que c'est pas du temps qu'on est habitués d'avoir par icitte. Les températures changent, on a l'impression que les hivers sont plus les mêmes. C'est pas nous autres qui menons ça, c'est le gars d'en haut.

— J'peux pas reprendre la route de même, je risque ben trop d'avoir un accident et j'voudrais pas *scrapper* mon taxi, c'est quand même mon gagne-pain.

— Restez avec nous, vous repartirez quand ça sera plus beau. Ça ne devrait pas durer plus d'un mois, répondit Léon en blaguant, pour soulager l'inquiétude du jeune homme, qu'il savait soucieux de se trouver loin de sa famille dans de telles circonstances.

— J'espère, ajouta Fernande, sinon monsieur Roméo va manquer d'histoires à nous raconter.

Et les autres sortirent du lit en entendant des rires provenant de la salle à manger. Rose et Annette étaient déçues de ne pas pouvoir aller magasiner, mais elles pourraient finalement retourner avec Roméo étant donné qu'il ne prendrait la route que quelques heures plus tard, lorsque la température serait plus clémente.

Roméo espérait que la petite Labelle serait moins nerveuse sur le chemin du retour.

Pour les deux filles, ça aurait été une visite à Montréal unique en son genre. La moins dispendieuse qu'elles avaient faite jusqu'à présent; elles se reprendraient sûrement plus tard au printemps.

Les 25 et 26 février 1961, il tomba sur la ville de Montréal plus d'un pouce d'une pluie verglaçante avec des rafales atteignant près de quatre-vingts milles à l'heure. La métropole connut alors l'une des pires tempêtes de verglas de son histoire.

Somme toute, le joyeux trio revint à Sainte-Agathe-des-Monts après trois jours de camping chez la tante Fernande et avec plein d'anecdotes à raconter relativement à cette tourmente hivernale dont ils se souviendraient longtemps.

* * *

Cette petite escapade à Montréal au milieu de l'hiver avait redonné de la vitalité à Rose, qui réintégra la maison familiale beaucoup plus gaie. Elle reprit donc son travail de tous les jours avec plus d'enthousiasme.

La saison de ski s'était terminée tôt au mont Sauvage. Ernest, maintenant au chômage, avait entrepris de faire les sucres. Sa mère avait insisté pour mettre la main à la pâte en se chargeant de faire bouillir le sirop. Ces longues journées passées dans la forêt eurent pour effet de distraire la vieille dame qui délaissa momentanément son chapelet et son missel. Elle clôtura même la saison en servant un délicieux dîner directement à la cabane à sucre; un repas à la bonne franquette où toute la famille Potvin fut conviée. L'ambiance était festive et Jules Labrie, le mari de Diane, y était pour quelque chose. Cet ingénieur de Bell avait l'air sérieux comme un pape et quand il racontait une histoire, son auditoire le croyait jusqu'à ce qu'il réalise qu'il était mené en bateau.

Chaque fois que la famille était réunie, il en profitait

pour relater la fois où mémère mangeait de la tire sur la neige et que son dentier était ressorti collé à la toque de tire d'érable. Ce bref récit faisait toujours rigoler la gang et la grand-mère Potvin, avec les années, en riait elle aussi de bon cœur. Qu'il faisait bon maintenant de voir tout le monde s'amuser sans ressentir aucune animosité! Fallait-il qu'ils passent au travers de tant d'épreuves pour enfin apprendre à vivre ensemble?

Avec l'arrivée du printemps, signe de renouveau, Rose avait entrepris un grand ménage en lavant plafond et murs de chacune des pièces. Elle avait convaincu son père de faire peinturer la cuisine, qui en avait grandement besoin. On avait fait appel à monsieur Paquette, un peintre du village qui travaillait comme un artiste. Il maniait le pinceau comme un magicien manipule sa baguette, et les résultats étaient tout aussi extraordinaires.

Rose avait soigneusement lavé tous les cadres religieux qu'elle avait ensuite replacés au même endroit, comme c'était la coutume. Il y avait celui de sainte Thérèse de l'Enfant-Jésus tenant un crucifix et une gerbe de roses, celui de saint Joseph avec sa barbe qui tient le petit Jésus, dont les cheveux sont tout bouclés, et celui de l'ange gardien, qui l'impressionnait le plus.

C'était l'image d'un bel ange gardien aux longues ailes déployées qui se tenait à côté du lit d'un petit enfant qui dormait, avec à son chevet une petite fille qui devait le surveiller et qui ne semblait pas avoir connaissance de l'être protecteur qui la secondait dans son travail de gardienne. Lorsqu'elle était jeune, Rose s'était souvent sentie observée quand elle dormait et cette image était responsable de ses périodes d'insomnie.

Maintenant que tout était bien nettoyé, il ne restait plus que le prélart à changer et Rose envisageait d'aller faire un tour au magasin Paquin à Sainte-Agathe-des-Monts, afin de vérifier si elle pouvait trouver quelque chose d'abordable, même si ce n'était pas un luxe de remplacer le vieux couvre-plancher.

Mémère avait offert d'en défrayer le coût. Elle avait quelques économies de côté, car au moment où l'on avait découvert le corps de son mari dans les décombres de leur maison, il tenait fermement dans ses bras le fameux pot de grès dans lequel il avait habilement dissimulé ses épargnes à l'insu de son épouse depuis plusieurs années. Il y avait un peu plus de trois mille dollars dans sa cachette.

Ernest avait été le premier à trouver son pauvre père et il avait sûrement considéré le fait qu'étant donné que le sort l'avait durement éprouvé, il était préférable qu'il ne s'approprie pas cet argent. Comme un bon fils se doit de le faire, il avait remis la somme complète à sa mère. Elle avait ainsi pu s'acheter de nouveaux vêtements et différents articles essentiels. Elle en avait profité pour faire l'inventaire des gréements de couture de sa défunte bru, et avait par la même occasion fait l'achat de morceaux de tissu pour confectionner des habits pour les enfants.

À Pâques, Pierre porterait fièrement un pantalon noir avec une magnifique chemise blanche que sa grand-mère lui avait fabriqués. Rose, pour sa part, lui avait tricoté un débardeur et lui avait acheté ce qu'elle appelait une *necktie*[30] pour compléter son costume. Il aurait l'air d'un petit prince. Il étrennerait orgueilleusement cet ensemble pour se rendre à la vigile pascale avec sa sœur Diane, qui l'avait invité à venir coucher chez elle après la cérémonie. Elle aimait bien ce gentil garçon que son père avait renié sans toutefois l'avouer ouvertement.

Cette nouvelle année se déroulait somme toute beaucoup mieux que la précédente et tout le monde s'en trouvait ravi. Yvon continuait de livrer le lait avec monsieur Latreille au village et le contact avec cet homme joyeux semblait déteindre sur le jeune employé qui, pour le plus grand plaisir de sa grand-mère Potvin, avait pris l'habitude de fredonner quelques ritournelles à l'occasion. La preuve, selon elle, du vieux dicton « qui se ressemble, s'assemble » !

Albert n'attendait que la fin de son année scolaire pour gagner sa vie à temps plein auprès de son nouvel employeur, monsieur Arthur Masson, le gérant général chez J.L. Brissette Limitée. Cette compagnie distribuait les réputés produits Coca-Cola. Monsieur Masson attendait qu'il ait atteint seize ans avant de l'embaucher et en bon père de famille, il tenait particulièrement à ce qu'Albert termine sa neuvième année au Collège Sacré-Cœur. Il le ferait travailler au tout début dans le bureau, à répondre au téléphone. Il pourrait également remplacer les livreurs sur la route, advenant que ceux-ci doivent s'absenter.

---

30 *Necktie* : cravate.

Cette florissante entreprise de boissons gazeuses avait été fondée au début du siècle, soit en 1911, par monsieur Jean-Louis Brissette, lequel, particulièrement avant-gardiste, y avait investi toutes ses économies. Ce jeune entrepreneur avait auparavant été coursier pour la compagnie C.P.R., à Sainte-Agathe-des-Monts, ce qu'on appelait à l'époque un porteur de messages.

Ces liqueurs pétillantes donnaient du courage, selon les dires du temps. La fabrique offrait aussi les propres recettes de monsieur Brissette, des breuvages à la cerise, à la fraise et au raisin. Cet homme audacieux avait un jour persuadé des membres du gouvernement provincial d'entretenir la route entre Saint-Jérôme et Sainte-Agathe-des-Monts durant tout l'hiver, afin de lui permettre d'effectuer la livraison de ses produits jusqu'à Saint-Jérôme. Cela avait contribué à l'essor économique de la région, qui était maintenant accessible en tout temps, non seulement par le transport ferroviaire, mais également par les grandes routes.

C'était pour Albert un emploi d'avenir, car il envisageait d'occuper un poste administratif. Il adorait les chiffres et avait un talent particulier pour l'écriture. Il avait été référé pour ce travail par le patron de son frère, monsieur Latreille, qui connaissait bien la famille Brissette. L'honnêteté et la ponctualité étaient les principaux atouts pour exercer cette fonction et Albert attendait impatiemment le mois de juin pour entreprendre son boulot.

Il serait préférable pour ses nouvelles activités qu'il demeure au village et, bien naturellement, c'est chez sa sœur Diane qu'il prévoyait rester lui aussi, en espérant se trouver rapidement une chambre dans une pension, mais à un coût abordable. Il avait hâte de quitter la demeure familiale où il sentait le spectre de sa mère. Il voulait amorcer une vie bien à lui, d'autant que la solitude ne l'effrayait aucunement.

Travailler et devenir indépendant pour vivre en toute liberté, telle était sa vision de l'avenir.

Rose voyait la famille éclater très lentement. Chacun circulait sans faire de vague, mais avec la ferme intention de fuir un jour. Elle seule se croyait obligée de rester, pour s'assurer de la bonne marche de la maisonnée avec sa grand-mère âgée. Trois jeunes étaient encore à la maison, Yvon qui avait eu quatorze ans en janvier, Pierre, qui aurait huit ans en avril, et le cadet, Simon, dont on soulignerait bientôt les deux ans. Il lui était impossible d'abandonner ces petits êtres innocents. Elle avait appris à les aimer comme sa mère l'avait fait auparavant, avant qu'on ne tue l'entrain et la soif de vivre qui l'habitaient. Pauline avait quitté le jeu imaginant avoir perdu la partie, ou plutôt n'ayant plus les atouts pour se battre suffisamment. C'était un beau message de courage finalement, se disait Rose. Au plus profond de son chagrin, cet hiver-là, elle pensa que jamais elle n'aurait pu commettre un geste semblable. La vie valait la peine d'être vécue et elle voulait croire que le bonheur l'attendait quelque part.

Si un jour elle avait assumé la maisonnée du lac Brûlé avec le projet de venger sa mère, elle se trouvait maintenant prise à son propre jeu. Son père avait dû se plier à sa façon de faire les choses, mais elle n'était pas assez maligne pour lui faire encore traverser mille et un tourments. Quelqu'un d'autre un jour se chargerait de lui remettre la monnaie de sa pièce, mais ce ne serait pas elle.

* * *

Monsieur Thompson téléphona vers la mi-juin pour prévenir Ernest de son arrivée et c'est Rose qui répondit.

— Bonjour Rose, c'est monsieur Thompson.

— Oui, prononça-t-elle à voix basse, surprise d'entendre sa voix.

— Je voudrais que tu fasses le message à ton père que cette année, j'arriverai plus tôt que d'habitude.

— Je vais lui dire sans faute. Vous pouvez compter sur moi.

— Demande-lui de faire le nécessaire pour ouvrir la maison avant la fin de semaine du 24 juin, au plus tard.

Elle conserva tant bien que mal son calme et lui garantit que son paternel serait avisé dès qu'il rentrerait à la fin de la journée. Il s'informa si, pour sa part, elle serait toujours disponible pour les travaux ménagers du mercredi et elle lui confirma que ça lui ferait grand plaisir. La conversation ne fut que de très courte durée, le ton monocorde de William, ne laissant rien transpirer. Il la salua cependant en disant : « Bon après-midi, Rose, et à bientôt. »

« À bientôt », avait-il mentionné en dernier lieu. C'était suffisant pour raviver la flamme qui crépitait en elle depuis l'automne précédent. Dans moins de trois semaines, le beau William Thompson serait à nouveau dans les parages. Elle pourrait se contenter de le croiser à l'occasion, à défaut de plus. C'était mieux que tout ce qu'elle avait vécu loin de lui tout au long de l'hiver.

Dès le lendemain, elle demanderait subtilement à son père d'aller faire le nécessaire pour l'ouverture du chalet, dès qu'il le pourrait, car, lui dirait-elle bien que ce soit un mensonge, son patron avait insisté pour qu'un ménage en profondeur soit fait cette année à sa résidence d'été. Elle aurait ainsi tout le loisir de passer du temps dans cette magnifique maison, avant que la famille Thompson ne vienne s'y installer pour la saison.

Ernest attendit quelques jours avant de se rendre chez celui qu'il appelait cyniquement depuis longtemps son bourgeois. Il ouvrit l'eau et l'électricité puis entreprit de nettoyer le garage en prévision de l'arrivée des touristes. Il n'aimait pas faire ce travail quand monsieur Thompson était alentour, car il ne pouvait pas toujours s'approprier ce qu'il jugeait inutile pour un homme aussi riche que son patron. De nombreux outils et matériaux avaient ainsi changé d'adresse au cours des dernières années et il était bien certain que ça passait inaperçu. Il considérait cela comme un dû, un pourboire que son bourgeois ne lui donnait pas et que, selon lui, il méritait largement. Il se faisait alors justice lui-même et jusqu'à maintenant, personne n'avait rien remarqué d'anormal. Ces richards vivaient tellement dans l'abondance qu'ils ne savaient même pas ce qui leur appartenait réellement. C'est du moins ce qu'Ernest croyait.

Rose se présenta donc un beau matin à la maison

d'été, afin d'entreprendre le ménage. Elle passa la première heure assise sur le divan style victorien du salon, là où tout avait commencé. Elle se remémora chaque instant, chaque mot, chaque geste accompli. Elle se dit finalement qu'elle devait se secouer sinon elle ne pourrait pas s'acquitter de ses tâches adéquatement. Elle ne voulait surtout pas lui déplaire et ainsi lui offrir une bonne raison pour engager quelqu'un d'autre. Qui sait si Adéline Gagnon n'aimerait pas occuper son poste, maintenant que son fils Euclide était parti travailler dans l'Ouest canadien. Elle était désormais seule et avait tout le loisir de prendre plus de boulot.

Elle revint donc à plusieurs reprises pour soi-disant prendre soin de la maison, mais en fait, elle se promenait dans chacune des pièces en touchant à tout et en rêvant de pouvoir faire une aussi belle vie. Elle fit tout de même les travaux de nettoyage nécessaires avant l'arrivée de la famille, qui étaient cependant moins exigeants que ce qu'elle avait mentionné pour justifier tout ce temps hors de chez elle. Elle astiqua la superbe télévision sans oser l'allumer cette fois-ci, de crainte que son père ou un de ses frères la surprenne en flagrant délit d'indiscrétion.

Le vendredi 23 juin, bien que tout fût en ordre dans le chalet, elle s'y pointa à nouveau pour prétendument terminer les derniers préparatifs. Elle fit encore une fois le tour de la demeure pour s'assurer qu'elle n'avait rien oublié et surtout pour s'imprégner de l'odeur masculine qui y régnait. Quand elle se rendit dans la chambre principale, elle ouvrit la penderie et poussa l'audace jusqu'à se vêtir d'une magnifique robe soyeuse appartenant à madame Thompson, de couleur saumon avec une dentelle ornant le cou et les manches. Le décolleté avantageait sa poitrine pulpeuse, et la ligne de ses hanches, magnifiquement galbée et seyante à ravir, en faisait un modèle de beauté.

Rose était émerveillée par la douceur du tissu qu'elle savait hors de prix. Elle ne porta donc pas attention aux bruits de pas pesants de William qui montait l'escalier. En pénétrant dans la chambre, il fut stupéfait d'y découvrir la femme qui avait occupé ses rêves et ses pensées depuis tant de mois. Loin d'être frustré du cran de son employée qui avait outrepassé ses droits, il s'avança doucement et la prit par la taille pour finalement la faire pivoter vers lui.

— Monsieur Thompson, qu'est-ce que vous faites ici aujourd'hui ?

— Tu n'es pas content de me voir ma belle Rose ?

— Mais votre femme pourrait monter et nous trouver ensemble !

— Ne t'inquiète pas, je suis seul ; madame Thompson est à nouveau hospitalisée, je ne sais pas quand elle pourra revenir à la maison.

Sans en dire plus, il déposa sur les lèvres de Rose un baiser qu'une longue attente avait nourri. Crispée de stupéfaction au départ, elle s'abandonna finalement à ce contact charnel tant désiré. Sans aucune parole, il entreprit de la dévêtir tout doucement et de réaliser le fantasme de ses nuits hivernales, soit de caresser de ses doigts cette peau chaste et pure. Plus rien ne l'empêcherait d'assouvir le besoin de joindre son corps à celui de cette jeune vierge qui, tout comme lui, ne demandait qu'à atteindre les sommets de l'extase.

Il lui fit l'amour comme il l'avait tant souhaité et elle se laissa guider par les mains habiles de celui en qui elle avait toute confiance pour l'initier aux plaisirs de la chair.

CHAPITRE 17

Amour gai, amour triste

(Été-automne 1961)

Ce jour-là, Ernest avait trouvé preneur pour son camion en se rendant dîner chez sa sœur qui demeurait sur la rue Foucher à Montréal. Il avait accepté d'apporter quelques boîtes ainsi qu'un vieux meuble à la résidence principale de monsieur Thompson à Westmount, et en même temps, il en avait profité pour faire une visite à Fernande, son aînée.

En passant sur la rue Lajeunesse, où se trouvaient plusieurs garages de voitures usagées, il avait eu l'idée d'aller voir ce qu'on lui donnerait pour son véhicule. Il se disait que dans une ville si dense, personne ne saurait que par un beau matin, son épouse légitime avait commis l'irréparable en mourant par asphyxie dans ce camion tout neuf.

Bien qu'il ait eu beaucoup de peine, il en voulait terriblement à Pauline qui était responsable de la dépréciation majeure de son bien.

Le vendeur qu'il rencontra était plus petit que lui, ce qui flatta Ernest dont l'ego se fragilisait au contact des personnes plus élancées, tout particulièrement des femmes. Il le trouva cordial et courtois, voire un peu trop. Chaussé de souliers dont les talons semblaient le grandir anormalement, il faisait le fier-pet[31] dans son singulier habit à carreaux qui s'apparentait aux teintes de coussins décoratifs. On aurait cru qu'il était propriétaire du garage, tant il se vantait d'avoir la plus grosse clientèle du nord de la ville. En tout autre temps, cette rencontre aurait pu ressembler à une bataille de coqs, mais ce jour-là, le bonhomme Potvin se devait d'être plus rusé s'il souhaitait parvenir à ses fins.

La propreté et l'état général du véhicule ne laissaient personne indifférent d'autant plus qu'il avait un millage anormalement bas.

— Vous savez, Monsieur, que si je n'avais pas besoin d'argent, je ne vendrais jamais mon *truck*, mais avec les malheurs qui me sont arrivés, je n'ai pas tellement le choix si je veux que mes enfants continuent de manger trois repas par jour.

— Je vous comprends bien, Monsieur Potvin, mais je dois considérer que j'ai déjà un gros inventaire de véhicule de ce genre. Je dois cependant avouer que le vôtre est particulièrement propre. On jurerait que personne ne s'est jamais assis sur le côté du passager.

— La dernière personne qui s'est assise à côté de moi dans ce camion-là, c'est ma pauvre femme que j'allais conduire à l'hôpital pour accoucher de mon petit dernier, raconta tristement Ernest en faisant semblant de

---

31 Fier-pet : prétentieux.

s'éponger les yeux avec son mouchoir à carreaux rouges.

Le vendeur ne semblait pas savoir quoi dire pour détourner la conversation. Il avait l'impression d'entrer effrontément dans l'intimité d'un vieil homme et ça le mettait mal à l'aise. Ernest, qui avait flairé son trouble, en profita pour compléter son récit empreint de balivernes.

— Ma pauvre femme avait une santé fragile, et pis elle est morte en accouchant du dernier fils que la vie m'a donné. Si vous saviez les montants d'argent que j'ai dû laisser au docteur et à l'hôpital pour couvrir tous les soins. J'ai même été obligé d'engager une nourrice pour s'occuper de cet enfant-là. Jour après jour, j'accumule les dettes et ça m'inquiète terriblement. Si je pouvais vendre mon *truck* et me greyer[32] d'un qui serait un peu moins cher, ça me permettrait de payer tout le monde et surtout de garder mon nom.

L'employé coupa court à l'interminable causerie et entreprit de faire une brève inspection du véhicule qui s'avérait impeccable. Il fit ensuite une offre qui sembla relativement raisonnable dans la présente situation. La décision ne fut pas longue à prendre et Ernest en acheta immédiatement un autre en retour. Il fit l'acquisition d'un véhicule un peu plus vieux de quelques années, mais avant tout, libre de souvenirs traumatisants.

C'est ainsi qu'il troqua son camion bleu pour un rouge et c'est le cœur plus léger qu'il revint finalement chez lui le soir. Il avait ainsi l'impression d'avoir réussi

---

32 Greyer : équiper.

à tourner une page d'histoire et de pouvoir dès lors recommencer à vivre normalement.

Cet été-là se déroula calmement, sans qu'aucun drame vienne assombrir les journées ensoleillées pleines de promesses d'avenir.

Dans la maison des Potvin, c'était la grand-mère qui menait maintenant la barque, et ce, avec l'assentiment de Rose, qui n'avait aucun problème à lui laisser le contrôle. Elle respectait Amanda beaucoup trop d'ailleurs pour lui ravir le pouvoir. L'aïeule avait apporté de la sérénité dans un lieu qui avait pendant des années été marqué d'agressivité, de reproches et de critiques. Tout le monde s'en portait mieux et le bonheur semblait à nouveau pouvoir prendre racine au fond du cœur de chacun.

Rose se concentrait sur les travaux à effectuer à la maison de William où elle se rendait maintenant deux jours par semaine, en plus des repas qu'elle devait préparer en remplacement de madame Gagnon. Monsieur Thompson avait gentiment remercié celle-ci au printemps, prétextant ne plus avoir besoin de ses services, mais en retour, il lui avait trouvé un poste de dame de compagnie pour la mère d'un ami anglophone demeurant dans la région. Tout le monde était content puisque ce nouvel emploi était beaucoup plus stable et mieux rémunéré pour la veuve.

Tout allait pour le mieux et tout comme la rivière, le temps s'écoulait calmement sur ce lot de terre où les inondations étaient beaucoup plus fréquentes que les sécheresses.

À l'automne, William retourna à Montréal comme les années précédentes. Pendant tout l'été, il avait entretenu avec Rose une liaison amoureuse tout en lui demandant à maintes reprises de ne pas avoir d'attentes. Il lui expliquait qu'il ne pouvait lui accorder l'exclusivité, puisqu'il était marié. Elle lui répétait qu'elle comprenait la situation, et qu'elle était satisfaite du temps qu'il lui octroyait.

La veille de son départ, ils semblaient ne plus pouvoir se séparer l'un de l'autre. Contrairement à ce qu'il avait prévu comme adieu, il n'avait pu se contenir et il lui avait fait l'amour avec la passion du désespoir. Il savait qu'il n'avait pas le droit de prendre en otage le cœur de cette jeune biche ; il y avait trop de risques de la blesser. Avant qu'elle ne le quitte, William avait encouragé Rose à profiter de sa jeunesse en sortant avec des amies et en rencontrant d'autres garçons.

— Tu comprends Rose que j'ai des obligations envers ma famille et que je ne suis pas en mesure de t'accorder une place dans ma vie.

— Je sais William, et je ne te demande rien. Mais je te jure sur mon âme que je resterai ici et que je patienterai jusqu'à ton retour.

— Je ne veux pas que tu m'attendes, il te faut vivre avec des gens de ton âge. Tu es jeune et belle. Profite de cette période de ta vie qui ne reviendra jamais ; je ne dois aucunement faire partie de tes projets d'avenir.

Et cette nuit-là, elle s'étendit sur son lit, mais le sommeil ne venait pas. Elle détacha sa longue jaquette et palpa ses seins, en songeant que plus personne ne les caresserait maintenant que son amant quittait la campagne. Comment ferait-elle pour survivre alors qu'il n'y aurait plus personne pour nourrir son corps de passion ? Elle s'endormit finalement, recroquevillée, en pleurant sur son malheureux destin.

Elle se leva tôt afin de le voir une dernière fois avant son départ, mais en arrivant chez lui, elle constata malheureusement qu'il était déjà parti. Après leur conversation de la veille, William avait préparé ses bagages et il avait pris la route avant que le jour ne vienne éclairer le superbe lac qu'il quittait souvent à regret. Aujourd'hui, il souhaitait justement éviter une rencontre fortuite avec celle qui l'avait ensorcelé par sa beauté, sa vivacité et la pureté de son âme. Elle lui avait permis momentanément d'oublier la triste existence qu'il avait auprès d'une femme dont l'esprit était constamment habité par la mélancolie.

Il devait absolument reprendre sa vie en main...

* * *

Rose passa l'automne et l'hiver à lire des romans d'amour, à se morfondre et parfois même à pleurer pendant de longues heures durant la nuit. Le jour, elle s'activait aux tâches ménagères avec mémère Potvin et elle jouait un peu avec le petit Simon. En après-midi, elle allait souvent faire d'interminables marches et ses pas la conduisaient inévitablement vers la maison de William, où elle prenait alors de grandes respirations. Elle avait ainsi l'impression d'emmagasiner un peu du monde de son bien-aimé à l'intérieur de ses entrailles déchirées par l'ennui.

Pour combattre son mal de vivre, elle avait commencé à écrire son journal tous les jours, et ce, afin de coucher sur papier ses états d'âme. Elle rédigeait ses textes comme si elle s'adressait à son bel amour, qu'elle évitait de nommer de crainte que quelqu'un ne trouve un jour ce document. Dès qu'elle apposait un point final au bas de la page, elle était plus sereine. Elle dissimulait ensuite son trésor dans la garde-robe de sa chambre à coucher en dessous de la longue boîte qui contenait les souvenirs que l'on conservait depuis de nombreuses années, voile de mariée de sa mère, robe de baptême familiale, bonnet de coton que son arrière-grand-mère portait et autres reliques, le tout protégé par une petite pochette dans laquelle il y avait une dizaine de boules à mites. On ne déplaçait cet emballage qu'au moment de faire le grand ménage et c'est une tâche qui lui incomberait cette année. Elle pouvait donc dormir en paix en sachant ses écrits en sécurité.

Et puis l'hiver sembla vouloir se terminer. La fonte des neiges et les activités de la cabane à sucre faisaient miroiter à Rose que dans plus ou moins trois mois, son bel amour serait de retour. Elle aida même sa grand-mère et son père aux travaux de la sucrerie, histoire de donner une chance au temps de s'écouler plus rapidement. Elle reprenait des couleurs, et sa joie de vivre refaisait surface. Sa bonne humeur émergeait de sa dormance.

Ne tenant plus en place, au début du mois de juin,

tout en servant le dessert, elle avait subtilement demandé à son paternel :

— Y faudrait que tu penses bientôt à ouvrir l'eau et l'électricité chez monsieur Thompson si tu veux que j'aille y faire le ménage. Tu sais qu'il était arrivé assez tôt l'an dernier.

— Ça ne sera pas nécessaire, lui avait simplement répondu Ernest. Il ne viendra pas à son chalet cette année.

Rose fut abasourdie et malgré le fait qu'elle devait conserver tout son calme, elle ne put s'empêcher de s'enquérir :

— Comment ça, c'est pas possible, ils ouvrent la maison tous les étés depuis toujours. Es-tu bien sûr de ça ?

— Me prends-tu pour un navet ? C'est lui-même qui m'a téléphoné vendredi soir, pendant que t'étais chez ta sœur au village. En tout cas, ça fait une maudite escousse[33] que les Thompson passent toute la saison au lac. Ça va nous faire drôle en batinse de pas les avoir alentour.

Et mémère, qui sirotait son thé dans lequel elle avait trempé un beigne durci, se remémora haut et fort :

— J'me rappelle que c'était arrivé une année où la vieille madame Thompson, la mère, avait été ben malade. Son mari avait eu pas mal peur de la perdre cette année-là. Je peux pas dire en quelle année, mais c'est pas d'hier, même que ta sœur Fernande restait encore icitte, dans ce temps-là.

---

33 Escousse : moment, temps.

Rose ne semblait pas vouloir encaisser la nouvelle et elle s'acharnait à poser des questions :

— Est-ce qu'il a expliqué pourquoi il n'ouvrait pas cette année ?

— Pour commencer Rose, c'est pas de tes affaires, rétorqua Ernest d'un ton empreint d'exaspération. Il a décidé de faire un grand voyage dans les vieux pays avec sa femme pour tout l'été. Ça a l'air que son docteur aurait prescrit ça en mentionnant que ça serait bon pour sa santé.

En songeant à cette traversée outre-mer, Ernest ne put se retenir de commenter ironiquement :

— Je te dis qu'eux autres, de l'argent, ça leur pèse pas au bout des doigts. Maudits Anglais ! Ils nous font travailler pour des pinottes pis y font la grosse vie sur notre dos.

Mais Rose n'écoutait plus, elle tentait de se convaincre qu'elle rêvait ou que son père avait mal compris. Elle se refusait de croire que William l'avait réellement oubliée et qu'il passait maintenant tout son temps avec sa femme qu'il n'aimait plus, elle en était convaincue.

Afin qu'Ernest ne réalise pas trop son désarroi, elle s'empressa de se rendre sur la galerie et commença à enlever le linge sur la corde en prenant tout son temps. Dès qu'il eût quitté la maison, elle retourna dans sa chambre pour laisser libre cours à sa tristesse.

Ainsi son épouse légitime était sortie de l'hôpital et elle partageait à nouveau son quotidien ; Rose en était folle de jalousie. Pourquoi est-ce que c'était toujours les mêmes qui faisaient les frais des vicissitudes de l'existence ? Elle en avait marre de vivre des hauts et des bas avec ses émotions ; elle avait l'impression de n'avoir été qu'un épisode dans les vacances de William, l'espace d'un été, et elle se sentait rejetée comme un vulgaire animal de compagnie que l'on n'a plus le goût de flatter ni même de nourrir.

Rose était la petite chatte qu'il avait égoïstement choisi de s'approprier dès qu'il l'avait vue, l'accueillant dans son chalet. La fin de la saison étant arrivée, il l'avait abandonnée en bordure de la route sans se soucier que quelqu'un puisse la recueillir pour soigner son cœur blessé.

Elle en venait à regretter d'être revenue au lac Brûlé. Comment pourrait-elle maintenant s'enfuir ?

CHAPITRE 18

La deuxième femme

(Automne-hiver 1962)

Dernièrement, l'attitude d'Ernest avait beaucoup changé et le calme qui habitait maintenant sa demeure était apaisant. L'été avait été superbe et Ernest avait eu beaucoup de travail. Il lui semblait que les gens étaient moins exigeants. Était-ce bien la réalité ou était-il plus tolérant?

Mémère avait remarqué que son fils était plus présent à la maison et qu'il avait plus de conversation. Il continuait à s'occuper de Simon, mais toujours sans se soucier des autres. Cependant, il les disputait beaucoup moins. Avec sa grande expérience, la vieille dame avait pu constater qu'il avait les yeux relativement clairs, suffisamment pour ensoleiller le canton, disait-elle à la blague en parlant avec sa fille Fernande.

C'est qu'il avait une amie dans sa vie en la personne d'Adéline Gagnon. À force de fréquenter sa mère et de partager leurs repas, la veuve avait tissé des liens affectifs avec le maître des lieux, qu'elle se plaisait à distraire par ses récits burlesques. Elle était une conteuse née et agrémentait les longues soirées de la famille Potvin.

Les enfants voyaient rire leur père, ce dont ils n'avaient pas l'habitude. Ils en étaient parfois blessés en songeant à leur maman dont la vie avait été si triste et moche.

Fallait-il avoir fait tant souffrir une pauvre âme pour qu'Ernest se décide à enfin vivre normalement et cesser d'empoisonner les gens qui l'entouraient?

Quand Adéline restait pour le souper, il n'était pas rare que les adultes jouent aux cartes jusqu'à tard dans la soirée après que les jeunes soient couchés. Mémère Potvin ne voulait pas voir son amie retourner seule, à pied, vers sa maison alors que la noirceur s'était installée. Elle demandait alors à Ernest d'être galant et d'aller reconduire leur convive.

Tout le monde était inquiet dernièrement au lac Brûlé, car on avait entendu des coyotes et on avait même trouvé une carcasse de chevreuil près du lac, ce qui n'inspirait aucunement confiance. Ernest faisait donc une petite marche en compagnie d'Adéline jusque chez elle et elle lui parlait du déroulement de la journée. Il ne participait pas très activement à la conversation, mais il avait l'air plutôt intéressé par ses propos et acquiesçait à l'occasion, ce qui était déjà un grand pas pour cet homme casanier. Jour après jour, elle semblait l'apprivoiser comme mémère Potvin l'avait fait un jour avec le vieux papa ours.

C'est ainsi qu'un vendredi après-midi, Ernest prit son bain, se vêtit avec soin, coupa sa barbe et se parfuma avec de la lotion Old Spice. Personne n'osa rien dire, mais tout le monde le regarda d'un drôle d'air. Il y avait irrémédiablement anguille sous roche.

Il était tout juste quatre heures et le père de famille avisait sa mère et sa fille Rose qu'il serait absent pour le repas du soir.

— J'ai rencontré un vieux chum au village. Y m'a demandé d'aller le trouver pour souper à l'hôtel.

— Vous n'avez jamais fait des affaires de même avant, papa, qu'est-ce qui vous arrive, feriez-vous de la fièvre ? lui répliqua Rose qui était plus sceptique sur les raisons données par son paternel.

— Je ne voulais pas, mais il a tellement insisté que ça aurait eu l'air fou de refuser. On a été à la petite école ensemble. Y m'a dit qu'il aimerait ça revenir s'installer dans le coin.

Et sans plus se justifier, il avait quitté la maison rapidement pour éviter d'autres questions de sa fille atteinte de curiosité maladive.

Rose avait tout juste attendu qu'il sorte sur la galerie pour exprimer le fond de sa pensée à sa grand-mère :

— Si ça doit arriver une journée, c'est aujourd'hui que les poules vont avoir des dents !

* * *

Ernest s'était finalement décidé à demander un rendez-vous formel à Adéline. Il avait prévu l'emmener prendre un repas au restaurant Au vieux rouet, sur la route 11 à Sainte-Agathe-Sud. Un endroit sympathique et de bon goût, propriété de monsieur André Guindon, qui était toujours présent sur les lieux afin de s'assurer que les clients soient satisfaits.

À la suite de ce souper, Ernest inviterait Adéline à voir un film au cinéma Roxy au coin de la rue Hôtel-de-Ville et de la rue Principale à Sainte-Agathe-des-Monts. Il avait élaboré cette soirée afin de faire plaisir à son amie et ainsi avoir l'occasion de lui parler de ses ambitions.

Quand il arriva chez elle, elle n'était pas encore prête et elle le pria de s'asseoir au salon, où elle lui offrit une consommation.

— Voudrais-tu une bière ou un verre de vin de pissenlit[34]?

— Une bière, ça va faire mon affaire, dit Ernest qui constatait que celle-ci n'était vraisemblablement pas parée à partir.

Adéline le servit sans empressement et elle continua de flâner dans la maison en faisant semblant de se préparer. Prenant finalement son courage à deux mains, elle vint le rejoindre au salon pour lui confier son appréhension :

— Je m'excuse Ernest, mais je ne pourrai pas aller souper avec toi au village. Tu sais, ça fait une mèche que je suis veuve et ça me dérange sans bon sens de me montrer parmi le monde avec toi, alors que ça fait ben juste deux ans que ta femme est morte.

— J'te comprends Adéline, mais j'veux pas rester tu seul toute ma vie pour faire plaisir aux autres. On fait

---

34 Vin de pissenlit : Certaines familles fabriquaient leur propre vin en récoltant des fleurs de pissenlit sans les tiges, auxquelles on ajoutait différents ingrédients, entre autres du citron et des oranges.

pas de mal à personne. Pis à notre âge, on n'a pas trop de temps en avant de nous autres.

— Mais tu sais que les mauvaises langues au village, y se gêneraient pas pour dire que c'est moé qui t'ai couru après. C'est toujours les mosanic de femmes qu'on blâme dans ces affaires-là.

— Fais-toé z'en pas. Avant de partir de chez nous, j'ai raconté que je soupais en ville avec un vieux chum. Si on veillait icitte à la place ; ça pourrait-tu faire pour à soir ?

Adéline fut tout heureuse de la décision de son prétendant. Toute la journée, elle avait songé à la façon dont elle pourrait le dissuader d'aller se pavaner au village sans toutefois le blesser. Connaissant suffisamment son caractère bouillant pour appréhender avec inquiétude une mésentente, elle craignait de nuire à ce début de relation qu'elle souhaitait tellement voir se concrétiser dans un délai relativement court.

— Chu ben contente Ernest, là tu me fais plaisir. Qu'est-ce que tu dirais de manger un restant de bouilli pour souper ? J'y ai mis des bonnes carottes, du navet, du chou pis ben de la viande c'est certain. Ça pourrait-tu t'accommoder ?

— J'ai pas ben ben le choix, répliqua-t-il pour la taquiner. En plus, si j'me trompe pas, j'ai senti une odeur de tarte aux pommes en rentrant icitte. Ça fait que ça me tente « en pas pour rire »[35] de souper avec toé !

Et c'est ainsi qu'Ernest commença à fréquenter la

---

35 En pas pour rire : vraiment, à l'extrême.

veuve et durant tout l'hiver, il veilla plusieurs soirées chez elle où elle lui offrait toujours un bon repas et s'arrangeait pour le garder avec elle le plus tard possible. Elle se livra à lui sans pudeur, usant de son expérience de femme mariée et surtout de son long veuvage. Elle était bien déterminée à ce qu'il accepte de lui passer sous peu la bague au doigt.

Physiquement, Adéline n'arrivait pas à la cheville de Pauline qui était élégante même quand elle enfilait une jaquette de finette. Mais Ernest en était venu à apprécier les rondeurs d'Adéline, qui n'hésitait pas à s'offrir à lui corps et âme, et ce, même s'ils n'étaient pas mariés. Il comblait ainsi ses envies d'homme qu'il avait assez longtemps refrénées.

Il avait prolongé les fréquentations, mais tout en sachant qu'il la marierait le moment venu. Il pourrait s'assurer ainsi d'avoir à nouveau une épouse à ses côtés pour prendre le contrôle de la maisonnée. Il savait bien que Rose ne resterait pas toute sa vie auprès de lui. Si elle lui avait proposé d'assumer la relève, c'était dans l'intérêt des enfants et de sa grand-mère, qu'elle jugeait trop âgée pour porter ce fardeau.

Quand le printemps arriva, il parla avec sa mère et lui demanda si elle trouvait cela convenable qu'il pense à se remarier avec Adéline, même si elle était son aînée de cinq ans. Elle lui confirma que les hommes n'étaient pas faits pour vivre seuls, mais lui spécifia qu'il devrait faire ça sans « fla-fla[36] ».

---

36 Fla-fla : luxe.

— T'es pas obligé de faire exprès pour que le monde jase. Tu comprends que ça leur en prend pas gros pour faire une montagne. De toute façon, à l'heure que tu rentres à maison quand tu reviens de veiller, j'pense que t'as déjà goûté au nanane avant d'avoir enlevé le papier !

— Commencez pas à vous mêler de mes affaires la mère. Pis pour le mariage, vous savez que c'est pas mon genre de faire un gros *show*. Une p'tite cérémonie ben simple pis après on va s'en venir faire un dîner de famille icitte.

— Chu ben contente pour toé mon gars. T'as l'air ben plus heureux asteure. On dirait que t'avais de la rage dans le cœur avant. Depuis la mort de Pauline, on aurait cru que t'avais un abcès qui attendait d'être pété.

— Si vous saviez comme j'ai des remords, mais je peux pas revenir en arrière. Asteure, j'veux regarder en avant pis essayer d'oublier le plus possible les dernières années.

Les enfants, qui étaient habitués à ce que madame Gagnon soit chez eux pour les repas ou pour jouer aux cartes, furent cependant surpris quand ils apprirent que leur paternel la fréquentait depuis déjà plusieurs mois et qu'il songeait à l'épouser. Seul le petit Simon, qui avait très peu connu sa mère, aimait bien cette femme qui le gâtait de mille attentions.

Les autres ne s'étaient pas encore remis de la perte tragique de leur maman et ils ne voulaient pas voir qui que ce soit venir fouiller dans ses chaudrons ou même partager le lit de leur père.

Toujours accablée par sa peine d'amour, la belle Rose

était fermement décidée à retourner dans la grande ville de Montréal et les projets d'Adéline et Ernest n'avaient fait que l'inciter à mettre les siens à exécution plus tôt que prévu.

L'annonce du remariage avait été l'élément déclencheur. Elle était ferme là-dessus. Tout comme le restant de la famille, elle ne voulait pas voir une autre femme prendre la place de sa pauvre maman dans la maison familiale. Elle pestait déjà quand elle observait son père qui faisait les yeux doux à cette misérable Adéline Gagnon. Une simple voisine et plus vieille que lui par-dessus le marché, quelle ironie, songea-t-elle.

Elle se disait qu'à quarante-huit ans bien sonnés, il aurait bien pu contenir ses ardeurs et s'occuper de ses enfants et de sa mère au lieu de jouer au jeune premier.

Elle s'interrogeait tout de même sur la raison qui motivait son père à faire une chose pareille. Comme elle le connaissait, elle savait bien qu'il ne faisait jamais rien sans recevoir en retour une compensation. Elle s'en était bien rendu compte quand elle était chez les Thompson. Combien de fois avait-il apporté de la nourriture à la maison, de la farine, du sucre et des conserves, que son patron achetait toujours en très grande quantité! Ernest, cet homme profiteur et égocentrique, ne se serait pas amouraché d'une femme s'il n'y avait pas eu de bénéfice à en tirer un jour ou l'autre.

Rose était d'avis que son avenir n'était pas au lac Brûlé ni même dans la petite ville de Sainte-Agathe-des-Monts. Elle retournerait dès que possible chez sa tante Fernande, à Montréal, et elle multiplierait les démarches pour se trouver un emploi et un logement modeste qui correspondrait à ses besoins et à sa capacité de payer. Cette fois-ci, elle était un peu moins pressée, car elle avait maintenant des économies en poche, ayant fait payer à son père toutes ses dépenses personnelles depuis qu'elle habitait chez lui.

Elle ferait appel à Luc, son frère, quand il serait question de repérer un gîte bien à elle, mais elle devait auparavant attendre que ce soit le bon moment. Elle regrettait cependant de quitter ainsi sa grand-mère et les jeunes, mais elle devait avant tout penser à elle.

Elle avait quelques amies, mais ça ne remplacerait jamais son amant qu'elle avait aimé plus qu'elle ne croyait pouvoir aimer un jour. Elle l'imaginait avec son beau complet bleu, lui, si grand, si mince avec des cheveux foncés et des prunelles noires comme l'ébène. Ces yeux-là l'avaient contemplée comme personne ne l'avait fait auparavant. Elle lui avait offert avec impudeur ses vingt ans et elle serait heureuse de recevoir en retour les intérêts.

Elle avait bien un projet en tête en retournant vivre à Montréal, mais serait-elle en mesure de parvenir à le réaliser?

* * *

Le temps des fêtes se déroula dans une harmonie à tout le moins artificielle. Les réunions de famille, qui n'étaient jamais très enjouées, donnèrent lieu à des discussions somme toute futiles et les soirées se terminèrent exceptionnellement de bonne heure. Le prochain mariage d'Ernest et Adéline, prévu une semaine après Pâques, laissait planer un certain malaise au sein des Potvin. La grand-mère commençait à regretter la liaison de son fils avec son amie, qui semblait changer d'attitude depuis qu'elle se savait promise.

Ernest rencontra les enfants et petits-enfants d'Adéline chez elle lors du dîner du jour de l'An. L'ambiance fut un peu plus gaie même si la fille aînée, Madeleine, se faisait quelque peu réticente à accepter que sa maman prenne pour époux celui qu'elle appelait « le bonhomme Potvin ». Des commérages de bonnes femmes du rang laissaient entendre qu'Ernest avait la main leste. Elle se promettait bien de garder l'œil ouvert en toute occasion. Qu'il ne s'avise jamais d'offrir une seule claque à celle-ci, s'il ne voulait pas rencontrer le diable incarné.

Son frère Jean, pour sa part, était fier de voir sa mère trouver enfin un homme pour prendre soin d'elle jusqu'à la fin de ses jours. Il avait maintenant l'impression d'être libéré de l'obligation de s'occuper de tous les travaux à la maison d'Adéline. Il avait trouvé difficile de devoir être l'homme de la maison alors qu'il n'était qu'un tout jeune bambin. Il était maintenant prêt à se retirer et à s'occuper uniquement de sa famille.

Pour ce qui était d'Euclide, l'autre garçon Gagnon, on n'en avait que peu de nouvelles depuis qu'il travaillait dans la région d'Edmonton. Qui sait s'il ne trouverait pas pour une fois un emploi régulier qui lui plairait et qui l'amènerait à délaisser une fois pour toutes les jupons maternels ?

De toute façon, les enfants n'avaient que très peu connu leur père, car ils étaient très jeunes à son décès. En revanche, ils avaient souvent vu leur mère à bout de forces, pleurant sur son sort. C'était peut-être la meilleure solution en fin de compte.

Entre les festivités de fin d'année et celles de Pâques, la vie au lac Brûlé fut relativement calme. Ernest travaillait toujours au mont Sauvage, à Val-Morin, Yvon terminait sa dernière année d'école, et la grand-mère s'occupait des deux plus jeunes, qui s'étaient beaucoup attachés à elle.

La famille Potvin ressemblait à toutes les autres de la région sauf que dès qu'un oiseau quittait le nid, il ne revenait que rarement le visiter. Rose mit tout en œuvre pour être loin de la maison familiale le jour du mariage. Elle avait fait la promesse à sa mère, en prière, que jamais elle ne féliciterait les tourtereaux.

En retournant à Montréal, elle serait dans la même ville que madame Thompson. Aurait-elle suffisamment de cran pour aller la voir et peut-être tisser des liens qui lui permettraient d'en apprendre un peu plus sur son merveilleux amant ?

CHAPITRE 19

Chacun sa route

(Printemps 1963)

Luc se réjouissait de la décision de sa sœur Rose de revenir s'installer à Montréal. Il lui avait même offert de venir partager son logement. Il pensait que ce serait ainsi plus plaisant à son retour du travail, d'avoir enfin quelqu'un avec qui discuter et échanger.

Lorsqu'il était arrivé à Montréal, il avait habité chez une vieille dame qui lui avait été référée par son employeur. Elle s'appelait Églantine Dionne, mais tout le monde disait familièrement « mémé Églantine ». N'ayant jamais eu d'enfant, elle était demeurée à la maison familiale pour garder ses parents. Afin d'arrondir les fins de mois, elle avait entrepris de loger de jeunes garçons qui travaillaient tous pour la même compagnie. Luc ne gardait que de bons souvenirs de cette époque où il avait eu l'impression de vivre dans une famille pour qui la gaieté était au menu tous les soirs.

En cours de route, un copain de travail lui avait fait miroiter toute la liberté qu'ils auraient en habitant dans un logement bien à eux. Fini le partage de la salle de bain avec plusieurs locataires et plus de règles strictes à respecter. L'esprit troublé par les projets dont son ami le nourrissait, Luc avait donc quitté à regret la chaleureuse maison de chambres de madame Dionne pour un nid beaucoup moins douillet, mais où il pourrait profiter pleinement de son indépendance.

Après avoir astiqué seul tous les recoins du nouveau logis afin de faire disparaître des bibittes qu'il n'avait jamais vues de sa vie, le jeune homme avait rapidement réalisé qu'il n'avait pas fait le meilleur choix. Il manquait surtout les bons repas préparés par sa logeuse et l'ambiance familiale qui régnait autour de la table. La solitude lui pesait et son ami Robert l'avait juste utilisé pour mener à bien ses aventures rocambolesques.

Quelques semaines après avoir emménagé sur la rue Poirier à Ville Saint-Laurent, à son retour à la maison, il avait surpris Robert au lit avec la fille de leur contremaître. Complètement abasourdi, il était parti pour ne revenir que quelques heures plus tard. Il avait été intransigeant et avait exigé que son collègue cesse d'amener des demoiselles dans leur logement. Il craignait également de perdre son emploi si son supérieur apprenait que son adolescente s'adonnait librement à des ébats amoureux alors qu'elle avait à peine seize ou dix-sept ans.

Comme ils n'avaient pu s'entendre sur ce que Luc appelait des fréquentations acceptables, Robert avait quitté les lieux à peine deux mois plus tard et Luc se devait maintenant d'assumer les frais de location seul.

Il travaillait sur le quart de soir à l'usine Canadair de Cartierville, le plus grand constructeur d'avions au Canada et il avait eu la chance d'y être embauché dès son arrivée à Montréal. Il avait commencé en occupant un poste de maintenance, mais sa curiosité et sa minutie lui avaient rapidement ouvert des portes. Alors qu'un employé était absent, on lui avait demandé de prendre charge du département des pièces où il était, depuis, devenu magasinier.

À cette époque, on avait mentionné que le président de la compagnie, un homme de haute taille à l'allure sévère qui avait la réputation de ne pas avoir le cœur sur la main, pourrait leur faire vivre de difficiles moments. On en avait eu la preuve cette même année alors qu'une augmentation de salaire étant prévue, il l'avait tout simplement abolie, prétextant devoir effectuer des coupes sur tout. L'ironie avait été poussée à son comble quand il avait décrété d'un ton froid que les prix seraient augmentés à la cafétéria et que ceux qui ne seraient pas contents n'auraient qu'à apporter leur boîte à lunch.

Les employés étaient mécontents, mais Luc se faisait distant des fauteurs de troubles. Il souhaitait avant tout conserver cet emploi, car il n'aurait pas voulu retourner à la campagne pour tout l'or du monde. Il avait découvert le plaisir de vivre dans l'anonymat. Il ne connaissait que peu de gens, avait très peu d'amis et menait de préférence une vie de reclus. Il allait chez sa tante Fernande à l'occasion pour manger un bon repas en famille et il occupait son temps libre à lire et à cuisiner. Il entretenait son logement comme il avait vu sa mère le faire à la maison. Tout y reluisait comme un sou neuf.

Il avait toujours eu une belle complicité avec sa sœur Rose, car ils étaient quasiment du même âge. Elle était de treize mois son aînée. Il lui semblait qu'elle avait été là, à côté de lui, depuis le premier jour de son arrivée, que ce soit dans ses jeux d'enfant, à l'école ou lors de ses premières sorties d'adolescent. Elle était belle et raffinée et il se disait que c'était une femme comme elle qu'il voudrait un jour rencontrer, mais la timidité l'empêchait de se mêler aux jeunes filles de son âge. Ce n'était pas assis dans son logement qu'il avait à craindre d'être fauché par la foudre.

Auparavant, quand Rose vivait à Montréal, ils allaient parfois marcher, patiner ou voir un film au cinéma, mais depuis qu'elle était partie, il s'était confiné chez lui et broyait du noir. Le départ subit de la mère avait atterré toute la famille, et plus encore les aînés, qui avaient eu connaissance des circonstances qui avaient mené la pauvre femme à agir de la sorte. Luc avait depuis l'impression d'avoir mis sa vie sur une tablette. Il vaquait à ses occupations jour après jour, mais l'entrain et la joie de vivre étaient en dormance. Le retour de Rose dans son patelin serait sa bouée de sauvetage, il en était convaincu.

C'est donc avec enthousiasme qu'il se rendit au terminus d'autobus provincial ce samedi 6 avril 1963 pour l'accueillir.

— Tu n'as pas beaucoup de valises, ma sœur, es-tu bien certaine que tu vas rester en ville?

— Ne t'inquiète pas mon frère, j'ai demandé à Roméo,

le chauffeur de taxi, de m'apporter mon stock quand il aura un voyage à faire à Montréal. Je n'avais pas le goût de prendre l'autobus chargée comme une mule.

— Toujours prêt à rendre service, ce Roméo. Lui y va l'avoir gagné son ciel à force d'aider tout le monde de même.

— Es-tu certain de bien vouloir partager ton logement avec moi ? Tu sais que j'ai mauvais caractère des fois.

— Rien que des fois, tu dis ? C'est pas grave. Il faut bien que je m'exerce pour le jour où je penserai à me marier !

Et c'est ainsi que commença une nouvelle vie, un nouveau départ pour Rose et Luc Potvin sur l'île de Montréal, loin des ragots et du potinage si fréquents à la campagne.

Rose se trouva un emploi dans la même semaine chez un médecin dont l'épouse était malvoyante. Elle devait s'occuper de l'entretien de la maison et des repas, ainsi qu'assister la dame handicapée dans ses déplacements. La pauvre vieille, qui dès son jeune âge avait dû porter des lunettes, avait vu sa vision se détériorer très rapidement au cours des dernières années et elle en était astreinte à vivre dans un monde où tout n'était qu'ombres et contours.

Elle s'appelait Emma Proulx, avait soixante ans, était de taille moyenne, avec une magnifique chevelure grisonnante soigneusement coiffée. Son teint rosé et ses traits délicats laissaient deviner un caractère docile et affable.

Lors de sa rencontre avec le médecin pour le poste

convoité, Rose avait tout de suite ressenti beaucoup d'empathie pour cette famille dont le travail du mari était très exigeant et la vulnérabilité de son épouse si flagrante. Une lettre de recommandation du curé de la paroisse de Fatima, faisant foi de la loyauté et de l'honnêteté de la jeune fille, permit au docteur de procéder immédiatement à l'embauche. Elle pouvait entrer en fonction dès qu'elle serait disponible et Rose décida donc de passer l'après-midi avec madame Proulx afin de se familiariser avec les tâches à effectuer et les exigences relatives à son invalidité. Le soir venu, quand elle réintégra l'appartement, elle rayonnait de bonheur.

— Ça y est, j'ai été engagée ! cria-t-elle à Luc en arrivant dans le logement modeste, mais fort accueillant. Le docteur m'a tout de suite dit que j'étais la femme dont il avait besoin. Et si tu voyais la maison, un vrai château !

— Pis toi, t'aimes pas ça pantoute la vie de princesse, lui répondit-il en riant.

— Chacun a ses caprices, mon petit frère. Il faut croire que les Sauvages auraient dû me laisser à Westmount au lieu d'arrêter au lac Brûlé.

— Et aujourd'hui, tu parlerais peut-être juste en anglais et tu aurais le bec pincé comme la femme de l'avocat Bibeau.

— Au moins, je vais pouvoir te payer ma part de loyer pour le mois avec mes gages de dame de compagnie.

— Au lieu de manger encore des bines à soir, est-ce que tu préférerais que je te serve des « fèves au lard », toi la nouvelle gouvernante ?

— Tu peux rire de moi si tu veux, mais j'resterai pas une simple servante toute ma vie. J'ai bien dans l'idée de voir d'autres choses que des guenilles pis des chaudrons. Regarde-moi bien aller. Tu n'en croiras pas tes yeux.

* * *

Ernest Potvin épousa Adéline Gagnon le samedi 20 avril 1963 à huit heures le matin, dans la sacristie de l'église de la paroisse Notre-Dame-de-Fatima. On ne pouvait éviter tous les curieux, mais en faisant de la sorte, on en diminuait tout de même le nombre. Par la suite, un petit goûter à la bonne franquette mit en présence les enfants des deux familles. Très tôt en après-midi, tout le monde était de retour à son domicile respectif puisqu'il n'y avait aucune musique prévue pour divertir les convives.

Curieusement, la mariée était vêtue d'une robe mauve qu'elle possédait depuis fort longtemps et qu'elle avait eu peine à enfiler tant elle avait engraissé durant les mois où elle avait fréquenté son promis. Heureusement, elle avait mis son corset à baleines en acier qu'elle avait dû serrer jusqu'à en perdre le souffle, avant que sa fille ne monte la fermeture éclair de sa toilette.

Ernest n'avait pas encouru de dépense et il avait revêtu, sans aucun scrupule, l'habit noir qu'il portait quelques années auparavant pour enterrer sa première femme.

À Ville Saint-Laurent, cette journée-là, Rose et Luc ne discutèrent pas de l'événement qui se déroulait à la campagne alors qu'ils étaient maintenant dans leur milieu de citadins. Ils semblaient avoir tous les deux mis une croix sur leur vie passée. Ils regrettaient un peu par rapport aux plus jeunes qui restaient encore au lac Brûlé, mais Rose leur envoyait à l'occasion des lettres et des colis. Ils avaient ainsi l'occasion de penser à leur grande sœur et à leur grand frère qui, même au loin, ne les oubliaient pas.

Il était important pour eux de savoir que quelqu'un serait là le jour où ils décideraient à leur tour de quitter leur nid.

* * *

Rose avait présumé que sa fuite précipitée vers une ville populeuse et bruyante lui redonnerait toute l'énergie nécessaire pour alimenter une certaine joie de vivre, mais il n'en fut rien. C'est ainsi qu'elle se retrouva un samedi matin à errer sur la rue Metcalfe dans Westmount, aux abords de la résidence de William Thompson.

Elle avait imaginé une belle et grande maison, mais jamais elle n'aurait pu croire qu'elle puisse être si majestueuse. Construite sur trois étages avec un revêtement en brique, elle était ceinturée d'une magistrale galerie blanche moulurée de dentelles boisées. Au deuxième niveau, sur la façade, on pouvait voir un balcon également paré de garnitures et le troisième étage était joliment éclairé par un œil de bœuf en vitrail. Une résidence cossue et spacieuse comme elle n'en avait jamais contemplé avant ce jour.

Rose en était béate d'admiration. Ses yeux étaient

pleins de larmes et son cœur battait la chamade. Elle aurait voulu s'évanouir à cet instant dans le but bien précis d'être secourue par celui qui hantait ses rêves. Les jambes alourdies par le chagrin, elle parvint à marcher pour fuir ce qui lui déchirait les entrailles.

Jamais elle ne serait capable de mettre à exécution son projet de rencontrer madame Thompson pour lui tirer les vers du nez. Elle était beaucoup trop vulnérable et aurait craint de voir le couple ensemble.

Elle ne pouvait cependant imaginer qu'à travers une fenêtre du rez-de-chaussée, William l'avait aperçue alors qu'elle examinait sa résidence. Il avait lui aussi le cœur serré. Il avait rompu avec elle dans un dessein bien légitime, celui de ne pas lui faire de mal, mais il en était quand même follement amoureux et regrettait de ne pouvoir l'inviter dans sa demeure montréalaise comme il l'avait fait au lac Brûlé.

Mais que pouvait-elle bien faire à Montréal? se demanda-t-il. Serait-ce le destin qui avait voulu les remettre en contact, maintenant que sa femme avait été une fois pour toutes internée à l'asile Saint-Jean-de-Dieu à la suite d'une tentative de suicide?

Au matin du jour de l'An de cette année, William l'avait découverte inerte. Elle était assise sur la galerie arrière de la maison, tout simplement vêtue d'une fine robe de nuit de satin et tenant dans ses bras une poupée de porcelaine qui arborait une réplique identique du délicat vêtement.

La pauvre dame était en état d'hypothermie avancée et l'on avait eu peine à discerner son pouls. Le docteur

Rivard, médecin de la famille Thompson, fut appelé sur les lieux, lui prodigua les premiers soins avant de demander qu'elle soit hospitalisée dans les plus brefs délais. On avait craint pour sa vie pendant un bon moment, mais son état physique s'était peu à peu stabilisé. Elle ne parvint cependant pas à recouvrer toute sa lucidité et elle avait peur de William dès qu'il entrait dans sa chambre.

On diagnostiqua rapidement une surdose de Valium, un tout nouveau médicament qui venait d'être commercialisé pour soigner les maladies nerveuses. Irène aurait ainsi pris du Valium, des aspirines et du whisky et elle s'était aventurée à l'extérieur, où son mari l'avait trouvée avant qu'il ne soit trop tard. Il semblait cependant évident qu'elle ne pouvait plus être laissée seule à la maison et qu'elle était devenue une menace pour elle-même.

Fort heureusement, Catherine avait couché chez sa grand-mère paternelle, où ils étaient allés réveillonner. William avait été contraint de partir plus tôt, son épouse souffrant de vertiges, et il avait accepté avec empressement que sa fille demeure avec sa grand-mère. Il y avait bien assez de lui qui devrait passer la veille du jour de l'An tout seul dans sa grande résidence de Westmount, alors que sa femme était encore une fois souffrante. Il avait beaucoup d'argent, mais il lui manquait tellement d'autres choses.

Depuis ce jour, William payait grassement les Sœurs de la Providence pour en prendre soin, mais il n'effectuait plus aucune visite à l'asile. Il savait pertinemment qu'il ne pourrait plus jamais vivre auprès d'elle et il croyait qu'elle serait plus stable si elle habitait dans un milieu neutre, où rien ni personne ne viendrait perturber ses jours et ses nuits.

Mais pourquoi, ce matin-là, était-il à la fenêtre tout juste quand ce rayon de soleil était passé devant chez lui? Était-ce un signe du destin ou une réponse à ses prières, alors qu'il se demandait s'il pourrait être heureux autrement qu'à travers son travail?

* * *

Luc entendit sa sœur arriver en fin d'après-midi. Il était inquiet, car elle était partie tôt et ne semblait pas dans son assiette. Discret, comme il aimait qu'on le soit à son sujet, il ne l'avait pas questionnée, mais il était demeuré à la maison au cas où elle aurait besoin de lui à son retour et il avait vu juste. Quand elle pénétra dans le salon et qu'elle croisa le regard de son frère qui l'attendait, elle se jeta dans ses bras et pleura les quelques larmes qui lui restaient au fond du cœur. Elle implorait sa bonne maman afin qu'elle vienne atténuer sa douleur si intense. De là-haut, n'avait-elle pas des pouvoirs qui lui permettaient d'adoucir le chagrin de ceux qu'elle avait tant aimés?

Quand le calme revint finalement, Rose et Luc s'installèrent à la table de la cuisine et elle lui avoua avec une certaine retenue son impossible idylle. Il lui dit qu'il se doutait bien de quelque chose, mais qu'il comprenait mal qu'elle se mette dans un tel état pour un homme qui, à son avis, n'en valait pas la peine. Elle ne lui raconta que ce qu'elle croyait nécessaire, gardant pour elle tous les beaux moments d'intimité passés en compagnie de son amoureux.

Dès le lundi matin, Rose reprit son travail auprès de madame Emma, ce qui lui apporta tout de même un certain réconfort. Elle mettait les bouchées doubles et s'étourdissait à vouloir distraire celle qui en demandait pourtant si peu. Elle développa ainsi un lien particulier avec l'épouse du médecin, qui lui était reconnaissante de toutes les attentions dont elle la faisait bénéficier. Ce qu'elle appréciait le plus, c'était la lecture de magnifiques romans d'amour que Rose lui offrait si gentiment. Cette dame prenait plaisir aux beaux textes récités divinement et Rose, de son côté, rêvait en s'imaginant être l'héroïne du bouquin. Il n'était pas rare qu'une larme sillonne sa joue quand elle narrait un moment qui semblait lui avoir appartenu naguère.

* * *

Un soir du mois de mai, Luc entra au travail pour son quart de nuit et peu de temps après son arrivée, il fut demandé au bureau du contremaître. Quelle ne fut pas sa surprise d'apercevoir monsieur Thompson sur place en train de discuter en anglais avec celui-ci.

— Bonjour, Luc, comment ça va ? Tu sembles surpris de me voir ici.

— Un peu, Monsieur Thompson. Comment allez-vous ?

— Plutôt bien, merci. Tu sais, il n'est pas dans mes habitudes de déranger les gens à leur travail. J'ai cependant utilisé un subterfuge pour demander à te parler en prétextant un problème au niveau de pièces en commande. Tu m'excuseras, mais j'avais réellement besoin de m'entretenir avec toi.

— Vous m'inquiétez, là, Monsieur Thompson. Est-ce qu'il se passe quelque chose de spécial au lac Brûlé pour que vous soyez icitte à cette heure-là?

— Non, ne t'en fais pas. Je n'avais pas d'autre moyen d'entrer en communication avec toi et comme je savais que tu travaillais pour Canadair, j'ai utilisé mes contacts pour me rendre jusqu'à toi.

— Qu'est-ce que je peux faire pour vous aider?

— Il serait très important que je puisse parler avec ta sœur Rose, car ma femme est très malade et j'aurais réellement besoin d'aide à la maison. On m'a dit qu'elle était revenue à Montréal et je me demande si elle accepterait d'effectuer différents travaux à ma résidence de Westmount comme elle le faisait depuis déjà un bon moment à la campagne.

Luc n'était pas dupe, mais il joua le jeu afin de ne pas intimider l'homme d'affaires respecté.

— Oui, elle est à Montréal maintenant, mais elle travaille chez un docteur de Cartierville. Lui aussi, sa femme est très malade. Mais vous pouvez toujours aller voir Rose au logement qu'on partage elle et moi. Laissez-moi vous écrire mon adresse sur un bout de papier.

— À quel moment crois-tu que je pourrais la rencontrer? demanda William qui, malgré toute sa prestance, avait peine à calmer l'anxiété qui l'habitait alors qu'il était si près d'atteindre son but.

— Elle arrive à la maison tous les soirs à cinq heures et demie.

C'est ainsi que Rose trouva monsieur Thompson assis dans les marches conduisant au petit logement du deuxième étage, un William ému de revoir sa douce flamme et une fille heureuse, mais aussi apeurée devant cette promesse de passion et la crainte d'avoir mal à nouveau.

Sans dire un mot, elle le précéda dans le salon vétuste et ils remplacèrent les paroles par de longs baisers. Ils avaient soif l'un de l'autre et ne semblaient plus être en mesure de se détacher. Sans aucune gêne ou retenue, ils firent l'amour comme si c'était la toute dernière fois et ils décidèrent d'un commun accord de ne pas penser au lendemain. Ils avaient toute une soirée d'ivresse devant eux et ne voulaient pas l'assombrir par des idées noires.

Heureux hasard ou connivence, le matin même, Luc avait averti Rose qu'il était invité chez des amis pour le souper et qu'il ne reviendrait pas à la maison avant de se rendre au travail. Il souhaitait le bonheur de sa sœur et il n'aurait rien fait pour y faire ombrage, mais il redoutait aussi qu'elle puisse à nouveau souffrir. Il se disait qu'il aurait bien aimé lui aussi avoir quelqu'un à aimer...

— Qu'est-ce que l'on va faire maintenant? questionna Rose alors qu'elle restait bien blottie au creux des bras de William.

— Je ne peux pas te promettre la lune, ma belle fille, mais je sais qu'on peut vivre encore de merveilleux moments.

— Je ne te demanderai jamais rien, s'engagea-t-elle afin de s'assurer qu'il ne la laisse plus jamais, croyant être incapable de survivre sans lui.

L'attachement passionné aveuglait la jeune femme qui n'avait fait l'amour qu'avec William Thompson et qui souhaitait qu'il soit le seul à lui prodiguer des caresses tout au long de son existence. Elle rêvait du jour où elle serait légitimement toute à lui.

En arrivant à Montréal, elle était allée dans une église où elle était certaine que le prêtre ne la connaissait pas. Elle s'était confessée d'avoir prié et imploré le ciel afin qu'une personne malade puisse s'endormir pour toujours sans possibilité de revenir à la vie. Dans son âme et conscience, elle songeait à ce moment-là, sans un simple frisson, à madame Irène Thompson.

Était-il possible de mourir des suites d'une dépression nerveuse sévère?

Mieux encore, William aurait-il suffisamment de courage et d'amour pour accepter de demander le divorce pour cause d'aliénation mentale?

CHAPITRE 20

Contrat de mariage

(Printemps-été 1963)

Du jour au lendemain, Yvon avait l'impression que l'ambiance familiale tendait à changer de ton et que la placidité des derniers mois n'avait été qu'une suspension temporaire des hostilités. Il s'avérait que tout de suite après son mariage, Ernest avait simplement enlevé son habit de noce et décidé de remettre intégralement son costume de vieil ours.

Sous la férule de Rose et de sa grand-mère, son père avait docilement laissé couler les jours en vaquant à ses occupations, mais il avait subitement repris de la vigueur à la suite de sa rencontre avec l'ancienne veuve qui le vénérait ouvertement, voire avec un excès hors du commun.

— Chassez le naturel et il revient au galop, lui dit un soir mémère témoin d'un de ses accès de colère alors que par inadvertance, les patates avaient collé au fond du chaudron.

En riposte à sa mère, Ernest s'était levé avec hargne, avait renversé sa chaise et quitté la maison. Le petit

Simon s'était mis à pleurer à gros bouillons alors que Pierre et Yvon avaient continué de manger sans regarder la responsable de cette nouvelle dispute, celle qui, depuis peu de temps, jouait à la patronne de la place. Par expérience, ils savaient pertinemment que ce n'était pas la dernière fois qu'une telle scène se produirait. Quelques années avaient passé, mais les enfants n'avaient absolument pas oublié les épouvantables soubresauts de l'humeur du chef de leur famille.

Yvon, qui adorait son père dans son jeune âge, avait depuis développé une rage envers celui-ci en lui imputant le décès de sa mère.

Depuis l'arrivée de Simon, son paternel l'avait littéralement mis de côté et ne se préoccupait plus que de ce petit braillard, en qui il fondait tous ses espoirs et ses ambitions futures. Yvon n'attendait plus que le moment propice pour partir, faire comme les plus vieux de la famille l'avaient fait bien avant lui. Ça sentait l'amertume et l'arrogance dans toute la demeure et il en avait mal au cœur.

Après son départ, mémère et Pierre se soutiendraient mutuellement tandis qu'Albert continuerait à faire la navette entre Sainte-Agathe-des-Monts et le lac Brûlé, préférant lui aussi ne pas être trop souvent à la maison. Il demanderait subtilement à sa sœur Diane de veiller sur les plus jeunes.

Yvon n'avait cependant pas le goût de s'expatrier dans la grande ville comme Luc et Rose qui, selon lui, avaient changé depuis qu'ils étaient des Montréalais.

— Quand ils s'en vont à Montréal, le monde de par

icitte, ils se donnent des airs. On dirait qu'ils pètent tous plus haut que l'trou. Avez-vous remarqué comment Rose parle pointu depuis une secousse?

— Qu'est-ce que tu veux dire? lui avait demandé mémère qui n'aimait pas qu'on dénigre les siens ouvertement.

— Ben quand Rose me reprenait chaque fois que je disais «toé» au lieu de «toi», j'aurais eu envie de lui répondre qu'elle venait du même rang que moé pis qu'elle avait pas à péter plus haut que le trou parce qu'elle fréquentait des docteurs pis des boss de manufacture.

— Au lieu de bavasser, tu devrais être fier que ta sœur et ton frère réussissent dans la vie. Tu sais qu'y a pas beaucoup d'ouvrage icitte dans le Nord pour les jeunes. Moé, je pense qu'y sont pas mal courageux de s'en aller comme ça loin de chez eux.

Le jeune Pierre, qui venait tout juste d'atteindre ses dix ans, vivait dans cet univers en jonglant tous les jours à sa mère qu'il avait tant chérie. Après son décès, il avait demandé à sa grand-mère comment il devait faire pour prier afin d'être certain que sa maman l'entende et qu'elle soit sensible à ses doléances.

— D'après moé, Pierre, y a pas rien qu'une manière de prier. J'en connais plusieurs prières, mais ce que j'aime le plus c'est de lui jaser, à Lui en haut, dit-elle en pointant le ciel de son vieux doigt biscornu. C'est ça ou bien je parle avec ton grand-père, et j'y demande de s'occuper de ce qui me tracasse.

Pierre, qui vénérait sa grand-mère, ne pouvait détacher son regard de celle qui avait toujours su le protéger depuis le jour de sa naissance. Celle-ci continua donc de lui transmettre, sur un ton de confidence, sa propre vision de la prière.

— Écoute-moi bien mon beau, quand tu vas te coucher à soir, ferme tes yeux et comme les pétales d'une fleur, ouvre largement ton cœur au Seigneur. Demande à ta mère de veiller sur toé.

— Mémère, vous parlez comme monsieur le curé.

— Tu sais que lui aussi il était un p'tit gars comme toé quand il avait dix ans. Lui aussi, y s'en est posé des questions.

— Ça fait drôle d'imaginer monsieur le curé en culotte courte ! répondit-il en ricanant, lui qui n'avait pas souri depuis trop longtemps.

Mémère Potvin, dévote, se dit que le rire de cet enfant n'était pas étranger à l'Esprit saint qui veillait sur eux. Elle décida, à ce moment-là, d'accorder une place privilégiée à cette mignonne créature qu'elle savait issue d'un amour impossible. Il était l'innocence même et méritait l'affection maternelle qui lui avait été ravie par la bêtise humaine.

* * *

Le soir où Ernest avait demandé la veuve Gagnon en mariage, il l'avait emmenée manger Au Petit Poucet à Val-David. Elle avait entendu parler de cet établissement dont la spécialité était le jambon fumé et les mets traditionnels, mais elle ne s'attendait pas à y mettre les pieds, elle qui avait rarement l'occasion de fréquenter ces endroits publics. Son prétendant avait visiblement l'intention de l'impressionner et la tâche fut beaucoup moins ardue qu'il ne l'aurait cru.

Pendant le repas, il lui expliqua comment il était doué pour la gestion. Il se vanta d'avoir su faire fructifier le moindre sous gagné, lui qui n'avait jamais eu de revenus faramineux. Il négligea cependant de spécifier qu'il avait reçu en héritage tous les biens de son pauvre père.

Il raconta à la blague qu'un vieil ami disait de lui qu'il était né avec une piastre dans sa couche, comme s'il eût été plausible qu'Ernest Potvin ait des amis.

Adéline, pour sa part, n'avait aucune notion des chiffres et c'était ses enfants qui s'occupaient de l'administration de son butin, qui se limitait à la petite maison familiale dans laquelle elle avait élevé les siens sur le chemin Ladouceur.

Ernest lui fit bien entendre qu'il n'aimerait pas, quand ils seraient mari et femme, que sa fille ou ses garçons s'immiscent dans leurs affaires. Elle comprit le sens de sa demande et elle l'accepta d'emblée. En échange de la vie de couple qu'il lui proposait, elle s'engageait à lui léguer ses biens meubles et immeubles. Ernest convoitait cette petite maison depuis le premier jour où il était allé reconduire Adéline chez elle, tard le soir. Elle craignait à ce moment-là les coyotes, mais elle n'avait pas pensé que les vieux ours pouvaient être tout aussi vilains.

Assise confortablement dans la salle à manger du restaurant, elle entrevoyait l'existence sous un tout autre angle. Finie maintenant pour elle la misère que son veuvage avait engendrée. Elle s'en remettrait désormais à cet individu solide et entreprenant, et ce, jusqu'à la fin de ses jours. Elle aurait enfin la tête tranquille, se dit-elle.

Il avait tenu à ce qu'ils fassent un contrat de mariage en bonne et due forme. Il lui avait bien répété que le notaire était un homme de loi qui se devait de travailler également pour les deux parties et que leurs biens seraient ainsi mieux protégés.

Adéline était tellement tourmentée à l'idée de se marier à nouveau qu'elle aurait signé n'importe quel bout de papier les yeux fermés.

Ernest s'était donc rendu chez le notaire Lucien Talbot, en qui il avait confiance même s'il savait que c'était lui qui avait élaboré le contrat pour la vente de la maison de la veuve Therrien. Il remettait tout le blâme sur son père qui ne lui avait pas fait part de la transaction.

Monsieur Talbot était bien connu et très estimé dans la ville de Sainte-Agathe-des-Monts, où il avait été maire pendant plusieurs années. Bien que de grande taille et d'allure sérieuse, il n'était pas hautain ; il lui arrivait souvent de raconter une anecdote quand le moment s'y prêtait. Il parlait à tout le monde, qu'il s'agisse d'un homme riche ou du plus pauvre du village, et il se faisait un devoir d'assister aux célébrations dominicales en compagnie de son élégante dame, Marguerite, qui aimait elle aussi discuter avec les gens qu'elle rencontrait. Ils étaient très impliqués socialement et on leur montrait toujours un très grand respect.

Ernest lui avait donc demandé de préparer les documents selon lesquels dame Adéline Gagnon, veuve, lui léguait sa maison et le lopin de terre sur lequel celle-ci était érigée, en considération du fait qu'il s'engageait à subvenir à ses besoins jusqu'à sa mort. Il insista pour que les contrats soient signés avant la cérémonie du mariage qui, à défaut de signatures, n'aurait tout simplement pas lieu, lui avait-il spécifié. Parole de Séraphin !

Il craignait les rejetons de sa promise, à tort ou à raison. Il redoutait qu'ils essaient de lui mettre des bâtons dans les roues et il mentionna à sa future épouse qu'il avait toujours préconisé le respect et ne voulait pas que leurs affaires soient sues de tout un chacun, ce qui impliquait leurs enfants respectifs.

Quand tout fut bien enregistré et qu'il eut en main les documents légaux, il savoura une autre victoire personnelle. Il venait de s'enrichir d'un beau morceau de terre qui, contrairement au sien, menait directement au lac Brûlé, et qui, il en était certain, prendrait rapidement de la valeur.

Le mariage fut ensuite célébré et Ernest recueillit tous les papiers qui étaient dans la maison pour les apporter dans le coffre-fort de son garage.

Il avait acheté ce gros caisson l'année précédente, quand un marchand de pain du village avait décidé de moderniser ses installations. Il en avait eu vent et avait tout de suite fait l'achat de ce qu'il chérissait le plus, un coffre au trésor dont lui seul connaîtrait la combinaison. Ce serait beaucoup plus sécuritaire que le pot de grès de son paternel.

Moins d'une semaine plus tard, il se rendit à l'ancienne maison d'Adéline tôt le matin et il entreprit d'y changer les serrures. Il n'était pas question que les enfants de sa femme reviennent dans cette demeure qui était maintenant sienne. Il appela ensuite sa sœur Fernande à Montréal pour l'aviser qu'il avait un chalet à louer pour l'été. Il était convaincu que celle-ci trouverait des personnes honnêtes qui auraient le goût de sortir de la grande ville pour venir profiter du bon air des Laurentides.

Il avait vu juste, car Fernande en parla un peu au sortir de l'église le dimanche suivant et son mari, Léon, en fit autant à son travail. Ça ne prit que quelques semaines et un samedi matin, une famille montréalaise qui espérait louer un chalet pour la saison estivale se présenta sur les lieux. Ernest leur fit part des conditions et demanda un acompte représentant près de la moitié de la somme totale, en spécifiant qu'il avait eu beaucoup d'appels et ne voulait pas perdre son été. Le tout fut conclu rapidement et il retourna au garage avec l'argent qu'il déposa fièrement dans son coffre-fort. Sa femme ne saurait jamais combien il avait reçu pour la location du chalet, tout comme sa défunte Pauline n'avait jamais été au courant du montant qu'il pouvait gagner au cours d'un mois.

* * *

Par un beau dimanche matin, au début de juin, Adéline et Ernest revenaient de la messe à Fatima. En passant aux abords de son ancienne demeure, elle aperçut la voiture de son fils Jean. Elle ne dit pas un mot, souhaitant secrètement qu'Ernest n'en tienne pas compte, mais c'était bien mal connaître son mari.

D'une rapide manœuvre, Ernest s'engagea dans l'entrée de la maison et gara habilement son camion de travers de façon à obstruer la sortie. Il espérait ainsi délimiter son territoire et prendre le contrôle des lieux.

Avant de sortir de son véhicule, il interrogea sa femme d'un ton accusateur.

— Veux-tu ben me dire ce que ton gars fait icitte à matin ?

— Il m'avait demandé pour venir chercher le gros chaudron que je me sers pour faire mon bouilli. J'en aurai plus besoin asteure que je reste avec toé.

— C'est ça, pis moi je vais être obligé d'en acheter d'autres pour ceux qui ont loué la place pour l'été.

— Qu'est-ce que tu veux dire « ceux qui ont loué » ? T'avais dit qu'on verrait plus tard ce qu'on pourrait faire avec ma maison.

— Ta maison, écoutez-la donc ! C'est plus à toé depuis déjà plusieurs semaines ; tu le sais à part de ça. Je peux pas te faire vivre pis entretenir une autre cabane sans que ça rapporte rien pantoute.

Ernest s'enorgueillit d'avoir pu ainsi rabrouer sa nouvelle épouse. Il n'allait tout de même pas se laisser manger la laine sur le dos. En débarquant de son camion, il savoura également le fait de prendre son beau-fils la main dans le sac. Il le surprenait alors qu'il tentait en vain d'ouvrir la porte de la maison. Celle-ci lui appartenait désormais de plein droit et il se délectait déjà du moment où il l'apprendrait à Jean, le fils d'Adéline, qu'il appelait ironiquement « Jean Narrache[37] », ce qui exaspérait au plus haut point sa nouvelle épouse.

— Quossé que tu fais là, ti-gars ? lui cria Ernest d'un ton bourru.

— Je m'en viens chercher quelque chose dans la maison de ma mère. On dirait que les serrures ont été changées, répondit Jean innocemment.

— C'est ça, j'en ai mis des neuves pour protéger la place des voleurs, lui répliqua Ernest avec une moue sarcastique. Et il en rajouta en spécifiant ironiquement :

— Tu sais mon bonhomme, ta mère pis moé, on est mariés asteure. C'est pas vous autres qui allez décider quoi faire dans la maison. Vous êtes plus chez vous.

— Inquiétez-vous pas, j'veux pas partir avec les meubles, je m'en viens juste emprunter un chaudron, ça va sûrement pas vous appauvrir monsieur Potvin, rétorqua le fils, assommé par l'attitude hautaine de son nouveau beau-père.

Mais Ernest n'entendait pas à rire et le lui fit bien savoir.

— Ça commence comme ça, y passent pour chercher un plat et tu t'aperçois après qu'y manque un bureau, une chaise, des outils. Je connais ça du monde qui quémande toujours les affaires des autres. Tu leur donnes un pouce et ça prend le pied au complet.

— C'est même pas vos problèmes, c'est à ma mère la maison, lança le garçon d'un ton condescendant, tout en regardant celle-ci d'un air inquisiteur.

---

37 Jean Narrache : Pseudonyme d'Émile Coderre, poète qui écrivait des textes humoristiques se moquant des humbles gens et traitant de leur misère.

Adéline, triste et gênée, détourna les yeux, car elle ne pouvait appuyer les dires de son fils, qui avait longtemps fait office d'homme de la famille, après le décès de son père.

— Tu sauras, mon jeune, que j'ai acheté cette bâtisse-là pis le lot, pas plus tard que le printemps passé.

— L'avez-vous payée au moins ? répondit Jean, frondeur.

Il réalisait qu'il avait bien jaugé le bonhomme Potvin. Il ne pouvait en vouloir à sa maman qui avait cru avoir rencontré l'amour alors qu'elle s'était tout simplement liée elle-même à son bourreau.

— C'est pour des considérations futures comme monsieur le notaire appelle ça. Je pense que ta mère est assez vieille pour faire ses affaires toute seule. On va être obligés de s'en aller nous autres, parce que le dîner nous attend. J'aimerais bien ça t'inviter, mais ça nous adonne pas aujourd'hui. On se reprendra dans la semaine des quatre jeudis.

Ernest reprit place dans son camion et intima à Adéline l'ordre de se dépêcher. La pauvre femme avait le cœur gonflé de tristesse et ses yeux étaient brillants de toutes les larmes retenues. Elle aurait souhaité pouvoir prendre parti pour son fils, mais elle devait s'en remettre au jugement de son mari. Pour la première fois, elle se demanda si elle avait pris la bonne décision. Sur le chemin de retour, elle tenta de s'affirmer en mentionnant ceci :

— Je trouve que t'es allé fort en mosanic avec mon garçon. Il venait pas pour nous voler, c'est moi qui lui avais dit de passer.

— Je veux plus en entendre parler. C'est-tu assez clair?

Mais Adéline n'était pas prête à plier l'échine aussi facilement et elle décida d'en remettre sans prévoir les contrecoups d'une telle attitude.

— Tu y as quasiment dit que tu voulais pas le voir à la maison, répliqua-t-elle à travers les larmes de rage qui inondaient ses joues rosies par l'irritation.

— À son âge, je pense qu'il a plus besoin de sa mère pour y faire à dîner. On les a vus aux noces, il y a une couple de semaines, c'est assez à mon goût. Quand je t'ai mariée, j'ai pas marié toute la famille.

Le fils d'Adéline avait quitté la cour de la maison en faisant tourner les roues pour manifester son mécontentement. Sa sœur aînée, Madeleine, avait eu raison quand elle disait craindre ce vieux grincheux que sa mère voyait dans sa soupe. Ils n'étaient pas unis depuis plus d'un mois qu'Ernest s'était déjà approprié l'unique bien qu'elle ait possédé de toute sa vie et c'était la demeure que son père avait achetée pour y installer les siens. Les seuls souvenirs de lui étaient les anecdotes qu'Adéline racontait du temps où ils avaient emménagé au lac Brûlé dans ce qui était, au début, une toute petite bicoque. De peine et de misère, il leur avait bâti un modeste, mais confortable nid qu'il avait dû lui-même quitter trop tôt, la mort l'ayant ravi à ceux qui en avaient pourtant encore tellement besoin.

Jean avait l'impression aujourd'hui qu'un ours malin avait utilisé comme arme l'hypocrisie pour s'emparer du nid que la famille Gagnon avait si difficilement maintenu sur la branche.

* * *

À la maison, pendant ce temps, la grand-mère Potvin récitait son chapelet, tandis que le petit Simon s'amusait avec des blocs de bois qu'il empilait les uns par-dessus les autres. Un peu de calme ne faisait de tort à personne.

Pierre passait la fin de semaine chez sa sœur Diane, qui lui faisait tellement penser à sa mère par ses façons d'agir. Le soir venu, il partageait le lit de son frère Yvon, qui demeurait tous les week-ends à Sainte-Agathe-des-Monts afin de pouvoir effectuer son travail d'apprenti laitier avec monsieur Latreille. Si toutefois Albert décidait de se joindre à eux, Pierre se contenterait du divan du salon pourvu qu'il soit avec les siens.

Diane consacrait le plus de temps possible à sa famille, qu'elle ne voyait que très peu à cause de son boulot. Son conjoint, Jules, aimait les jeunes frangins de sa femme et il s'en occupait beaucoup. Depuis qu'ils avaient acheté un téléviseur, ils passaient souvent leurs soirées à la maison. Ils appréciaient de moins en moins de faire des sorties à l'extérieur, préférant profiter du confort de leur foyer.

Le soir, après le souper du samedi, ils s'installaient tous au salon pour écouter l'émission *Jeunesse d'aujourd'hui*. Diane se pâmait sur les chanteurs de charme comme Tony Massarelli et Robert Demontigny, et les garçons faisaient des commentaires sur les danseuses à gogo légèrement vêtues de minijupes. Ils riaient et se moquaient des adolescentes hystériques qui criaient dès qu'elles apercevaient leurs idoles.

C'était un moment de répit dans leur vie plutôt moche, et toutes les raisons étaient bonnes pour venir passer du temps à Sainte-Agathe-des-Monts.

Le dimanche matin, ils allaient tous à la messe de onze heures et demie et après le dîner, ils se promenaient souvent dans le village. Plus tard, en faisant un tour de machine[38], Diane et Jules reconduisaient les garçons au lac Brûlé. Le jeune couple en profitait pour visiter la vieille grand-mère, le petit Simon, la belle-mère Adéline et le père de famille, quand celui-ci n'était pas dans son garage ou à la cabane à sucre.

Ce dimanche-là, quand ils arrivèrent à la maison familiale, la tension était à couper au couteau. Adéline avait les yeux rougis à force d'avoir pleuré et elle se berçait en priant. Mémère tricotait et Ernest, anormalement calme, jouait aux cartes avec Simon.

— P'tit vlimeux, t'as encore eu la crotte de poule, taquina-t-il le petit en lui frottant l'as de pique sous le nez.

— J'ai gagné papa, on joue encore ? Dis oui, dis oui !

— Non ! On a de la visite. Viens voir ta sœur Diane. Bonjour, ma fille, ça va bien ? lui demanda-t-il comme si tout se déroulait comme sur des roulettes et en négligeant ouvertement de saluer Jules, son beau-fils.

— Oui, ça va. Et vous, le père ? Comment ça se fait que vous ne soyez pas dehors par une belle journée de même ?

— J'avais promis à Simon de jouer avec lui si y était

---

38 Tour de machine : balade en voiture.

fin. Après, on ira faire un tour à la cabane à sucre et on ramassera des branches dans le bois. Les enfants ont pas été trop tannants?

— Non, c'est quasiment des anges, dit-elle en regardant Pierre et Yvon qui s'étaient disputés ce matin-là avant la messe à propos de cartes de hockey que Jules leur avait données.

— Ta job chez Bell, ça va toujours bien? demanda mémère, qui avait rangé son chapelet dans la poche du tablier qu'elle portait du matin jusqu'au soir.

— Oui. J'aurais pu avoir une promotion si j'avais voulu déménager à Montréal. Mais ça me tente pas de m'exiler et Jules aime bien ça la vie dans le Nord. Si ça marche à notre goût, on pourra peut-être regarder pour s'acheter une petite maison au village.

— Pourquoi acheter, je pourrais t'en louer une moi icitte, pas loin, pour un bon prix! proposa Ernest, sautant sur l'occasion d'obtenir un revenu régulier pour sa nouvelle acquisition.

— Où ça icitte? As-tu une autre maison au lac Brûlé?

— Ben oui, j'ai acheté celle d'Adéline au printemps. Elle était plus capable de s'en occuper et il y avait des réparations à faire sans bon sens. Comme elle avait pas d'argent, j'y ai fait une offre qu'elle a pas pu refuser, expliqua-t-il en jetant un regard sévère à sa femme, qui comprit qu'elle ne pouvait remettre les pendules à l'heure.

— Non, papa, on veut s'installer au village. Les maisons sont plus chères, mais il y a plus de commodités alentour. Je peux faire toutes mes commissions à pied et le soir on va marcher sur la rue Principale et sur Saint-Vincent. On rencontre toujours plein de monde qu'on connaît. Ça fait tellement longtemps que je suis partie du lac Brûlé que je me sentirais étrange de vivre dans un rang de campagne maintenant. Merci quand même d'avoir pensé à moi, dit celle-ci qui souhaitait ne pas déplaire à son paternel.

— T'as l'air de vouloir jouer de la haute, ma fille. Fais ben attention de pas te retrouver le bec à l'eau.

— Il faut vivre avec son temps, le père, répliqua-t-elle du tac au tac.

Jules ne participait que très peu à ces conversations avec son beau-père, qu'il ne prisait guère. Habituellement, le dimanche après-midi, mémère était seule avec le petit Simon. Le jeune homme prenait alors un grand plaisir à discuter avec la vieille dame, qu'il se faisait un devoir de visiter régulièrement, avec sa femme, à l'époque où celle-ci avait sa maison bien à elle.

— On pourra pas rester longtemps aujourd'hui parce qu'on attend de la visite pour souper, intervint Jules, afin de limiter la conversation qui s'apprêtait à virer au vinaigre comme d'habitude.

— C'est ça, on vous retient pas, répondit le beau-père bougonneur, qui savait très bien que son gendre ne l'aimait pas et se disait que de toute façon, c'était réciproque. Ils n'avaient qu'à s'en retourner chez eux au lieu de venir le dénigrer ouvertement dans sa maison.

— T'es pas à prendre avec des pincettes aujourd'hui, le père! As-tu mangé de l'ours à midi? lui lança Diane, qui n'avait aucune crainte à affronter celui-ci depuis qu'elle avait quitté la résidence familiale quelques années plus tôt.

— Tu pourrais rester polie toé, j'pense que t'as les yeux plus grands que la panse, des idées de grandeur pour la p'tite madame, ne put s'empêcher d'ironiser Ernest, qui tenait toujours à avoir le dernier mot.

— Viens-t'en Jules. Ça n'a pas changé icitte ; ça l'air que c'est pas une bonne journée. D'après moé, la lune va être pleine avant longtemps. Bonjour mémère, dit-elle en se penchant pour l'embrasser. En passant, ajouta-t-elle en s'adressant uniquement à sa grand-mère, j'étais surtout montée aujourd'hui pour vous annoncer que j'étais partie pour la famille et que vous seriez une arrière-grand-mère dans quelques mois.

Des larmes inondaient ses joues rosies par la colère et l'amertume. Elle ignora complètement son paternel qui était parvenu encore une fois à éteindre la joie de sa fille qui s'enorgueillissait de cette primeur qui aurait dû semer une étincelle de bonheur chez les siens.

— Quelle bonne nouvelle ma belle enfant ! Comme tu me fais plaisir ! Fais ben attention à toé. J'espère que le Bon Dieu va me donner la force d'aller t'aider quand tu vas acheter[39].

— Moé aussi j'voudrais vous avoir dans ce temps-là, et même avant. Quand j'ai mal au cœur le matin, j'pense que vous pis maman avez passé par là et ça m'encourage pour un bout.

Et elle quitta la maison en bécotant à nouveau sa

---

39 Acheter : accoucher, donner naissance.

grand-mère qui, à ses yeux, remplaçait vraiment sa mère partie trop tôt. Elle fit un simple signe de tête à son père qu'elle n'embrassait jamais, car il répétait toujours que c'était «rien que les licheux» qui faisaient ça. Il donnait déjà la main au petit Simon au lieu de le cajoler, lui qui était pourtant si jeune, encore un enfant. Il ne voulait pas en faire une tapette, mais un homme, disait-il. L'annonce de son aînée l'avait tout de même ému, même s'il ne souhaitait pas le laisser paraître. Bien qu'il serait bientôt grand-père, il déplorait que ce ne soit pas un de ses fils qui lui ait fait la même surprise. L'enfant à venir ne serait qu'un Labrie et jamais un Potvin et pour lui c'était une déception. C'était ça, le problème d'avoir des filles, et Luc, son garçon le plus vieux, n'était pas pressé de se marier; il ne l'avait même jamais vu avec une donzelle. À son avis, ce n'était pas un vrai Potvin pour ne pas avoir le sang plus chaud.

Après le départ de Diane et Jules, la femme d'Ernest avait profité du fait que mémère allait faire une sieste avec le petit dernier pour rejoindre son mari dans le garage et tenter de clarifier la situation.

— Ernest, j'voudrais ça te parler une minute, dit-elle doucement pour éviter un esclandre.

— Quossé qu'y a? Ça pouvait pas attendre au souper?

— Non, j'veux te parler en privé; dans la cuisine pis dans le salon, y a toujours du monde.

— Tu le savais avant de venir t'installer icitte!

— C'est pas ça, mais j'ai pas aimé ce que tu as conté aux enfants à propos de ma maison.

— Quossé que j'ai dit qui fait pas ton affaire?

— Ben t'as raconté que j'avais pas d'argent pour la garder quand c'est toé qui m'as demandé de te la donner. C'est gênant en mosanic de passer pour une pauvre de même.

— Penses-tu que t'étais riche avant que j'te marie ? Si t'avais eu de quoi à toé, tu serais pas allée décrotter la marde du monde en travaillant en journée.

— C'est méchant ce que tu dis là Ernest, répondit Adéline, les larmes aux yeux.

— Peut-être, en tout cas, une chose est sûre, c'est que c'est rien que la vérité. Quand tu te maries, c'est l'homme qui mène. J'aimerais mieux que tu ne viennes pas trop souvent brailler pour des niaiseries comme ça.

À ces mots, Adéline ne put retenir quelques sanglots qu'Ernest s'empressa d'assécher radicalement.

— Batinse, arrête de soupirer comme une biche après la rivière…

Désenchantée et déçue par l'attitude de son mari qu'elle jugeait si prévenant et attachant quelque temps auparavant, elle s'en retourna vers la maison d'un pas enragé.

Avait-elle surestimé Ernest ou lui avait-il laissé croire qu'il était une tout autre personne ? Qu'allait-il se passer dans les jours, les semaines et les mois à venir ? Devrait-elle vivre plus de frustrations que de contentement ? Elle n'avait jamais eu la vie facile, mais malgré sa maigre pitance, on l'avait toujours respectée.

Elle était liée par un contrat de mariage en bonne et due forme qu'elle avait signé un jour avec entrain, mais qu'elle regrettait amèrement aujourd'hui.

Saurait-elle s'acclimater à cette existence qui commençait si durement?

Il lui était impossible, malheureusement, de faire marche arrière. Elle était tombée dans un piège à ours.

CHAPITRE 21

Le mal imaginaire

(Printemps 1964)

— Bonjour, est-ce que je pourrais parler à monsieur Potvin, s'il vous plaît?

— Y é pas icitte. J'peux-tu prendre le message?

— C'est le frère Desrosiers du Collège du Sacré-Cœur, c'est à propos de son fils Pierre. Je ne voudrais pas vous inquiéter inutilement, mais celui-ci souffre d'un terrible mal de ventre et je considère qu'il serait préférable que son père puisse venir le chercher le plus tôt possible afin de consulter un médecin.

Intimidée par le langage soigné de l'homme religieux et anxieuse comme chaque fois qu'il était question de la santé de Pierre, la grand-mère bafouilla et tenta de répondre adéquatement à sa requête. Elle regrettait qu'Adéline soit occupée à étendre du linge sur la corde. Celle-ci avait un peu plus d'instruction et c'était habituellement elle qui prenait les appels téléphoniques.

— J'va essayer de le trouver, y est parti faire des commissions au village après le déjeuner. Est-ce que vous pensez que c'est bien grave, Monsieur?

— Il m'est impossible de vous rassurer, ma bonne dame, mais je sais qu'il se plaint terriblement et ce n'est vraiment pas dans ses habitudes.

Mémère, énervée, raccrocha le téléphone. Elle se demanda comment elle pourrait bien localiser son fils dans Sainte-Agathe-des-Monts. Elle était très inquiète et se hâta de quérir Adéline qui était grimpée sur la petite galerie surélevée au coin de la maison, laquelle lui permettait d'atteindre la corde à linge.

— Adéline, viens icitte au plus vite !

— Mosanic, qu'est-ce qui se passe, Madame Potvin, pour que vous vous énerviez comme ça ? Dites-moi pas que le p'tit de Diane est malade. Je vous en ai parlé quand elle a accouché au mois de janvier, que ça serait pas facile avec celui-là. On dirait que son Michel a pas la couenne assez épaisse pour les hivers de par icitte !

— De quoi tu parles Adéline, y é pas question de Diane pantoute ! Sais-tu où Ernest allait à matin ? Le Collège a appelé pour dire que mon p'tit Pierre est malade. Y faudrait que son père aille le chercher au plus sacrant.

— Vous savez, mémère, qu'Ernest me dit pas où il va quand y part de la maison. Depuis une secousse surtout, y parle pas ben gros. Attendez-moi une minute. J'vais essayer de le rejoindre chez Touchette ou ben chez Gaudet.

Le magasin Touchette était l'endroit à Sainte-Agathe-des-Monts où l'on pouvait trouver de tout, qu'il s'agisse du simple crochet jusqu'à la théière en fer blanc ou la trappe à souris. On disait à la blague : « S'il n'y en a pas chez Touchette, il va falloir se rendre en ville pour en trouver. »

Quant au restaurant chez Gaudet, c'était un autre commerce fortement achalandé. Situé au cœur du village, sur la rue Principale de biais avec l'église, c'était le rendez-vous de tous et là, habituellement, tout le monde se connaissait. Si l'on voulait lancer un potin, c'était la bonne place pour laisser couler de croustillants détails.

Une fois rentrée dans la maison, Adéline s'empara du téléphone et appela en tout premier lieu au magasin Touchette, où Ernest avait l'habitude de se rendre pour s'approvisionner des mille et un articles nécessaires aux nombreuses réparations qu'il effectuait pour ses divers clients. Il n'y était pas passé, alors elle laissa un message lui demandant de rappeler chez lui pour une urgence.

Elle contacta ensuite le restaurant Gaudet où il allait parfois prendre un café depuis quelque temps, mais là non plus, on ne l'avait pas vu. C'était la même réponse à la boucherie de Télesphore Charbonneau où il ne s'était pas pointé le bout du nez.

Les deux dames n'avaient d'autre choix que d'espérer un retour d'appel.

Finalement, Ernest téléphona à la maison. Sur un ton teinté d'impatience et d'agressivité, il interrogea sa femme sur la nature et l'urgence de le joindre avec un message laissé à son intention dans différents commerces du centre-ville.

— Es-tu capable de me dire ce qui arrive ? Au village, tout le monde court après moi, y a-tu quelqu'un qui est mort ?

— C'est le Collège qui a appelé parce que ton fils Pierre est malade. Il faudrait que tu ailles le chercher.

— Batinse, quossé qu'y a encore lui?

— Ça a l'air qu'il a mal au ventre sans bon sens depuis à matin.

— C'est ben correct, j'va passer au Collège quand j'aurai fini de faire mes commissions.

Même s'il ne s'occupait que très peu de ce gamin à la maison, il ne pouvait pas refuser de se rendre à l'école. Qu'est-ce que les frères auraient dit d'un père que l'on appelle et qui ne vient même pas chercher son fils? Mais il y allait à contrecœur, n'étant jamais charitable quand il s'agissait de la santé de cet enfant-là.

Lorsqu'il arriva à la maison environ une heure plus tard, Pierre eut peine à débarquer du camion tant il était souffrant. Il avançait doucement, plié en deux, comme si chaque pas lui transperçait cruellement l'abdomen. Il avait les yeux rougis, mais plus secs qu'un noyau, n'ayant pas osé pleurer devant son paternel. Il le savait déjà mécontent d'avoir été dérangé dans ses occupations, en plus d'avoir été contraint de se rendre au Collège, lui qui dénigrait les frères très ouvertement.

— Quossé qui t'arrive, lui avait lancé son père en embarquant dans le camion, t'étais pas capable de toffer[40] jusqu'à quatre heures?

— Ça faisait trop mal, avait répondu l'enfant en grimaçant de douleur.

— T'as pas la couenne assez dure. C'est la faute de

---

40 Toffer: endurer.

ta mère qui t'a gâté pis mémère continue à son tour, rétorqua Ernest sur un ton sec qui ne laissait aucune place à la réplique.

Quand Pierre avait enfin aperçu sa grand-mère, il lui avait semblé que la souffrance s'était faite soudain moins vive. Elle l'avait fait coucher dans son vieux lit de fer, privilège qu'elle lui accordait souvent depuis que son vieux mari était décédé, et elle lui avait mis un sac d'eau chaude sur l'abdomen.

— Comment ça a commencé ce mal-là?

— Je le sais pas mémère. À matin, c'était correct, mais on aurait dit que j'avais un point dans le côté. Ça empirait tout le temps. C'était comme si on m'avait donné des coups de canif dans le ventre, mais depuis que je suis rendu à la maison, je me sens un peu mieux.

— C'est parce que mémère est là, tu sais ben, blagua-t-elle pour dédramatiser la situation. M'en va te faire prendre une petite aspirine et ça devrait t'aider à guérir. C'est peut-être juste une p'tite indigestion.

Sous les bons soins de sa grand-mère, Pierre resta couché et essaya de dormir. Son père, qui l'avait accusé de le déranger pour des niaiseries alors qu'ils revenaient du village, l'avait tout simplement laissé à la maison et il était reparti aussitôt vers son garage pour continuer son travail.

La vieille Amanda garda le garçonnet malade dans sa chambre toute la nuit et tenta d'apaiser sa douleur. Au matin, elle se dit que ce n'était pas normal et demanda à Ernest d'appeler le docteur Lavallée.

— Êtes-vous certaine qu'on a besoin du médecin,

que ça serait pas juste du caprice d'enfant gâté pourri? Vous en prenez ben soin même que des fois, j'le trouve capricieux sans bon sens. C'est peut-être le mal imaginaire qu'il a.

— Si je te dis Ernest que ça prend le docteur, c'est pas des farces, répliqua Amanda en détachant les syllabes d'un ton autoritaire qui ne laissait aucune place à la négociation.

Ernest savait pertinemment qu'il n'aurait pas le dernier mot avec sa mère. Il appela donc au bureau du médecin et ce dernier, après lui avoir posé quelques questions, lui demanda de conduire immédiatement le garçonnet à l'établissement hospitalier. Il souhaitait l'examiner et semblait déjà connaître la source du problème, mais il avait besoin de le confirmer par des examens plus approfondis.

— Y veut que je l'emmène à l'hôpital à part de ça. Ça coûte les yeux de la tête juste de rentrer là ; s'il faut qu'y le gardent en plus!

Pierre, très inquiet en entendant parler de l'hôpital, ne put s'empêcher de pleurer en se jetant dans les bras de sa grand-mère.

— J'veux pas y aller moé, mémère. J'veux rester icitte avec vous. Donnez-moi de la tisane ou ben faites-moi une purgation à l'huile de castor, mais j'veux pas aller à l'hôpital.

— Ça va ben aller mon p'tit homme. Le bon docteur a besoin de t'examiner avant de te prescrire des remèdes. Fais-toi z'en pas, tu vas péter le feu ben vite!

Adéline, qui ne se mêlait habituellement pas des

affaires de la belle-mère, s'engagea alors dans la conversation.

— Si vous voulez, Madame Potvin, je peux y aller avec le p'tit moé, à l'hôpital. Vous savez, j'en ai eu trois et j'en ai pris soin rien qu'en masse.

— J'en doute pas une miette Adéline, c'est correct. Tu vas voir, Pierre, ça sera pas long. Ta belle-mère va s'occuper de toé. Quand tu reviendras à maison, tu pourras encore dormir avec moé dans ma chambre.

À l'hôpital, le docteur Lavallée décréta après un rapide examen que c'était bien ce qu'il pensait, il devait opérer l'enfant en urgence pour lui faire une appendicectomie. Il n'y avait pas une minute à perdre. On fit son inscription et peu de temps après, Pierre fut hospitalisé. Les démarches furent aussitôt entreprises afin de contacter le docteur Gascon, chirurgien, afin qu'il puisse procéder rapidement à l'intervention.

Ernest revint à la maison avec Adéline juste avant l'heure du dîner et celle-ci prépara une petite valise pour le jeune patient, qui devrait demeurer à l'établissement hospitalier pendant quelques jours. Sans le savoir, elle sortit la même valise que Pauline utilisait quand elle se rendait à l'hôpital pour accoucher, comme si celle-ci l'avait volontairement oubliée sur terre pour qu'elle puisse accompagner son fils à sa place.

Adéline l'apporterait à l'hôpital en y retournant durant l'après-midi. Elle réalisa alors que l'enfant n'avait que des sous-vêtements et des pyjamas usés et elle en fit part à son mari.

— On pourrait aller y en acheter en montant au

village; je les laverais à soir pour demain matin, proposa Adéline qui aimait bien ce petit qu'elle sentait complètement exclu de l'affection paternelle.

— Pourquoi y faudrait que je dépense de l'argent pour quelques jours à l'hôpital? Une affaire pour que le docteur pèse plus fort sur le crayon.

— Voyons Ernest, intervint mémère. T'es un peu plus orgueilleux que ça! Veux-tu que tout le monde dise que t'es pas capable d'habiller tes enfants?

— La mère, faite pas exprès pour me faire parler. J'ai pas le goût de me crêper le chignon aujourd'hui.

— En tout cas, une chose est certaine, c'est mon p'tit-fils, répliqua-t-elle, fâchée de voir son garçon mettre de côté un enfant malade. Et elle ajouta d'un ton implacable:

— J'y ai jamais fait de cadeau à Pierre, ça fait que j'va donner de l'argent à Adéline pour qu'a lui achète deux pyjamas, une robe de chambre pis des pantoufles au 5-10-15[41]. Comme c'est là, y a juste les caneçons[42] que tu seras obligé de payer. C'est sûrement pas ça qui devrait te mettre dans la rue.

— Vous avez toujours aimé ça mener le père par le bout du nez; des fois, on dirait que vous essayez de faire la même affaire avec moé. Faites comme vous voulez, mais ambitionnez pas sur le pain béni.

Et comme d'habitude quand la discussion tournait au vinaigre, il retourna dans son garage, le temps que

---

41 5-10-15: magasin d'aubaines.
42 Caneçon: caleçon, sous-vêtement.

les femmes préparent le dîner. Des journées comme celle-là, il pourrait les rayer sans peine de sa vie.

* * *

— Allo, Diane ? C'est mémère qui parle.

— Qu'est-ce qui arrive ? demanda Diane, soucieuse d'entendre sa grand-mère qui n'utilisait que très rarement le téléphone.

— Je veux pas que tu t'énerves, mais ton p'tit frère Pierre est rentré à l'hôpital à matin ; y va passer au couteau[43]. Y se plaignait d'avoir mal dans le côté depuis hier ; le docteur Lavallée a dit que ça pressait pour l'opérer.

— Qui c'est qui est avec lui ?

— C'est Adéline qui est descendue avec ton père, mais y sont revenus pour dîner et pour venir y chercher du linge. Adéline a parlé qu'a y retournerait après-midi pis Ernest a ben dit qu'y irait la conduire. Je voulais juste te demander si, à soir, tu passerais pas y faire une visite, parce que c'est certain qu'Ernest se rendra pas au village trois ou quatre fois par jour. Tu sais comment Pierre est gêné ; y me semble qu'on laisse pas un enfant de cet âge-là tout seul à l'hôpital.

— Faites-vous en pas mémère ! Tout de suite après le souper, je coucherai mon bébé et Jules sera capable de le garder pour une heure ou deux pour que j'aille au chevet de mon petit frère. Celui-là y a pas de malice, on peut pas faire autrement que de l'aimer.

---

43 Passer au couteau : se faire opérer.

— Merci, ma fille, ça fait du bien de pouvoir compter sur quelqu'un comme toi. T'es comme ta pauvre mère, t'as le cœur sur la main…

* * *

L'opération s'était bien déroulée et à l'hôpital on prenait grand soin de ce petit homme qui avait dès le début charmé le personnel soignant. Lorsqu'il n'avait pas de visite, une jeune infirmière venait jouer aux cartes avec lui et quand il était seul, il faisait son jeu de patience. Ça lui changeait un peu les idées et il trouvait ainsi le temps moins long.

Pierre était déjà un enfant qui parlait très peu, timide et introverti. Il s'était créé un monde bien à lui. Il ne se mêlait presque pas aux autres jeunes, certains ne se gênant pas pour le dénigrer et en faire le dindon de la farce. C'est qu'il était de stature plutôt frêle pour son âge et qu'il était très beau avec ses cheveux blonds frisés et ses yeux d'un bleu azur. Un vrai p'tit saint Jean-Baptiste! Les professeurs le traitaient avec soin, ce qui, pour les plus malins, en faisait un « chouchou des frères ».

Toujours assis dans la première rangée, il était très attentif. Il aimait les études et il n'était pas rare qu'il ait des notes parfaites et soit cité en exemple. Exactement tout ce qui était nécessaire pour en faire un exclu.

À la maison, c'était du pareil au même. Quand sa maman vivait, il était heureux, car elle s'occupait de lui, mais depuis son décès, il constatait avec amertume que son paternel le détestait au plus haut point. Il ne savait pas pourquoi, mais il se rappelait très bien le jour où l'on avait trouvé sa mère inerte dans le garage. Alors qu'il se sentait triste à mourir, il était allé rejoindre son père assis dans la berceuse. Il aurait souhaité se faire tenir par celui-ci afin de partager leur peine commune, mais sans hésiter, celui-ci l'avait repoussé en lui disant de se prendre une chaise. Quelle douleur intense il avait ressentie ! Son propre papa ne voulait pas de lui, il le percevait profondément. Il en avait désormais la preuve.

Qu'est-ce qu'il avait donc pu faire pour mériter cela ? Était-il responsable de la mort de sa mère ?

Maintenant, il était à l'hôpital tout fin seul. Ça faisait quelques jours qu'il était là et Ernest n'était jamais passé le voir. Sa grand-mère, pour sa part, était venue le visiter la veille au soir avec le bon monsieur Bouchard, celui qui livrait les œufs. Il aimait bien ce bonhomme aux cheveux couleur de carottes. Il lui avait même apporté une petite boîte de chocolats Laura Secord juste pour lui. Une attention qui avait touché le jeune garçon d'une sensibilité hors du commun.

Mémère, de son côté, lui avait préparé du sucre à la crème en lui expliquant avec beaucoup de détails qu'elle avait cette fois-ci intégré de la poudre magique dans sa recette. Ainsi, elle penserait à lui chaque fois qu'il en prendrait un morceau. Il aimait tellement cette vieille femme et il croyait tout ce qu'elle lui racontait bien qu'il ait maintenant onze ans depuis quelques semaines.

Sa sœur Diane venait presque tous les soirs, sinon c'était son mari qui y allait. Elle lui apportait chaque fois une petite gâterie, qu'il s'agisse d'un chip, d'une barre de chocolat et parfois même d'un sac-surprise à cinq cents qu'il ouvrait toujours soucieux de découvrir ce qu'il pouvait contenir. Comme si un fabuleux trésor avait pu être dissimulé dans ce pauvre contenant en papier. Ce qu'il aimait le plus trouver, c'était ces bonbons en forme d'outils ou les délicates soucoupes de couleur pastel dans lesquelles on trouvait de minuscules friandises.

Elle allait aussi marcher avec lui dans le passage pour le distraire. Un soir, elle l'avait emmené à la pouponnière pour lui montrer les bébés, car une de ses amies avait eu un petit garçon. Il avait aperçu les parents du nouveau-né et avait été étonné de voir combien le papa paraissait heureux alors qu'il contemplait son rejeton. Est-ce que son père était fier lui aussi quand il était né? Il lui était impossible de le savoir, mais il en doutait fortement.

Son ventre lui faisait moins mal maintenant qu'il avait été opéré, mais il avait de la difficulté à effectuer certains mouvements. Quand il allongeait son bras pour prendre quelque chose sur sa table de nuit, il ressentait un tiraillement qui lui faisait craindre que la cicatrice s'ouvre.

Ces douleurs étaient minimes pour l'enfant comparativement à son cœur qui semblait se déchirer en mille et une miettes. Depuis son départ de la maison, il y avait de cela quelques jours, il avait beaucoup réfléchi et il se disait qu'il n'était pas à sa place au sein de cette famille au lac Brûlé. Peut-être avait-il été adopté comme le petit Charbonneau de Fatima; ça aurait été là une bonne raison pour que son père ne l'aime pas.

Si Diane pouvait le garder tout le temps, ce serait merveilleux. Mais maintenant qu'elle avait un enfant bien à elle, elle ne désirerait sûrement pas accueillir un autre rejeton plus grand. Au moment où il avait très mal, il avait prié le petit Jésus de venir le chercher pour qu'il aille enfin retrouver sa mère. Il n'était pas heureux ici et personne, à part mémère, ne semblait vouloir de lui. Sans qu'il s'en rende compte, ses yeux se mirent à couler. Il pleurait sur sa propre vie. Et tout à coup, une visite fortuite arriva, la tante Fernande de Montréal.

— Bonjour, mon beau garçon, qu'est-ce que tu fais à l'hôpital par une si magnifique journée?

— Bonjour ma tante, dit-il en séchant ses larmes pour ne pas avoir l'air d'un braillard, comme lui reprocherait son père.

— Je suis venue te chercher pour te ramener à la maison. Le docteur a signé ton congé. Es-tu content?

— Oh oui! Mon oncle Léon n'est pas avec vous?

— Il nous attend dans le char. Dépêche-toi de t'habiller, moé, je vais ramasser tes affaires. J'ai aussi une bonne nouvelle à t'annoncer, mais on parlera de ça ben assis dans la cuisine devant une tasse de chocolat chaud.

Soudain, il semblait que la vie reprenait un peu son sens. Dans la figure épanouie de la tante Fernande, il retrouvait l'amour d'une mère. Il oublia aussitôt toutes les interrogations qu'il avait eues; il était si content de quitter cette chambre sombre et froide où il avait pleuré toutes les nuits depuis son arrivée.

Pierre avait maintenant hâte de pouvoir retourner à

l'école, même s'il savait qu'il ferait rire de lui. Au moins, il aurait l'appréciation des frères du Sacré-Cœur qui voyaient en lui un futur novice.

Fernande et Léon avaient élevé leur famille dans un tout autre esprit que celui des Potvin. Le jour de leur mariage, elle l'avait bien spécifié à son promis. Elle ne voulait plus jamais vivre de chicanes comme elle en avait enduré depuis sa naissance où chaque journée avait son lot de disputes et de corrections. Fernande souhaitait que chaque jour se déroule dans la bonne humeur et l'harmonie avec l'homme qu'elle aimait et à défaut d'y parvenir, elle préférait se faire religieuse ou vieille fille.

Fernande avait toujours su ce qu'elle désirait dans la vie et avec sa forte personnalité et son physique impo-sant, elle traçait habilement sa route. Elle s'était juré de n'avoir des enfants qu'avec un être qui les chérirait tout autant qu'elle et elle avait bien réussi avec ce cher Léon. C'était un mari comme toutes les femmes espéraient en avoir, patient, joyeux et généreux. Son seul défaut était la lenteur. On disait à la blague qu'une tortue pouvait facilement lui tenir tête. Fernande pouvait bien s'en accommoder ; elle n'avait qu'à ralentir son tempo et cultiver un peu sa patience.

Depuis que sa belle-sœur Pauline avait choisi de se donner la mort plutôt que de continuer à vivre auprès d'un être tel que son propre frère, elle se creu-sait les méninges afin de trouver un moyen de sortir le petit Pierre de cet enfer. Elle savait qu'Ernest lui faisait la vie dure et comme mère de famille, ça lui pesait terriblement. Bien que l'enfant soit illégitime, secret qu'elle ne partageait qu'avec sa mère et son frère Georges, il n'en était pas moins innocent face à cette situation irrémédiable. Selon Fernande, Ernest avait été, en tout premier lieu, l'artisan de son propre malheur en s'appropriant la femme convoitée par son frère, en utilisant de malins subterfuges pour parvenir à ses fins.

Fernande avait donc pris la liberté d'entrer en communication avec Georges à Détroit et lui avait demandé s'il était prêt à défrayer les coûts d'un collège à Montréal où Pierre serait pensionnaire. Elle savait que le petit s'ennuierait de sa grand-mère, mais elle ferait tout en son possible pour combler le vide par des visites au cours de l'année et en l'accueillant chez elle au sein de sa famille dans les congés scolaires. Personne n'y verrait à redire puisqu'il s'agissait d'études et qu'on laisserait croire que c'était Ernest qui payait, ce qui ne lui déplairait pas, son ego pouvant grossir au gré des racontars.

Georges ne se fit pas prier longtemps pour donner une réponse à sa sœur. Il était prêt à tout pour ce gamin qui lui rappelait tellement sa belle Pauline. Il donna carte blanche à Fernande pour trouver un bon collège pour y inscrire Pierre, mais se demanda comment elle allait présenter le tout à son frère. Elle lui dit de ne pas se soucier de cela. Elle savait pertinemment qu'Ernest serait très heureux de ne plus avoir à s'occuper de ce garçon non désiré et qu'en plus, il serait conscient qu'il réaliserait ainsi une économie substantielle en le laissant quitter la maison. Sa deuxième victoire serait de constater que son frère devrait payer pour ses erreurs, en l'occurrence un enfant né hors du sacrement du mariage, un être conçu dans l'adultère, le péché mortel.

La pensée d'un homme rancunier n'a pas la même voix que celle d'un homme aimant.

Georges avait travaillé toute sa vie pour combler le vide laissé par un amour perdu. Il voyait aujourd'hui la possibilité de donner un sens à son avenir. Il agirait de manière à ce que Pierre puisse faire de longues études, peu importait le prix qu'il aurait à payer. Il essaierait de se rapprocher de lui tout doucement sans toutefois l'effrayer. Quand celui-ci serait adulte, il pourrait lui dire les liens qui les unissaient, mais seulement quand il serait amoureux et en mesure de comprendre ce que représente l'amour qui lie deux êtres.

Dès qu'elle eut l'assentiment de Georges, elle planifia une visite au lac Brûlé. En arrivant chez Ernest le samedi matin, mémère lui apprit que le petit Pierre était hospitalisé à Sainte-Agathe-des-Monts. Fernande profita donc de la situation pour parler à son frère tout de suite après le dîner, alors qu'il s'apprêtait à retourner s'isoler dans son garage.

— Ernest, si je suis venue icitte aujourd'hui, c'est que j'ai quelque chose de ben important à te jaser. C'est moé qui suis la plus vieille de la famille et si tu veux, on va pas se raconter des histoires.

— Quossé que t'as à me dire ? Parle, qu'on en finisse !

— C'est à propos de Pierre.

— Quossé qu'y a encore Pierre ? répliqua-t-il rapidement d'un ton mécontent. On dirait que tout le monde parle juste de lui depuis une bonne secousse.

— As-tu au moins une bonne raison pour que ça te dérange autant ?

— Oui, pis toute une, à part de ça. As-tu idée comment ça peut coûter cher de s'occuper d'un enfant chétif qui est toujours malade, surtout quand... en tout cas... j'me comprends.

— Prends pas des grands airs Ernest, moé aussi je comprends ce que tu t'essaies de raconter. T'es au courant que Georges est resté chez nous assez longtemps, avant de s'expatrier aux États. On a gardé contact pendant tout ce temps-là, ajouta-t-elle dans une phrase chargée de sous-entendus.

— Quossé que tu veux dire ?

— Tout simplement que je sais très bien pourquoi tu traites pas Pierre comme tes autres enfants.

— Y manque-tu de quelque chose ?

— Oui, il aurait eu besoin de l'amour d'un père, mais au lieu de ça, tu l'as négligé, rien de moins que ça. Les enfants sont pas fous, pis y sont pas responsables des bêtises des adultes.

— Dans mon livre à moé, celui-là, dit-il pour éviter de le nommer, c'est rien qu'un bâtard ! Y é ben chanceux que j'y apporte le nécessaire. En plus d'y avoir donné mon nom...

— Ben c'est justement pour ça que je suis là. Je veux l'inscrire au collège à Montréal, pensionnaire. C'est un petit gars intelligent pis y pourrait apprendre un métier.

— Penses-tu que j'va payer le pensionnat à un bâtard, quand j'ai même pas pu le faire pour mes enfants ? répliqua-t-il, enragé et prêt à tout pour se défendre devant sa sœur qui, à son avis, abusait de son droit d'aînesse.

— Non, t'auras pas à débourser la moindre cenne, mais tu pourras raconter à tout le monde que ton fils est pensionnaire dans le meilleur collège de Montréal, pis t'en péter les bretelles. Un bienheureux donateur acquittera tous les frais et je m'occuperai par la suite de mon neveu. J'habite pas loin de cette école et j'ai toujours aimé ce garçon-là de toute façon.

— Veux-tu me dire que Georges Potvin va enfin payer pour avoir engrossé ma femme ?

— T'as ben compris Ernest. Ton frère déboursera tous les frais pour l'enfant qu'il n'a pas vu grandir et c'est un bel acte de charité chrétienne, car Pierre n'a pas demandé à venir au monde. J'ai juste besoin que tu me signes un mandat qui me permettra de remplir tous les papiers à ta place.

— J'va y penser pis j'te rendrai ma réponse en temps et lieu.

— Y en est pas question. C'est oui ou c'est non et il faut que je le sache drette là. Je vais revenir chercher l'enfant à la fin de ses classes en juin et il passera l'été chez nous. Ça nous donnera le temps de le préparer pour le collège en septembre prochain. C'est à prendre ou à laisser !

— T'aimes ça runner[44] toé, on croirait entendre le père.

Et finalement, Ernest signa le document que Fernande

---

44 Runner : mener, diriger.

avait apporté. Il savait qu'il n'y avait rien d'autre à faire, et étrangement, il sentait qu'il serait maintenant libéré, n'ayant plus sous les yeux le fruit de la trahison.

Quand il rentra à la maison, mémère annonça à Ernest qu'elle avait reçu un appel de l'hôpital disant que Pierre avait son congé. C'est alors que Fernande et Léon s'étaient portés volontaires pour aller le chercher eux-mêmes. Ils auraient ainsi la fierté de pouvoir lui apprendre la grande nouvelle et voir également sa réaction.

D'ici deux mois tout au plus, le temps de terminer son école en juin, Fernande et Léon viendraient quérir le jeune garçon pour l'emmener à Montréal. Elle lui préparerait une nouvelle vie dans un milieu où, il était à souhaiter, on le respecterait. L'enfant passerait donc l'été à Montréal avec la famille Demers qui n'avait plus d'enfant à la maison et à l'automne, il entrerait comme pensionnaire pour continuer ses études.

Pierre, pour sa part, était ambivalent. Devait-il réellement se réjouir ? Si son père acceptait qu'il parte pour Montréal sans y redire, c'était parce qu'il ne tenait pas vraiment à lui, tout comme il le lui faisait si bien sentir depuis très longtemps. Bien qu'il le ressentait pertinemment, ça le blessait tout de même profondément que ça se confirme de la sorte.

Et sa pauvre grand-mère qu'il ne serait plus en mesure de voir tous les jours. Comment pourrait-il vivre sans elle alors qu'elle avait été si importante dans toute son enfance ?

Il lui semblait devoir faire le deuil de tout ce qu'il

affectionnait pour l'amour d'un homme aigri et méchant qui ne l'avait jamais traité comme un père.

Pourquoi est-ce que ce n'était pas Ernest Potvin qui était mort à la place de sa pauvre mère ? Ça n'aurait été qu'un bon débarras pour plusieurs et sa petite maman chérie aurait continué à vivre à ses côtés et à l'abreuver de son attachement maternel jusqu'à ce qu'il devienne suffisamment mature pour prendre son envol et quitter un nid d'où il aurait des souvenirs heureux.

Il s'ennuyait terriblement des moments où elle venait le border dans son lit alors que son père travaillait au garage. Du temps de qualité où ils n'étaient que tous les deux et qu'elle lui fredonnait de douces mélodies.

La période des interrogations n'était pas finie pour le jeune garçon, qui partait pour la grande ville sans armure ni fusil. Pourrait-il s'endurcir suffisamment pour passer au travers ou bien obtiendrait-il un peu d'aide ?

CHAPITRE 22

La mémoire défaillante

(Novembre 1964)

Mémère Potvin trouvait que le mois de novembre n'en finissait plus. Depuis le départ de Pierre pour le collège, la maison lui semblait bien grande. Elle se retirait le plus souvent dans sa chambre pour prier et laissait la place à Adéline qui vaquait aux travaux domestiques. Sa vie n'avait plus tellement de sens depuis qu'Édouard, son mari, était parti. Elle vivait maintenant aux dépens de son fils cadet, qu'elle avait beaucoup de mal à cerner. Elle l'évitait la plupart du temps en se réfugiant au fond de sa vieille chaise berçante avec son chapelet comme seul et unique confident.

Ça avait été son anniversaire le mois dernier, mais elle ne se souvenait pas de l'âge qu'elle avait maintenant. On avait pourtant souligné ses quatre-vingt-trois ans. Elle avait eu la visite de certains de ses enfants et elle avait reçu des cadeaux, dont une belle jaquette de flanelle de coton rose avec de minuscules fleurs. Elle l'avait bien pliée et mise au fond du tiroir du bas de son bureau avec un savon d'odeur, également obtenu à la même occasion. Elle la garderait au cas où elle serait obligée d'aller à l'hôpital; pourquoi utiliser les neuves quand on en a des vieilles à user?

Chose curieuse, elle avait trouvé des biscuits en serrant ses vêtements dans son tiroir. Est-ce que ce serait Simon qui aurait voulu badiner avant d'aller jouer dehors, se demanda-t-elle?

Comme tous les jours vers onze heures, Adéline préparait le dîner. Elle profitait de la matinée pour faire son ménage, car tous les après-midi de la semaine, elle allait travailler en journée. Mémère gardait Simon, qui avait déjà cinq ans et demi. Il jouait aux cartes avec la vieille dame et elle lui apprenait à réciter ses prières. Il savait son Notre Père et son Je vous salue Marie par cœur, mais il avait de la difficulté à faire son signe de croix sans inverser «le Saint-Esprit». Il disait que ce n'était pas important puisqu'il n'allait pas encore à l'école.

— Madame Potvin, après-midi j'm'en va travailler chez la rougette à Paquette au boutte du chemin. Si chu pas à maison à cinq heures, pourriez-vous mettre le pâté chinois au feu? Y faut que j'y fasse ses tartes et son ragoût de pattes aujourd'hui; j'va peut-être revenir plus tard à soir.

— Ben oui ma fille, inquiète-toi pas. Tu partiras aussitôt que le dîner sera fini. Laisse faire la vaisselle, j'm'en occupe. Ça va passer mon temps et pis il faut ben que je serve à quelque chose icitte.

— Vous êtes ben fine de faire ça pour moé quand j'ai des grosses journées à faire en dehors. Mosanic de temps des fêtes, on dirait que le monde vire fou!

Y veulent leur ragoût pis leurs tourtières à la dernière minute. Y me semble qu'ils pourraient y penser un peu plus de bonne heure. Asteure qu'on a des congélateurs électriques, on est plus obligé d'attendre que ça gèle dehors pour garder notre manger.

— Fais-toi z'en pas, c'est ben correct de même. Y a juste ça que j'peux faire asteure, pis ça me fait plaisir de pouvoir me rendre utile.

Les deux femmes, qui étaient amies avant le mariage, faisaient bon ménage et s'entendaient relativement bien. Elles avaient maintenant moins de périodes tranquilles pour jouer aux cartes, mais dès qu'elles le pouvaient, elles faisaient une petite partie, histoire de se divertir un brin. Les loisirs au lac Brûlé étaient inexistants et ils recevaient de moins en moins de visite, ce dont Ernest ne se plaignait guère, lui qui était si casanier.

Mémère allait à l'occasion visiter sa petite-fille Diane au village où elle en profitait pour bercer son arrière-petit-fils. La vie l'avait vraiment comblée avec tous ces magnifiques enfants et Diane lui avait même annoncé qu'elle aurait un autre petit bébé au début de la prochaine année. C'est du moins ce que le docteur avait mentionné, fin janvier ou les premiers jours de février. Des moments de bonheur prévus pour le jeune couple qui semblait si amoureux.

À l'occasion, madame Potvin se rendait aussi chez la famille Bouchard pour y passer l'après-midi avec sa vieille amie. Mais depuis quelque temps, elle était plus fatiguée et refusait désormais les invitations qu'on lui faisait de descendre à Sainte-Agathe-des-Monts. Elle se complaisait très bien à se bercer et à prier dans la maison où elle avait tellement de souvenirs de sa vie de jeune mariée.

Adéline, pour sa part, se rendait parfois dîner chez ses enfants, mais toute seule. Jamais Ernest n'avait accepté de l'accompagner ; il allait la conduire à la porte et revenait la chercher à l'heure prévue. Il n'entrait même pas pour les saluer, il klaxonnait et sa femme, soumise, le rejoignait dans le camion, après l'avoir excusé auprès des siens, prétextant qu'il travaillait terriblement fort. Personne n'était dupe et on ne déplorait pas son absence, l'homme étant de plus en plus sauvage en vieillissant.

Ce soir-là, quand Ernest rentra à cinq heures, il fut surpris de trouver la maison si tranquille. Après avoir joué aux cartes avec Simon, mémère avait sorti une belle et immense revue que Diane lui avait apportée cette semaine. Un numéro spécial du *Paris Match* édité en grand nombre pour souligner le premier anniversaire de l'assassinat de John F. Kennedy, ce président des États-Unis tué sauvagement dans les rues de Dallas au Texas le 22 novembre 1963, date qui, pour l'éternité, demeurerait dans la mémoire de la population en général. Diane savait que, comme une large majorité des gens, sa grand-maman avait suivi avec intérêt cet événement et quand, tenant sa fillette Caroline dans ses bras, elle avait vu cette revue européenne avec la photo de John F. Kennedy, elle n'avait pu résister et elle s'en était procuré une copie pour elle et une autre pour son aïeule. Elle la trouvait plutôt perturbée ces temps-ci et elle souhaitait pouvoir la distraire.

— Adéline est pas icitte, pis le souper est pas encore prêt ? ronchonna Ernest sans saluer qui que ce soit en arrivant dans la pièce.

— Y me semble qu'on vient juste de dîner, as-tu encore faim ? lui répliqua mémère toute surprise. Si tu continues à faire de la bedaine tu vas péter au frette[45] mon gars.

— J'vous ai demandé où est Adéline, lui répondit Ernest d'un ton austère.

— J'suis pas certaine, mais y paraît qu'elle voulait aller passer l'après-midi avec madame Paquette pour y faire de la popote. Tu sais, c'est la grosse bonne femme au bout du rang, celle qui porte toujours des robes fleuries pis des bas courts. L'autre semaine, son chien était dans le poulailler...

Mais Ernest s'impatientait et sortit en trombe, sans continuer d'écouter le discours incohérent de sa mère. Il monta dans son camion et se rendit directement à la résidence de madame Paquette. Il ne prit pas la peine d'entrer chez ses voisins, mais il klaxonna bêtement jusqu'à ce que son épouse comprenne qu'il venait la chercher.

— Embarque au plus sacrant, lui intima-t-il. Tu peux travailler pour les autres tant que tu veux, mais y faudrait, avant, que tu fasses ton ouvrage à maison. Je commence à en avoir plein mon casque d'avoir une femme qui a pas plus d'allure que ça !

— Mosanic Ernest, je peux pas abandonner madame Paquette avec tout son manger à finir. A me paye pour

---

45 Péter au frette : mourir.

faire ça. Ta mère était pourtant supposée de mettre le souper au feu.

— Laisse faire ma mère, c'est pas elle la femme de la maison, c'est toé.

Et sans plus attendre, il ramena sa conjointe chez lui, en continuant de vociférer des bêtises. Adéline n'y comprenait rien. Pourquoi sa belle-mère n'avait-elle pas fait ce qu'elle lui avait demandé? Habituellement, tout se passait très bien quand elle devait travailler un peu plus tard. Il fallait que ce soit justement ce soir que la vieille dame lui fasse faux bond.

Arrivé dans la cour, le couple constata que mémère était dehors, sans manteau, et qu'elle marchait lentement vers le garage. Le jeune Simon courait devant elle en jouant dans la neige alors qu'il n'avait pour tout vêtement que sa salopette et une petite chemise à carreaux. Ils en oublièrent instantanément leur différend pour se diriger vers eux.

— Madame Potvin, rentrez dans la maison avec Simon, vous allez être malade. C'est trop frette pour sortir pas habillée, lui dit Adéline, surprise de voir l'attitude de la vieille femme.

— J'allais juste chercher Ernest pour allumer le poêle. J'ai pas de bois dans la cuisine pis on commence à geler sans bon sens.

— Laissez faire pour le bois, je m'en charge mémère, répondit Adéline, remarquant que sa belle-mère était plus ou moins bizarre ce soir-là. Il y avait pourtant déjà un moment qu'on n'avait plus de poêle à bois dans la résidence.

Ernest se trouva totalement déstabilisé de voir sa mère ainsi perturbée. Il oublia qu'à peine une dizaine de minutes plus tôt, il avait hurlé des insanités à la pauvre Adéline, celle-là même qui s'occupait présentement de la grand-mère Potvin avec autant de dévouement.

Tout le monde rentra à l'intérieur sans autre explication et Adéline entreprit immédiatement de cuire les mets prévus pour le souper. Elle dressa ensuite la table et pour faire patienter les siens, elle leur servit une soupe aux pois qu'elle avait rapidement mise à réchauffer. Mémère parla de tout et de rien pendant le repas et dès qu'elle eut pris son thé et mangé son dessert, elle retourna promptement dans sa chambre pour prier.

— Qu'est-ce qui arrive à mémère tout d'un coup? s'enquit Ernest à Adéline, comme tout homme normal discuterait d'un problème avec sa femme.

— J'sais pas. Elle était ben quand chu partie après le dîner. J'avais préparé le pâté chinois pour le souper et j'y avais demandé de le mettre au feu avant que je revienne. Elle a même insisté pour faire la vaisselle à ma place à midi pour que je puisse partir plus tôt.

— A doit être fatiguée. On verra demain, dit-il pour se convaincre qu'il s'agissait tout au plus d'un malaise momentané.

Ernest n'envisageait aucunement de s'excuser de son attitude envers sa femme. En son for intérieur, il considérait qu'elle devait avant tout s'occuper de sa maison et ne pas se fier à la vieille dame. Ils ne songèrent plus ensuite à cet événement, car les jours suivants, mémère se porta beaucoup mieux. À l'occasion, elle confondait les heures des repas, mais à cet âge avancé, ils se disaient que c'était banal.

Elle se levait également parfois dans la nuit et elle se berçait dans la cuisine pour prier. Ernest et Adéline pensèrent alors, pour excuser son geste, qu'elle dormait tellement durant la journée, qu'il semblait plausible qu'elle soit déphasée dans ses horaires de sommeil.

Les jours passaient et la famille s'organisait pour les fêtes de fin d'année. Adéline préparait de la nourriture le matin avant d'aller faire ses journées d'ouvrage à l'extérieur. Elle devait récupérer le maximum de temps, car elle était maintenant toute seule pour effectuer les travaux de routine. Mémère s'impliquait de moins en moins dans la maison.

Dans la famille, tout semblait se dérouler pour le mieux. Ernest s'était même rendu avec Simon dans la forêt pour y couper un sapin. Il l'avait ensuite installé dans le salon et il était descendu dans la cave pour sortir de vieilles boîtes de décorations de Noël. En entrant dans la pièce, on sentait au début une odeur de moisi provenant des cartons usés par les années, mais heureusement, la senteur du conifère prenait rapidement le dessus. Il demanda à Adéline de bien décorer l'arbre pour le cadet de ses enfants. Il avait promis à celui-ci que le père Noël lui apporterait de superbes cadeaux. Il avait déjà fait l'achat d'une bicyclette chez Jos Kelly sur la rue Saint-Joseph à Sainte-Agathe-des-Monts, à la toute fin de la saison. Elle était rouge et avait deux petites roues en arrière, afin que Simon puisse s'initier tranquillement sans risquer de se blesser.

C'était le premier enfant de la famille à avoir une bicyclette neuve. Tous les autres avaient appris en utilisant de vieilles bécanes que leur père ramassait dans les vidanges et qu'il raboudinait du mieux qu'il le pouvait. Il y avait des privilèges à être le plus jeune du clan des Potvin et Ernest était heureux de pouvoir gâter son petit dernier.

La veille de Noël, ils partirent pour la messe et mémère resta à la maison. Il n'était plus de son âge d'aller à des cérémonies aussi tardivement. Elle se coucha tôt après le souper pour être en forme le lendemain.

Ernest avait promis à Simon de l'emmener à la messe de minuit s'il acceptait de dormir dans la soirée. Le petit avait mis son pyjama à sept heures, mais s'était relevé deux fois plutôt qu'une, car il avait soif, il avait envie de pipi, il avait peur, mais chaque fois son père lui disait de retourner au lit. Il avait finalement sommeillé environ une heure avant qu'Adéline ne le réveille pour le préparer à cette belle sortie de famille. Le paternel voulait surtout lui montrer l'enfant Jésus dans la crèche. Il lui donnerait ensuite une pièce de monnaie afin qu'il la remette à son tour au petit ange en plâtre à l'avant de l'église, celui qui bougeait la tête en signe de remerciement.

Ernest avait bon souvenir de ces périodes vécues avec son père. Il avait alors à peu près le même âge, sauf qu'à cette époque, ils avaient parcouru le trajet en calèche. Il souhaitait que son fils imprime ces moments privilégiés au plus profond de sa mémoire.

Ils avaient prévu de servir un petit repas au retour quand Simon aurait ouvert les quelques cadeaux que

son papa lui avait achetés et qu'il avait pris la peine
de déposer devant le sapin juste avant de partir pour
l'église. Il n'y avait des présents que pour Simon, les
plus vieux ayant décidé d'aller passer le réveillon avec
Diane et Jules à Sainte-Agathe-des-Monts.

Durant la messe, Simon avait été quelque peu turbu-
lent, ne tenant pas en place. Il se tournait la tête comme
une girouette et faisait des risettes à ceux qui occupaient
les bancs autour de lui. Adéline avait beau lui serrer les
cuisses et le sermonner, mais il ne l'écoutait pas. C'était
toujours ainsi quand son père était alentour, elle n'avait
plus aucune autorité sur l'enfant. Il bougea jusqu'à ce
qu'il soit suffisamment fatigué pour s'endormir dans les
bras de celui-ci, qui le porta alors comme un magnifique trophée.

En sortant sur le parvis de l'église, Adéline souhaitait
avoir l'occasion de voir des voisins ou des connaissances
afin d'échanger les vœux d'usage, mais Ernest la poussa
du coude de façon à la diriger vers son camion.

— Ernest, pourquoi on prend pas le temps de faire
nos souhaits à ceux qu'on connaît? Ça va juste prendre
une minute.

— As-tu déjà vu ça toé parler rien qu'une minute sur
le perron de l'église? Moé j'ai pour mon dire que c'est
rien que de l'hypocrisie. Ils te disent qu'ils sont contents
de te rencontrer pis aussitôt que t'es parti, ils rient de
toi ou de ta façon de t'habiller.

— C'est pas tout le monde qui est méchant, il y a du
mosaic de bon monde aussi.

— Moé je suis venu à la messe, pas à un party. Pis

as-tu oublié que maman est tu seule à maison ?

Ils retournèrent donc sur le chemin Ladouceur au lac Brûlé dans le silence et l'indifférence.

En entrant dans leur résidence, l'enfant se réveilla et se dirigea vers le salon pour y découvrir ce que le père Noël lui avait apporté. De petits cadeaux contenant des friandises, une paire de bas et un foulard tricotés par Adéline et le gros cadeau enveloppé rudement dans du papier journal avec un immense ruban découpé dans un tissu rouge.

Ernest se réjouit donc de constater l'émerveillement de son fils devant sa nouvelle bicyclette et il le fit aussitôt asseoir dessus. Il le promena tout doucement de la cuisine au salon à quelques reprises pour que le plaisir perdure sachant fort bien que dès le lendemain, il remiserait le jouet jusqu'au printemps suivant. Il paraissait heureux de distinguer autant de bonheur dans le regard de son enfant et ça lui rappelait l'année où son père lui avait offert pour son anniversaire un magnifique canif. Il s'était senti à ce moment-là privilégié et c'est ce qu'il faisait vivre aujourd'hui à Simon avant de le recoucher dans son lit où il sombra rapidement dans le pays des songes.

Ils passèrent ensuite à table, sans toutefois réveiller mémère qui semblait dormir comme un loir. Le réveillon en tête à tête ne dura pas très longtemps et le couple alla se coucher. Ernest était heureux pour son fils et Adéline était triste en réalisant combien elle était seule au monde depuis son deuxième mariage.

Tôt le lendemain matin, Ernest se leva comme à

l'habitude avant toute la maisonnée ; il grignota le reste d'une tourtière laissée à refroidir sur le dessus du poêle la veille. Adéline arriva ensuite, pressée de préparer le déjeuner pour éviter un esclandre de son époux en ce jour de festivités où certains des enfants devaient venir dîner.

— Mémère est pas encore debout ? lui demanda Adéline, surprise de ne pas voir la vieille assise dans la berceuse.

— Non. C'est rendu qu'a dort plus qu'un bébé.

Adéline, soudain inquiète, se dirigea vers la chambre de la grand-mère. Elle frappa doucement à sa porte et comme il n'y avait aucune réponse, elle ouvrit pour découvrir que la pièce était vide. Le lit était bien fait, mais sa penderie était grande ouverte.

— Ta mère est pas dans sa chambre, dit-elle à Ernest d'un ton alarmant. Son lit est fait, mais son *coat* est pas dans le garde-robe.

— Batinse, où c'est qu'a peut être allée ? À c't'heure-là, le matin de Noël, ça se pourrait-tu que Diane soit venue la chercher hier soir ?

— Ça n'a même pas d'allure. On est partis pour la messe à onze heures et quart.

— J'va l'appeler quand même, a peut pas être allée ailleurs.

Et Ernest passa quelques appels pour finalement réaliser que sa mère était sortie en pleine nuit et que personne ne l'avait vue.

Diane, Jules, Yvon et Albert montèrent donc plus tôt chez leur père pour les aider dans leurs recherches.

On fouilla la résidence de fond en comble pendant qu'Ernest vérifiait dans son garage et les alentours. Certains se rendirent même jusqu'à la cabane à sucre, mais il n'y avait aucune trace de la vieille dame.

Diane, qui en était à ses derniers mois de grossesse, était restée à la maison avec Simon. Voyant que les minutes passaient rapidement et que les recherches n'aboutissaient à rien, elle suggéra à Jules, son époux, d'aller du côté du chalet des Thompson. C'est donc à cet endroit que Jules trouva mémère assise dans la cuisine de la demeure de ses bourgeois. Elle avait utilisé la clé qu'on laissait sous le paillasson depuis toujours et elle était entrée. N'eussent été des traces de pas dans la neige et de la présence d'esprit de Diane qui se sentait terriblement impuissante à cause de sa grossesse, qui sait le temps qu'on aurait mis à la localiser. À l'arrivée du conjoint de sa petite-fille, la vieille dame tentait d'allumer le poêle à bois en grelottant. Elle était dépeignée et avait enfilé gauchement son manteau par-dessus sa robe de nuit. Elle avait les yeux hagards, mais semblait cependant sereine.

Ils la ramenèrent à la maison et Adéline entreprit de lui faire prendre un bain chaud. Elle lui donna ensuite un petit bouillon de dinde et la coucha avec plusieurs couvertures afin d'éviter qu'elle n'attrape une pneumonie, ce qui aurait pu être fatal à son âge.

Ernest appela sa sœur Fernande à Montréal pour lui faire part des derniers événements. Celle-ci dit qu'elle avait prévu de monter au lac Brûlé pour le jour de l'An, mais que, compte tenu de la situation, elle viendrait voir sa mère dès le lendemain. Elle demanda cependant à son frère de veiller étroitement sur celle-ci en attendant sa visite. Le dîner de Noël n'avait pas eu lieu, tout le monde participant aux recherches. Ils profitèrent néanmoins de l'abondante nourriture dès qu'ils surent que mémère était en sécurité. Celle-ci ne semblait pas réaliser ce qui s'était passé et ne voyait rien d'étrange à sa sortie de la veille.

Elle dormit une bonne nuit et se réveilla le lendemain comme si rien de tout cela n'était arrivé. Dans sa tête, l'espace de quelques heures, elle était retournée en arrière, assez loin pour croire qu'elle travaillait en journée et devait nettoyer la maison de sa bourgeoise, madame Thompson, d'où son départ au petit matin.

Adéline ne voulut pas coucher en haut ce soir-là et elle sommeilla, assise dans la berceuse, jusqu'à ce qu'Ernest se lève le matin pour déjeuner. À plusieurs reprises, elle se rendit dans la chambre de sa vieille amie pour vérifier si elle était vraiment bien.

Fernande arriva en fin d'avant-midi avec son mari et une belle surprise. En effet, grâce aux congés scolaires, Pierre était avec eux. Habillé comme un petit homme, il marchait d'un pas assuré vers la maison où il avait grandi.

— Bonjour papa, dit le jeune garçon qui n'avait pas vu Ernest depuis le mois d'août.

— Bonjour Pierre. Ça va ?

— Oui, ça va.

Mais ni l'un ni l'autre ne pouvait poser le premier geste. Aucun baiser, aucune poignée de main. Qu'un léger signe de la tête.

L'enfant se dirigea cependant de gaieté de cœur vers sa grand-mère pour l'embrasser.

— Bonjour, mon p'tit gars, t'es donc ben beau. C'est ton plus grand ça, Fernande?

— Non, mémère, c'est Pierre. Vous vous souvenez de Pierre. Il étudie à Montréal asteure.

— Oui, j'me rappelle. Pis comment qu'y va, Georges?

Tout le monde se tut et se tourna vers la vieille dame qui faisait référence à une vérité connue de peu de personnes, mais toujours vivante dans sa pauvre mémoire confuse.

— Avez-vous vu Diane? demanda Fernande pour faire diversion. A doit être à la veille d'acheter à l'heure qu'il est? Elle avait déjà une bonne petite bedaine quand je suis venue dans le Nord pour la fête de maman à l'automne. C'est quasiment deux petits dans la même année qu'elle va avoir là, la pauvre enfant. C'est de valeur que je reste loin, j'aurais ben aimé ça y donner un coup de main!

Mais personne n'était dupe, et rien ne laissait entendre que l'on voulait avoir une conversation qui puisse avoir du sens. On ne cherchait qu'à tuer le temps. Fernande demanda donc à sa mère si elle pouvait venir avec elle dans sa chambre. Elle insista alors pour convaincre celle-ci d'aller passer quelques jours à Montréal avec eux. Elle tenterait ainsi de la faire examiner par son médecin et saurait ensuite ce qu'il était possible de faire pour elle.

Ils partirent tôt après le dîner avec la grand-mère pour essayer de voir comment ça pourrait se dérouler dans un autre environnement. Au cours de la semaine suivante, Fernande dut se rendre à l'évidence que la santé mentale de sa mère déclinait et qu'elle ne pouvait pas la garder à la maison de façon sécuritaire. Elle appela donc Ernest et lui demanda de joindre le docteur Lavallée afin de savoir où l'on pouvait bien la conduire.

* * *

Le lundi 15 février 1965, Diane Labrie donna naissance à son deuxième enfant à l'hôpital de Sainte-Agathe-des-Monts. Un gros bébé de neuf livres et cinq onces, un garçon qu'ils baptiseraient du prénom Steve, en l'honneur de Steve McQueen qu'ils adoraient tous les deux, depuis qu'ils avaient vu au cinéma le film *La grande évasion*. Qui sait s'ils auraient un rejeton aussi fonceur et déterminé en l'affublant d'un nom si populaire.

Pendant que la famille Labrie se réjouissait de la venue de ce joli poupon, à l'extérieur, par un froid de canard, Fernande et son mari se rendaient à l'hôpital de L'Annonciation pour y faire admettre sa pauvre mère, Amanda Potvin. On avait difficilement accepté qu'il fût plus prudent qu'elle soit internée dans une institution où elle pourrait recevoir les soins inhérents à sa condition, qui se détériorait de jour en jour.

Peu de temps après, la vieille dame sombra dans un monde bien à elle où les gens de son entourage n'avaient jamais existé. Certaines journées, elle était en amour avec Édouard, qu'elle prévoyait épouser et en d'autres occasions, elle pleurait sa mère qui, dans son esprit, venait tout juste de mourir.

Elle reprenait l'itinéraire sinueux de sa vie, mais dans le sens opposé des aiguilles d'une montre, rencontrant des joies et des peines avec son corps usé par les années de dur labeur.

CHAPITRE 23

Dîner de famille

(Avril 1965)

Rose était fière que sa tante Fernande ait pensé à l'inviter à dîner pour souligner l'anniversaire de Pierre. Son frère Luc avait également pu se joindre à eux. Ils n'avaient pas revu leur frangin depuis qu'il avait été admis au pensionnat en septembre de l'année précédente. Ce qu'elle ignorait, c'est que l'oncle Georges serait aussi de la fête. Il était arrivé dans le courant de la semaine et devait passer tout près d'un mois à Montréal pour son travail. Elle aimait beaucoup ce parent si distingué dont sa tante parlait avec une profonde gratitude.

Rose se présenta la première et trouva que Pierre avait beaucoup changé depuis qu'il était pensionnaire. Il avait acquis de la maturité, mais il semblait gêné avec elle, qu'il n'avait pas vue depuis si longtemps. Cela prit quelques minutes avant qu'il soit à l'aise et qu'il accepte de se raconter un peu. Il s'était fait des amis et aimait beaucoup ses études. Il apprenait l'histoire, le latin et la géographie, mais cette dernière matière était de loin sa préférée. Il disait qu'auparavant, il ne pouvait imaginer que le monde était aussi vaste. À l'écouter ainsi, on constatait que même son langage était différent puisqu'il utilisait des mots et des expressions révélateurs d'une belle éducation.

— Pierre, t'es pas venu au lac Brûlé avec tante Fernande au jour de l'An. Je pensais te voir là, mentionna Rose.

— Non, j'étais déjà allé à Noël, quand mémère s'est écartée[46]. Au jour de l'An, je suis resté au collège; on m'a choisi pour chanter à la messe de minuit en solo.

— Toi, mon petit frère, tu as chanté tout seul devant une foule? J'aurais aimé entendre ça, lui dit Rose, heureuse de constater l'émancipation de ce jeune garçon habituellement taciturne.

— Je dois avouer que c'est gênant, mais c'est aussi assez impressionnant. Je pense qu'à la longue, on doit s'habituer.

— Je ne savais pas que tu avais du talent comme ça.

— On n'a pas le choix au collège. On doit choisir une activité et je n'ai jamais été très doué pour les sports d'équipe. Par contre, j'aime bien ça faire partie de la chorale. On dirait que quand je chante, je ne pense à rien.

— Je suis bien fière de toi, mon petit frère. Il ne faut plus qu'on soit aussi longtemps sans se voir. Ça me ferait plaisir qu'on puisse passer un peu de temps ensemble si tu as une sortie avant la fin de l'année scolaire ou au moins, avant que tu retournes au lac Brûlé pour l'été.

---

46 S'écarter: se perdre.

— Je ne veux pas retourner au lac Brûlé au mois de juin, lança-t-il sans hésiter. Depuis que mémère est placée, j'ai moins le goût de me retrouver à la maison. Moi et papa, ça ne va pas. Je peux te dire quelque chose Rose, sans que tu en parles à personne?

— C'est certain que tu peux avoir confiance en moi, confirma-t-elle, inquiète, mais heureuse de voir son frère reprendre foi en elle et accepter de lui faire une confidence.

— Depuis que je suis au collège, j'ai écrit une lettre par semaine à mémère et à papa. Je peux comprendre que mémère ne pouvait pas me répondre, mais qu'Adéline et papa n'aient pas trouvé le temps de me donner des nouvelles au moins juste une fois, ça m'a fait de la peine au début, mais ça m'a aussi ouvert les yeux.

— Je ne suis pas surprise, mais tu ne vas pas t'ennuyer de ne pas retourner dans le Nord avant de recommencer tes classes?

— Je ne pense pas. J'ai su par ma tante Fernande que mémère était très malade et qu'on l'avait placée à L'Annonciation. Comme elle ne sera plus au lac Brûlé, j'ai demandé à rester au camp des frères pour l'été. Ma tante m'a dit que c'était correct que je fasse comme ça me tente. Ça a l'air qu'à cet endroit-là, ils vont me montrer à nager, à faire du canot et plein d'autres activités du genre.

— Je suis bien contente. Je sais que mémère était très importante pour toi. C'était quasiment ta deuxième mère. Tu as besoin de te changer les idées et de toute façon, si t'aimes pas ça au camp, tu appelleras et on t'enverra chercher. On demandera à mon oncle Léon, même si ça risque d'être pas mal long. On rit ben, mais lui et ma tante Fernande, c'est quasiment des anges. Ils sont toujours là pour aider quelqu'un.

— Oui et je suis bien chanceux qu'ils m'acceptent comme si je faisais partie de leur famille. Ils ont quand même leurs propres enfants. Ils n'étaient pas obligés de prendre soin du petit morveux du lac Brûlé! dit-il en rigolant.

Pierre semblait heureux de se raconter ainsi, mais au fond de son regard, Rose percevait une importante préoccupation.

— Rose, savais-tu que c'est ma tante Fernande qui est responsable de moi?

— Pas vraiment, mais elle a toujours été bonne pour prendre des responsabilités et c'est sûrement pour ça qu'elle s'occupe de toi.

— Ça a l'air que papa lui aurait signé des papiers. Il m'a peut-être donné à elle, mais je n'ai pas voulu lui poser la question.

— Il ne t'a pas donné, Pierre, dit-elle pour dédramatiser la situation, mais probablement que ma tante a besoin d'une procuration étant donné que tu es loin de la maison.

— En tout cas, je suis bien mieux comme ça. Mais s'il vous plaît, parles-en pas parce que ma tante ne sait pas que je suis au courant. Je l'ai entendue quand elle jasait avec l'oncle Léon.

Les yeux de l'enfant reflétaient un mélange de joie et de tristesse. Les larmes d'abandon se confondaient avec l'éclat de la confiance en sa nouvelle tutrice. Il avait maintenant du mal à continuer son récit, car il craignait que l'amertume ne prenne le dessus. Fort heureusement, l'oncle Georges arriva dans le salon et monopolisa l'attention.

— Bonjour, les jeunes, comment ça va?

Il s'avança vers Rose et l'embrassa sur les deux joues. Il fit ensuite la même chose avec Pierre, qui fut surpris de son attitude. Il n'avait pas été habitué à ces marques de familiarités avec son père, mais il avait pour son oncle un attachement très particulier sans qu'il sache vraiment pourquoi. De plus, celui-ci agissait tellement naturellement avec eux que l'enfant voulait croire que c'était lui qui avait le bon comportement et non Ernest Potvin.

Durant tout l'hiver, sur une suggestion de sa tante Fernande, il avait fidèlement correspondu avec celui-ci et ça avait créé un lien bien spécial. Son oncle semblait vraiment s'intéresser à ses études et ça le stimulait fortement.

— Ça va bien, répondit Pierre, enhardi par cette approche amicale.

— J'te remercie mon grand pour les belles lettres que tu m'as envoyées du collège comme ma sœur te l'avait demandé. J'espère que tu ne trouvais pas trop de fautes dans les miennes parce que ça faisait longtemps que je n'avais pas écrit en français.

— Non, pis c'était l'fun d'avoir de la malle de temps en temps. Les frères nous appellent en avant quand on a du courrier et puis on a l'air important; surtout que moi, j'avais des lettres qui venaient des États-Unis.

Rose comprit à ce moment-là que l'oncle Georges était derrière le fait que son jeune frérot puisse faire des études de ce niveau. Il ne s'était jamais marié et n'avait donc pas d'enfant. Il aurait décidé de faire instruire un neveu. Elle était bien heureuse que ce soit Pierre qui ait pu bénéficier de ce geste empreint d'une telle générosité.

Elle laissa alors les hommes au salon, car la discussion avait pris une tournure différente. La partie de hockey de la veille était le sujet de conversation de l'heure. Les Canadiens de Montréal, grâce à leur victoire de 3 à 1 sur les Maple Leafs de Toronto, n'en étaient plus qu'à un match avant d'accéder à la finale de la coupe Stanley. Ils voulaient à tout prix déloger l'équipe de Toronto, qui était championne en titre des trois dernières coupes et qui, de plus, les avait éliminés l'année précédente. Tout le monde souhaitait une revanche et l'on croyait fermement que le trophée tant convoité devait revenir à Montréal.

Georges, qui vivait à Détroit depuis plusieurs années, demeurait un fier partisan du club de hockey montréalais et il vénérait l'entraîneur Toe Blake et le capitaine, le grand Jean Béliveau, dont il vantait le talent.

Moins intéressée par cette discussion sur les sports, Rose se rendit donc à la cuisine pour aider sa tante Fernande à terminer les préparatifs du repas. Elle aimait bien l'ambiance familiale de cette maison et elle n'aurait voulu pour rien au monde déplaire à sa tante et à son oncle, sans qui elle aurait parfois eu l'impression d'être une orpheline égarée dans l'immense ville de Montréal.

Elle avait la tête ailleurs ce matin-là, sachant que William et ses amis étaient partis au chalet du lac Brûlé si tôt ce printemps. Le bel homme d'affaires anglophone parlait peu devant elle, mais elle comprenait à travers les branches qu'il avait une vie sociale beaucoup plus élaborée maintenant que sa femme était en institution. Rose ne faisait cependant pas partie de ces gens qu'il fréquentait, car elle n'était pas de son monde. Il se contentait de venir la voir un soir à l'occasion au logement, pendant que son frère était au travail. À quelques reprises, elle avait eu la chance de lui concocter un petit souper, mais elle ne savait jamais vraiment quand il serait disponible alors c'était devenu difficile. Quelques fois, elle s'était aussi retrouvée seule avec un bon repas préparé qui n'avait pas trouvé preneur, le visiteur ne s'étant pas présenté.

Elle en avait marre d'être ainsi utilisée et de ne pas avoir de place plus importante dans son existence. Il lui disait qu'il l'aimait beaucoup et il lui faisait de magnifiques cadeaux, mais jamais il ne la sortait en public à Montréal.

Une seule fois, en novembre dernier, alors qu'elle s'était plainte de ce genre de vie, il l'avait emmenée à Québec pour tout un week-end. Elle avait ainsi vécu deux jours de rêve, mais au retour il avait repris sa routine, et elle ne l'avait qu'entrevu entre Noël et le jour de l'An, pour partager un goûter de fin de soirée dans ce qui lui semblait être son refuge, à l'abri des regards indiscrets, dans un monde pour ainsi dire mythique.

Elle se demandait parfois combien de temps elle

tiendrait ce rôle ingrat de maîtresse d'un homme bien nanti, dont la femme malade était internée.

Heureusement qu'il y avait son travail auprès de madame Proulx, à qui elle s'attachait de plus en plus. Elle ne voulait cependant pas travailler là toute sa vie. Elle avait plus d'ambition, mais hésitait à laisser en plan le docteur et son épouse qui avaient tellement confiance en elle. Dernièrement, il avait même engagé une femme de ménage afin qu'elle ait plus de temps à accorder à sa conjointe qui adorait se faire faire la lecture.

Rose lui lisait le dernier livre d'Alice Parizeau, criminologue, journaliste et écrivaine québécoise d'origine polonaise. Le titre de l'ouvrage, *Survivre*, l'avait tout de suite interpellée et elle en avait fait l'acquisition pour sa patronne dans l'espoir d'y trouver pour elle-même ne serait-ce que quelques bribes pouvant lui redonner espoir. Elle avait besoin de se ressourcer afin de continuer sa route jour après jour et il lui semblait que c'était devenu de plus en plus difficile de puiser l'énergie nécessaire.

Elle passait de merveilleux moments auprès de cette dame, mais sa morosité était lourde à assumer parfois, et il était même arrivé que madame Proulx tente de la faire jaser des tracas qu'elle paraissait avoir. Elle hésitait à discuter avec l'épouse du docteur, de crainte qu'elle ne la juge et n'ait plus autant de respect pour elle.

Elle décida qu'il lui faudrait parler avec William de ses états d'âme dès qu'il lui accorderait une nouvelle soirée. Elle devait savoir quels étaient ses buts et ce qu'il prévoyait pour eux dans un avenir prochain. Elle ne pouvait vivre ainsi encore longtemps dans l'attente et l'incertitude.

Le simple fait d'avoir pris cette décision lui permit dès lors de participer gaiement à la journée de fête de Pierre, qui se déroula dans une chaude ambiance familiale comme les enfants d'Ernest n'en avaient que peu connue.

Pierre reçut en cadeau de son oncle Georges un magnifique porte-document en cuir véritable dans lequel il trouva un stylo de grande qualité, un cahier à spirales avec couverture rigide et un dictionnaire Larousse. Il serait ainsi bien outillé pour continuer une partie de ses études.

Tante Fernande, pour sa part, lui avait tricoté deux belles paires de bas. Rose et Luc s'étaient cotisés et lui avaient acheté une petite montre Timex avec un bracelet en cuir brun.

L'enfant était ému d'être aussi gâté pour son douzième anniversaire de naissance et ses yeux s'attristèrent en songeant que sa maman aurait été fière de lui et qu'il aurait été plaisant qu'elle soit ici avec eux.

Rose, voyant tout ce que l'oncle Georges faisait pour ce gamin, eut soudain une pensée qui lui traversa l'esprit, pensée qu'elle effaça tout de suite de sa tête. Sa mère avait-elle pu un jour faire l'amour avec un homme avec qui elle n'était pas mariée et qui par surcroît était le frère de son père? C'était totalement impensable, mais tout de même plausible aux yeux de la jeune fille rêveuse, qui aimait imaginer des scénarios romanesques.

Luc, plus insouciant, profitait de ces beaux moments

en famille sans se préoccuper de tous ces détails. Il était heureux de rencontrer Pierre ainsi que son oncle des États-Unis, mais ça s'arrêtait là. Il était cependant beaucoup plus inquiet pour sa sœur aînée qui vivait une relation illicite avec monsieur Thompson. Au-delà de la morale, c'était beaucoup plus à elle qu'il songeait et la voir triste le chagrinait également. Il devrait parler avec ce monsieur Thompson et lui demander de laisser Rose tranquille. Elle avait un bon travail et devrait se trouver un garçon qui était libre et de son âge. Elle n'avait aucun avenir avec cet homme, même s'il était très riche. On ne devrait jamais mêler les classes de gens, selon lui.

Il attendrait que le temps passe, mais si ça persistait, il devrait s'en occuper. Il devait protéger sa sœur, qu'un malheur plus grand pouvait atteindre...

CHAPITRE 24

Fête des Mères

(Dimanche 9 mai 1965)

En ce dimanche de la fête des Mères, Diane allaitait le petit Steve maintenant âgé de quatre mois pendant que le petit Michel jouait avec ses jouets dans son parc. Depuis l'arrivée de ses deux enfants, elle voyait la vie différemment. Elle pensait parfois à sa pauvre maman qu'elle avait si souvent aperçue dans des épisodes de tristesse et de fatigue extrême. Elle regrettait de n'avoir pu l'aider à ces moments-là. Elle n'était pas suffisamment mature à cette époque pour comprendre vraiment ce qui se passait au sein de la famille, et elle remerciait le ciel chaque jour d'avoir épousé un homme comme Jules Labrie qui était si bon et généreux.

Elle rencontrait très rarement son père depuis que sa grand-mère était placée, mais en revanche, elle se rendait visiter la vieille dame à L'Annonciation environ une fois par mois, ou du moins quand Jules pouvait l'y conduire. Elle voulait s'assurer que celle-ci était bien même si elle ne la reconnaissait plus.

Lors de sa dernière visite, elle lui avait apporté une

boîte de chocolats et elle avait pu constater qu'une lueur d'envie éclairait les yeux de sa mémère au moment où elle avait goûté le premier morceau. Il lui restait, pour tout plaisir, celui de déguster une douceur alors que tout autour d'elle, la vie était aride et morne.

Il semblait que son père n'était pas retourné voir sa mère depuis qu'elle était dans cet établissement. Il disait que de toute façon, elle ne le reconnaissait pas et qu'il y avait des gens payés pour en prendre soin. Pourquoi devrait-il alors s'en préoccuper ?

Dès que Jules serait revenu de la célébration de neuf heures, il s'occuperait du petit Michel. Elle coucherait le nouveau-né et elle irait assister à la messe suivante. C'était ainsi depuis la naissance des enfants et elle ne voulait pas mettre de côté la religion qui lui apportait un réconfort moral. Elle se trouvait privilégiée d'avoir une si belle vie.

Son jeune frère Yvon avait cessé de travailler pour le laitier, monsieur Latreille, et elle en ignorait la raison. Elle lui avait bien sûr demandé. Mal à l'aise, il s'était contenté d'une réponse très évasive. Elle saurait bien un jour ou l'autre ce qui était arrivé.

Yvon était maintenant pompiste et homme de service au garage Lortie, mais il avait l'ambition de devenir policier. Elle l'encourageait même si elle craignait de le voir faire un travail si dangereux. Il continuait de demeurer chez elle comme pensionnaire, car il ne pouvait voyager du lac Brûlé tous les jours. De plus, il lui avait déclaré qu'il ne désirait plus vivre dans cette maison avec un père aussi austère. La petite pension qu'il payait aidait la jeune famille, mais chaque semaine, Diane lui mettait un peu d'argent de côté dans un compte qu'elle avait ouvert à son insu. Elle se disait qu'un jour, il aurait bien besoin de ces quelques dollars pour s'installer. Elle jouait un rôle de soutien pour Yvon comme elle souhaitait pouvoir le faire pour ses propres enfants plus tard.

Quand Jules arriva de la messe, il avait dans les mains un magnifique bouquet de fleurs aux teintes printanières composé d'œillets roses, blancs ainsi que de trois roses rouges.

— Bonne fête à la plus merveilleuse des mamans de la terre, dit-il à Diane en lui tendant son présent et en l'embrassant. C'est de ma part et de celle de nos deux enfants, c'est pour ça que j'ai fait mettre trois roses.

— Merci, Jules, c'est trop. T'es assez fin que parfois je me demande si je mérite autant de gentillesse. Ça n'a même pas d'allure.

— Tu vaux plus que ça ma belle petite femme. Tu prends soin de tout le monde autour de toi. C'est juste normal qu'au moins une fois par année, on pense à te remercier.

Et Diane se mit à pleurer en se jetant dans les bras de son époux. Une si gentille attention de sa part l'avait plongée dans une grande tristesse, lui rappelant que sa mère n'avait pas eu la possibilité de vivre de si beaux moments et qu'elle n'avait été sur la terre que pour récolter peines, violences et ingratitude.

Elle aurait bien aimé pouvoir offrir des fleurs à sa maman en ce jour, mais elle n'était plus là.

Fallait-il qu'elle ait été malheureuse pour abandonner

derrière elle ses enfants et fuir dans un monde où même son Dieu aurait pu lui refuser l'accès de sa maison, à cause de son geste fatal! Combien elle avait prié pour le salut de l'âme de sa pauvre mère! Cet être suprême si bon, l'avait-il écoutée?

C'est l'esprit ainsi tourmenté qu'elle partit pour assister à la messe à l'église de Sainte-Agathe-des-Monts, en laissant son mari triste de voir sa femme tellement abattue. Il maudissait son beau-père, l'instigateur de tous les malheurs de la famille Potvin. Il souhaitait qu'un jour la vie lui redonne la monnaie de sa pièce. S'il était vrai que l'on récoltait ce que l'on semait, le vieux Potvin aurait sûrement une grosse cueillette le moment venu.

Il s'installa dans la cuisine pour lire le journal *La Patrie,* comme il le faisait tous les dimanches. Il s'alluma une cigarette Export "A" en pensant encore une fois à la petite maison à vendre sur la rue Giguère, à Fatima. Dès le lendemain, il irait s'informer à la banque pour savoir s'il pouvait emprunter suffisamment pour en faire l'acquisition. Elle était annoncée à huit mille dollars, mais il croyait pouvoir l'avoir pour sept mille cinq cents dollars. Sa femme dirait sûrement que c'était trop cher pour eux, mais il avait des économies et voulait en faire profiter sa famille. Ce serait peut-être difficile la première année, mais il trouverait un petit travail les fins de semaine si cela s'avérait nécessaire ou il essaierait de faire plus d'heures supplémentaires.

Depuis que Diane avait laissé son poste chez Bell, il n'y avait plus qu'un seul salaire pour tout payer, mais ils avaient coupé des sorties et il s'attendait même à recevoir une augmentation dès le mois de juin.

C'était décidé, il voulait créer un nid douillet pour la famille Labrie et il ferait tout son possible pour que ça ne tarde pas.

* * *

Au lac Brûlé, la fête des Mères serait passée inaperçue si ça n'avait été de Madeleine et son époux, Marcel Larivière, qui arrivèrent après le dîner avec un magnifique bouquet d'hydrangées roses. Ils furent suivis de près par Jean et sa femme, Janine, qui avaient opté pour une grosse boîte de chocolats Laura Secord. Ils n'oubliaient jamais de témoigner toute leur reconnaissance à leur mère pour l'éducation et les soins de qualité qu'elle leur avait prodigués.

— Bonjour maman, dit Madeleine en embrassant Adéline qui avait déjà les larmes aux yeux.

— Bonjour, les enfants, vous n'auriez pas dû. Vous travaillez assez fort sans être obligés de dépenser de l'argent pour moé. Comment ça va, vous autres?

— Très bien et ce sera encore mieux quand je vous aurai dit la bonne nouvelle, répondit rapidement Jean, tout heureux de l'annonce qu'il s'apprêtait à faire.

— Ben parle mon gars, fais-moi pas attendre, tu sais que je suis curieuse en mosanic, comme à peu près toutes les femmes.

— Eh bien, l'année prochaine, ma belle Janine va célébrer elle aussi la fête des Mères, continua-t-il, ce qui mit un sourire sur la figure de sa jeune conjointe quelque peu gênée d'aborder ce sujet en famille. Aimez-vous mieux avoir une petite-fille ou un petit-fils, parce que la commande vient juste d'être donnée, on peut encore changer le modèle ! ajouta-t-il en souhaitant dérider tout le monde et semer la bonne humeur dans la demeure empreinte de négativité.

Adéline, le cœur réjoui par la nouvelle, s'empressa d'embrasser sa bru et de la rassurer pour les mois à venir. Il s'agissait de quelque chose de si naturel qu'elle ne devait pas être perturbée par son état.

Contrairement aux autres dimanches, Ernest était resté à la maison et elle en était heureuse, mais inquiète à la fois. Elle souhaitait qu'il puisse y avoir réconciliation entre lui et ses enfants, mais elle craignait également qu'il y ait de la chamaille.

— Eh bien, maman, dit Madeleine émue, vous allez être obligée de vous mettre à tricoter de jour et de nuit parce que moé aussi j'aurai besoin de vous comme grand-mère. On est au courant depuis déjà deux mois, mais ça ne presse pas de raconter ces affaires-là tout haut quand on ne sait pas encore si on va pouvoir le garder. Ça fait assez longtemps qu'on en désire un qu'on reste un peu superstitieux.

— C'est un beau cadeau que vous me faites là, les enfants, déclara une Adéline que la fête des Mères semblait vouloir combler différemment cette année. As-tu ben entendu Ernest ? On va être des grands-parents d'icitte la fin de l'année.

— Oui, j'ai compris, mais ça ne sera pas moi le

grand-père de ces petits morveux-là. Eux autres, y sont pas mes enfants à moi, dit-il en pointant Madeleine et Jean du bout de son index encrassé d'huile à moteur, démontrant ainsi toute l'aversion qu'il leur portait.

On eut alors l'impression qu'un courant d'air glacial venait de balayer l'endroit et par la même occasion d'éteindre toute trace de joie provoquée par les bonnes nouvelles.

— C'est mieux comme ça, se hâta de répondre Madeleine qui s'était sentie démolie par les propos avilissants. Moi non plus je ne veux pas d'un ours comme grand-père pour mes enfants. J'aurais peur qu'il les morde !

— Prends pas ça comme ça ma fille, dit Adéline en souhaitant consoler sa belle Madeleine, qui était arrivée tout heureuse quelques minutes plus tôt.

— Mon pauvre père était trop bon à côté de lui. Je ne sais pas ce que vous avez pensé de vous acoquiner avec un mécréant de la sorte.

Sans attendre une minute de plus, Madeleine quitta la maison en larmes alors que son mari, Marcel, un petit homme trapu, mais fort comme un bœuf, entreprit de remettre le bonhomme Potvin à sa place.

— Ça se peut-tu que personne ne vous ait montré à vivre, vous ? C'est la fête des Mères et vous êtes obligé de faire de la peine à tout le monde.

— De quoi tu te mêles, toé Larivière ? répondit Ernest surpris de voir quelqu'un tenter de le provoquer ainsi dans sa propre demeure.

— Vous vous prenez pour le nombril du monde, mais

moi je pense que vous êtes rien qu'un beau trou de cul. Pas besoin d'être ben fort pour faire brailler les femmes. Il faut juste être un vrai sans-cœur.

Et sans ajouter un mot de plus, au grand étonnement de tous, il attrapa Ernest par sa chemise et ses bretelles et le bouscula dans le coin de la cuisine en le malmenant et en vociférant des bêtises contre lui. Ce dernier, stupéfait, manqua d'équilibre, tomba sur le dos et se cogna la tête sur le bord de la table. Il se releva en furie et tenta de frapper Marcel qui l'évita et lui décocha un solide coup de poing à la mâchoire. Le vieux s'étendit de tout son long par terre.

Adéline se pencha pour essayer de l'aider, mais Ernest la bouscula, refusant son aide, et elle perdit pied. C'est donc dans les bras de son fils Jean qu'elle tomba lourdement, étourdie et incapable de se remettre debout par elle-même.

— C'est assez! cria Jean, de façon à saisir toute la maisonnée qui s'affolait. On n'est pas des enfants et quelque part on est parents d'une manière ou d'une autre. Ça fait qu'on va tous retourner chez nous pis on va continuer comme on faisait avant. La mère, si vous voulez, j'viendrai vous chercher pour souper à la maison. Je vous reconduirai icitte après.

— J'aimerais ça, mon gars, répondit Adéline sur un ton de martyre, mais je peux pas laisser mon mari comme ça. On se reprendra une autre fois, si ça ne vous dérange pas, dit-elle en épongeant le sang qui coulait de la babine du vieil ours blessé.

— C'est correct maman, on vous comprend. On va

faire comme vous le voulez, mais si jamais vous changez d'idée, appelez-nous.

Et Madeleine, qui était entrée à nouveau pour saluer sa pauvre maman, mit en garde son beau-père.

— Vous pouvez faire la loi icitte, mais avisez-vous jamais de toucher à un seul cheveu de ma mère parce que vous allez avoir affaire à moé ! Si votre femme, la sainte Pauline, a décidé de mourir au lieu de vivre avec vous, ma mère, Adéline, est pas obligée de faire pareil.

Depuis l'arrivée de la visite, Simon était resté assis par terre dans le salon et il faisait à répétition le même casse-tête illustrant un garçonnet qui s'apprêtait à mettre un bateau de papier sur la rivière. Mais dès qu'il avait réalisé que son père levait le ton, il s'était enfui dans sa chambre et il s'était mis la tête sous son oreiller. Il ne voulait pas entendre les cris qui faisaient battre son cœur aussi fort. Il redescendrait au moment où il ne percevrait plus aucun bruit. Il avait développé ce réflexe tout comme on enfile un imperméable quand la pluie commence à tomber. Dans sa tête, il tentait de tout simplement annihiler ces moments néfastes dans sa vie quotidienne. C'était une question de survie et ses frères et sœurs avaient eu sensiblement la même attitude lorsqu'ils étaient jeunes sauf qu'à l'âge adulte, ils décidaient d'aller où il y aurait toujours du soleil ou à tout le moins, très peu de temps pluvieux.

Tout le monde quitta les lieux en laissant Adéline abattue par la peine de voir ses enfants partir de la maison. Elle réalisa à cet instant qu'elle ne serait jamais vraiment chez elle dans la demeure d'Ernest et qu'elle n'aurait jamais le loisir de recevoir sa famille à sa guise.

Ernest, pour sa part, était frustré d'avoir été frappé par le gendre de sa femme, celle qu'il faisait vivre depuis déjà plus de deux ans. Il tenait toujours compte du temps où Adéline visitait sa mère comme d'une période où elle était devenue une dépense pour lui.

Ernest se disait que les jeunes gens étaient des êtres ingrats et irrespectueux. Ils pouvaient bien tous avoir des enfants, jamais il ne les laisserait mettre les pieds chez lui. Il avait eu sa famille bien à lui et il n'avait pas l'intention de faire vivre les étrangers.

Si ça n'avait pas été un dimanche, il serait allé faire de l'ouvrage à la maison de monsieur Thompson, qui lui avait demandé d'effectuer des rénovations dans la cuisine et dans la salle de bain.

Mais, de père en fils, par respect, on ne travaillait pas le jour du Seigneur. Il aurait bien mis fin à cette coutume, mais, quelque peu superstitieux, il craignait que le Bon Dieu n'en prenne ombrage et le condamne. Il avait selon lui été suffisamment puni, surtout dans les dernières années.

Il se coucherait donc en après-midi avec le petit Simon et à leur réveil, il l'emmènerait manger un hot dog chez Ti-Rouge en bas du village. Il n'irait pas au restaurant Gaudet pour être certain de ne pas rencontrer ses fils qui y traînaient souvent la fin de semaine avec des amis. Il n'avait pas le goût d'une autre discussion ce jour-là.

Adéline se ferait sûrement juste un gruau pour souper et quand il reviendrait, elle se serait probablement calmée. Si ce n'était pas le cas, il retournerait dans son garage pour la soirée comme il avait l'habitude de le faire.

Le lendemain, la vie reprendrait son cours sur le chemin Ladouceur et on oublierait ce triste dimanche. Ernest était en train de faire maison nette autour de lui. Adéline n'irait pas trop souvent chez ses enfants, car il craignait qu'on ne lui monte la tête. Elle était sa femme à lui, ses rejetons étaient maintenant des adultes qui créeraient leur propre famille.

Chacun chez soi et tout serait pour le mieux, songea Ernest. Mais était-il humainement possible d'emmurer quelqu'un pendant toute une vie?

CHAPITRE 25

Au voleur!

(Juin 1965)

Albert aimait bien la procession de la Saint-Jean-Baptiste au village alors qu'on décorait des véhicules afin de créer des chars allégoriques. C'était une belle attraction et les organisateurs sélectionnaient toujours un petit garçon de cinq ou six ans, obligatoirement un p'tit blond, qu'on déguisait et qui assistait au défilé avec le mouton du vieux Beaulieu.

Tout le monde riait de cet animal, car chaque année, c'était la même histoire. La bête était terriblement sale et ça prenait de nombreuses heures pour la nettoyer et faire en sorte qu'elle soit présentable pour participer à la fête. Certains racontaient à la blague qu'une année, on avait tellement lavé le mouton qu'il ne frisait plus du tout au moment de la cérémonie.

Cette année-là, après la traditionnelle parade, Albert s'était rendu à l'hôtel Belmont avec des amis pour continuer à célébrer. Il aimait bien prendre quelques bières, mais n'avait pas l'habitude de s'accrocher les pieds. Ce soir-là, tout le monde avait eu un plaisir fou alors que la petite mère Gervais, comme on l'appelait, s'était jointe au groupe et avait joué de l'accordéon comme elle seule savait le faire. Les gens présents s'étaient bien amusés à danser et à chanter.

En fin de soirée, il avait rencontré le fils de sa belle-mère, Euclide. Celui-ci revenait tout juste d'un long voyage dans l'Ouest canadien. Il relatait ses péripéties aux jeunes qui avaient les yeux béats d'admiration pour ce gars du village qui avait eu l'audace d'aller travailler si loin au Canada pour vivre autant d'aventures.

— J'vous raconte pas de menteries, les gars, mais j'ai passé des soirées dans les « saloons » comme j'en passerai jamais icitte de toute ma vie. Il y avait des femmes, toutes plus belles les unes que les autres, habillées plutôt légèrement et pas farouches en plus de ça. Des filles à la « patte légère » comme on les appelle dans ce coin-là.

— Dis-nous donc que tu as remplacé le shérif tant qu'à faire, lui lança un client qui était tanné de l'entendre narrer de telles balivernes.

— Pas vraiment, enchaîna Euclide, mais si on me l'avait proposé, c'est certain que j'y serais allé, ajouta-t-il sans se soucier des sceptiques.

— Pourquoi t'es revenu par icitte, si c'était si beau que ça par là ? lui demanda un autre gars qui aurait peut-être aimé que les esprits s'échauffent un peu dans l'hôtel.

— Je suis rentré au bercail, comme disait monsieur le curé à soir, pis c'est pour m'occuper un peu de ma pauvre mère. Après toute, je suis le plus jeune de la famille, j'ai des responsabilités envers elle. J'avais idée de revenir pour m'installer icitte pour tout le temps et j'avais même ramassé mon argent. Quasiment quatre mille piastres *cash*, en beaux *bills* du Dominion.

— Quatre mille piastres… répétèrent les curieux qui écoutaient son histoire sans vouloir en perdre un mot.

— C'est pas mal d'argent, vous avez raison, mais des bandits m'ont attaqué dans le train et ils me l'ont tout volé. Heureusement que j'ai réussi à désarmer le plus grand parce que sans ça, je ne serais pas icitte pour vous raconter ça, dit-il en spécifiant que jamais il n'avait pensé à sa vie qu'il mettait en jeu.

Cet après-midi-là, il s'était présenté directement au presbytère où monsieur le curé lui avait offert le repas. Personne ne l'avait vu au terminus d'autobus ou à la station de taxis alors on ignorait qui l'avait conduit à Sainte-Agathe-des-Monts et de quel endroit il était réellement parti.

Plus tard dans la soirée, il s'était rendu à l'hôtel où il avait accepté quelques bières payées par des amis rencontrés sur les lieux.

Albert quitta l'établissement en même temps qu'Euclide et dans sa grande générosité, il s'informa de sa situation.

— Tu viens juste d'arriver au village. As-tu au moins une place pour dormir à soir ?

— Je pensais de pouvoir me trouver un *lift* pour monter chez ma mère au lac Brûlé.

— Mais tu savais pas que ta mère était mariée avec mon père, le veuf Ernest Potvin ?

— Oui, j'ai entendu dire ça, mais il va quand même

pas me laisser coucher dehors ton père, même s'il a un caractère de cochon.

— T'es pas mal fendant mon Gagnon, mais c'est vrai que mon vieux serait pas trop recevant si t'arrivais chez eux en plein milieu de la nuit. Je pense qu'il serait préférable que tu viennes coucher chez ma logeuse. Elle pourrait sûrement t'accommoder pour une couple de jours.

Et pour ce soir-là, Albert décida de ne pas réveiller sa propriétaire. Il lui ferait un lit de fortune dans sa propre chambre en partageant couvertures et oreillers. Il lui proposa également de l'aider pour se trouver du travail.

Le jour suivant, effectivement, il le présenta à monsieur Masson, son patron chez J.L. Brissette. À cette période de l'année, on cherchait toujours des employés pour la saison estivale. La population doublait dans certaines municipalités, le tourisme étant la première source de revenus de la région.

Pour ce qui était de sa logeuse, madame Dupuis, elle avait été surprise de voir qu'Albert avait emmené quelqu'un pour la nuit, mais après avoir discuté de la situation, elle avait généreusement accepté de lui installer une chambre au grenier. Elle l'avait cependant averti que ça devait être temporaire, car cette pièce de la maison n'était pas chauffée et elle ne pourrait l'héberger l'hiver venu à moins qu'une autre pièce ne se libère d'ici là.

Albert s'était donc porté garant du fils de sa belle-mère, Adéline. Il se disait que celle-ci n'était pas une méchante femme et qu'elle serait heureuse que son garçon puisse à nouveau s'installer dans la région. Elle en parlait peu, mais il se doutait bien qu'une mère se préoccupait toujours des siens.

Il participa donc à l'apprentissage d'Euclide dans la compagnie, lui montrant tous les dessous des différents postes qu'il avait lui-même un jour ou l'autre occupés alors qu'il remplaçait des employés absents. Il devait également faire son travail de bureau, mais restait disponible pour seconder son frère par alliance afin qu'il s'acclimate facilement à son emploi. Ce dernier semblait aimer les nouveaux défis et faisait du bon boulot. Il était un peu malhabile, mais avec le temps, il pourrait sûrement s'améliorer.

Après seulement deux semaines d'entraînement, on envoya Euclide avec un chauffeur faire le circuit qui couvrait les commerces de Mont-Tremblant, de Saint-Jovite et de Saint-Faustin.

La compagnie Coca-Cola livrait dans les hôtels, les restaurants, les épiceries et les stations-service. À la fin de la journée, à force de transporter des caisses de liqueurs, Euclide était épuisé. Le soir, madame Dupuis leur concoctait de bons repas et poussait même la générosité jusqu'à leur préparer des collations dans la soirée. Elle aimait tellement Albert qu'elle traitait Euclide sur le même pied d'égalité. Elle avait l'impression de prendre soin de deux jeunes enfants, elle, la vieille fille qui gardait sa mère et son frère et dont la maison était spacieuse. Elle ne pouvait parvenir à rentabiliser sa résidence qu'en louant des espaces à des travailleurs.

Le mois de juillet 1965 s'écoulait lentement et les

touristes étaient nombreux dans les Laurentides cette année-là. Ce dimanche matin 25 juillet, madame Dupuis, qui s'était levée assez tôt pour préparer le déjeuner, demanda à Albert d'aller réveiller Euclide, qui, comme bien souvent, n'était pas debout en même temps que les autres pour le déjeuner. Il avait tendance à rentrer de plus en plus tard, surtout durant la fin de semaine.

— Euclide n'est pas dans sa chambre, Madame Dupuis. Savez-vous s'il est arrivé très tard hier soir?

— Je ne l'ai pas entendu. Et vous, maman, cria-t-elle plus fort afin de s'enquérir auprès de sa vieille mère. On se demande si quelqu'un a eu connaissance de l'heure qu'il était quand Euclide est venu se coucher.

Mais la dame passablement âgée et plus ou moins sourde ne fit pas attention aux propos de sa fille. C'est que sa tête semblait parfois être visitée par des idées rocambolesques et pour l'instant, elle était trop intéressée par la cassonade qui fondait continuellement dans son bol de gruau chaque fois qu'elle en ajoutait une cuillérée.

— Retourne donc voir si son bagage est encore là, demanda madame Dupuis pour se conforter dans son intuition. Son nouveau chambreur n'ayant pas payé sa pension depuis déjà deux semaines, elle pouvait dès lors redouter le pire. Elle connaissait ce genre de gars qui arrive de loin et qui fait tout de suite la grosse vie aux dépens des autres.

C'est un Albert perplexe qui redescendit du grenier, tout essoufflé.

— Euclide a fait maison nette. Il est parti avec tout son gréement.

— J'aurais dû m'en douter, dit la propriétaire, qui n'était pas encore au bout de ses peines.

Non seulement Euclide avait fui les lieux à tire-d'aile, mais il n'avait pas quitté sa pension les mains vides. Il avait très bien planifié sa sortie.

Les bijoux de madame Dupuis, sa sacoche, ainsi que l'argent qu'Albert cachait sous son matelas pour ses congés de fin de semaine, tout avait été dérobé. Il avait même poussé l'audace jusqu'à fouiller dans l'armoire de la cuisine pour prendre la monnaie que la logeuse mettait dans une tasse pour payer le laitier et le boulanger.

Albert se sentait responsable d'avoir fait pénétrer le loup dans la bergerie.

Il partit sans déjeuner, avec la ferme intention de localiser le voleur. Il arpenta la ville d'un bout à l'autre, demandant aux gens qu'il rencontrait s'ils avaient vu celui qu'il considérait maintenant comme un cambrioleur.

En arrivant au restaurant Gaudet, il constata que tout le monde semblait discuter du même sujet. Il apprit donc qu'un individu s'était introduit dans l'église durant la nuit et que le tronc avait été dévalisé. On avait même ouvert le tabernacle et les ciboires avaient disparu. Sacrilège ultime, des hosties avaient été trouvées dans l'allée centrale de la maison de Dieu, gisant sur le sol comme de piètres vestiges.

Le récit des faits prenait brusquement une allure particulièrement dramatique et Albert quitta rapidement le restaurant, inquiet et terriblement tourmenté. Il n'avait qu'une idée en tête, et c'était d'aller rencontrer monsieur le curé après la grand-messe pour lui relater ce qui s'était passé chez madame Dupuis. Il ne tenait pas à accuser faussement Euclide Gagnon, mais il avait de fortes présomptions que c'était lui le seul et unique responsable de l'offense faite au Bon Dieu dans sa propre maison. Une fois qu'Albert lui eut tout raconté dans les moindres détails, monsieur l'abbé communiqua immédiatement avec la police de la ville pour déclarer les nouveaux éléments. On devait tout de suite arrêter le fautif et recouvrer les biens sacrés, propriétés de l'Église.

Toute la communauté avait été requise ce matin-là pour prier pour que celui qui avait commis une telle offense au Seigneur reprenne ses esprits, se défasse de l'emprise du démon et rapporte ce qu'il avait ignoblement subtilisé dans les lieux saints.

* * *

Le lundi, très tôt, Albert se présenta au boulot épuisé de n'avoir pu fermer l'œil de la nuit. Il ne savait pas ce qui lui pendait au bout du nez, car dès qu'il se pointa à son travail, monsieur Masson le fit demander. Quand il arriva dans le grand bureau du patron, il vit que celui-ci était en présence d'un policier. On lui déclara alors que les recettes de la fin de semaine avaient été volées dans son local et que lui seul y avait accès. Assommé par cette révélation, il tenta immédiatement de se disculper.

— Ce n'est pas moi, Monsieur Masson. Vous devez savoir que je n'aurais jamais pu faire quelque chose comme ça.

— C'est facile à dire, mon garçon, mais comme c'est toi qui avais les clés, explique-moi donc qui d'autre aurait pu faire ça!

— C'est sûr que c'est Euclide Gagnon le voleur, parce qu'il a aussi volé à l'église et chez madame Dupuis hier. Il s'est sauvé durant la nuit.

— Et tu es certain que tu ne serais pas son acolyte, toi? On m'a raconté que tu étais plutôt souvent en sa compagnie dernièrement.

— C'est juste parce que je voulais lui montrer l'ouvrage, et j'pensais que ça l'aiderait à apprendre. Je ne peux pas être son complice, vous savez que je suis honnête. Gagnon m'a même volé mon argent dans ma chambre.

— Tu vas être obligé de venir au poste, lui dit alors le constable de la police municipale. Il faut qu'on fasse une enquête et tu es quand même notre premier suspect.

Ainsi, Albert se retrouva menotté et conduit au bureau de police situé sur la rue Saint-Joseph dans le même édifice que la mairie de la municipalité de Sainte-Agathe-des-Monts. Il était terriblement gêné et craignait que quelqu'un le reconnaisse. À qui pourrait-il demander conseil? Il ne voulait assurément pas être mis derrière les barreaux!

Dès son entrée dans la bâtisse municipale, on le fit descendre au sous-sol et on l'installa dans une cellule.

— Vous allez pas me mettre en prison, Monsieur l'agent? Vous le savez ben que j'suis pas un criminel!

— J'te connais mon Potvin, mais j'ai aussi une job à faire. Faut que je te mette là, mais inquiète-toi pas, je barrerai pas la porte. J'ai des téléphones à faire pis des affaires à *checker*. Si tu restes tranquille, ça va bien aller. J'va revenir un peu plus tard.

Albert fut donc emprisonné dans une petite cellule où il s'assit honteusement sur le lit de métal. Il avait le goût de pleurer, mais se devait de garder sa dignité. La seule chose qui lui vint en tête fut de prier et de demander à sa mère de lui apporter toute l'aide nécessaire.

Il se remémora ce qui s'était passé depuis qu'Euclide était revenu à Sainte-Agathe-des-Monts. Il avait été très souvent en sa compagnie et jamais il n'aurait cru que ça puisse prendre une telle tournure. Il avait voulu tout lui apprendre, mais il réalisait maintenant que celui-ci était très curieux et préparait probablement son méfait depuis longtemps.

De son côté, il avait été élevé dans une maison où régnait beaucoup de violence, mais où l'on prônait l'honnêteté sous peine de réprimande sévère. Leur père les avait bien mis au fait de cela et ils le craignaient suffisamment pour lui obéir.

Le policier ne revint au poste que quelques heures plus tard. Apparemment, tout le village voulait parler au représentant de la loi et il était le seul à pouvoir répondre ce jour-là.

— Albert, ça va mal pour toé, mon homme. Tu devrais me raconter quossé que t'as fait dernièrement avec Euclide.

— J'ai rien fait moé, Monsieur, vous pouvez me croire.

— Ça a pas vraiment l'air de ça, dans la paroisse. Vous avez fait pas mal de ravages en pas grand temps.

— Je vous dis que ce n'est pas moé.

— Il y a juste toé qui peux conter ça, mais le monde pense autrement. T'étais où samedi soir et dans la nuit de dimanche?

— J'ai été souper chez ma sœur Diane et j'suis revenu à ma chambre chez madame Dupuis vers dix heures.

— T'es-tu arrêté à l'église avant d'aller te coucher?

— Jamais, je vous le jure sur la tête de ma pauvre mère.

— Jure pas trop vite, garçon. On a trouvé ta *slip* de paye à terre dans la sacristie. C'est-tu assez pour toé ça?

— J'vous ai répété vingt fois qu'il m'a pris mon argent dans ma chambre et mon chèque de paye était avec.

— On va être obligé de prendre tes «empruntes»[47]. Tu vas coucher en dedans mon grand. T'es son complice. Mon père disait toujours que celui qui tient le sac est aussi coupable que celui qui vole.

Et c'est ainsi qu'on fouilla Albert, qu'on procéda à la prise de ses empreintes digitales et qu'on l'enferma à double tour dans la cellule. On lui mentionna qu'il pouvait passer un appel téléphonique, mais il n'osa pas téléphoner à qui que ce soit.

Un peu plus tard, un policier vint lui apporter deux hot dogs et une liqueur, le repas typique des détenus. Albert n'avait pas faim et l'inquiétude le rongeait. Comment parviendrait-il à se sortir de cette impasse?

* * *

---

47 Empruntes: empreintes.

Deux agents de la police provinciale arrivèrent chez Ernest à l'heure du dîner. Ils cherchaient Euclide Gagnon, le garçon d'Adéline.

— On ne l'a pas vu depuis qu'il est revenu de l'Ouest, riposta Ernest, enragé de trouver des policiers chez lui comme ça.

— Madame Potvin, quand avez-vous aperçu votre fils pour la dernière fois?

Adéline était intimidée par les policiers, mais craignait de répondre devant Ernest, car elle ne lui avait pas dit qu'Euclide était venu la voir quelques semaines auparavant. Elle voulait éviter une chicane et avait cru bon de taire sa visite, surtout qu'il était passé lui demander de l'argent. Elle lui avait donné vingt dollars, la seule somme qu'elle avait à elle et dont Ernest n'était pas au courant. C'était de petits cadeaux qu'elle avait eus au fil du temps et elle cachait cela dans son tiroir de sous-vêtements au cas où elle en aurait besoin.

Lors de cette visite à sa mère, Euclide avait enjôlé celle-ci et lui avait raconté la fameuse histoire selon laquelle il avait été victime de vol à main armée pendant son retour de l'Ouest canadien et avait même risqué son existence pour tenter de désarmer le voleur. Il lui avait expliqué que depuis qu'il était parti, quelques années auparavant, il avait beaucoup changé et qu'il était sérieux maintenant. Il en rajoutait en disant qu'il avait rencontré là-bas un curé originaire de Mont-Laurier qui l'avait mis sur la bonne voie.

S'il lui demandait cette somme ce jour-là, avait-il continué, c'est qu'il préférait demeurer en pension au village et ne pas l'ennuyer maintenant qu'elle était mariée. Il avait cependant besoin de quelques dollars pour assumer ses frais de logement en attendant de recevoir sa première semaine de salaire. Toute fière de revoir son garçon tellement enthousiasmé par sa nouvelle vie, elle n'avait pu faire autrement que de lui donner le peu d'argent qu'elle avait économisé.

Les policiers avaient deviné que madame Potvin connaissait des détails qu'elle dissimulait ou qu'elle ne pouvait pas révéler devant son mari.

— Madame Potvin, vous savez que si vous ne dites pas la vérité vous pourriez être complice d'un crime.

— Mon fils est venu me voir quand il est revenu de l'Ouest, avoua-t-elle sans toutefois regarder son époux, mais il n'est pas resté ben longtemps.

— Qu'est-ce qu'il vous a raconté?

— Il m'a demandé de l'argent en attendant d'avoir sa première paye. Il voulait s'occuper lui-même de ses affaires et il en avait besoin pour payer sa chambre au village. Vous savez, il m'a expliqué qu'il s'était fait voler par des bandits sur le train, qu'y avait plus une mosanic de cenne.

— Combien lui avez-vous remis?

— J'avais juste vingt dollars alors j'y ai donné. Y a toujours été bon pour moé. C'est mon enfant après tout.

— On vous comprend Madame Potvin, mais aujourd'hui au village on cherche quelqu'un qui a volé des biens à l'église, à la *business* de monsieur Brissette pis chez madame Dupuis qui tient une maison de chambres.

En entendant ce qu'Adéline avait déclaré, Ernest

devint rouge de rage ; il attendait le départ des policiers pour sermonner sa femme qui lui avait caché la visite de son voyou de fils. Il pensa à son coffre-fort dans le garage et se félicita de n'avoir jamais parlé à Adéline ou à personne d'autre du fait qu'il en possédait un. Jamais il ne donnerait la combinaison à qui que ce soit, on ne pouvait maintenant plus faire confiance à personne.

Il ne s'attendait cependant pas à la suite des événements.

— Monsieur Potvin, votre fils Albert a aussi été arrêté à matin pour ces vols-là. Selon nous, ils auraient été de connivence.

— Ça se peut pas qu'Albert ait volé une vieille cenne noire à quelqu'un. C'est le gars le plus honnête que je connaisse. Il sera pas dit que mon garçon va rester en prison une seule journée de plus.

— Faites ce que vous avez à faire, Monsieur Potvin. Nous, on fait juste notre job ; et si vous cachez Euclide Gagnon quelque part dans votre demeure ou sur votre terre, vous serez arrêtés vous aussi.

— Inquiétez-vous pas pour ça, rétorqua Ernest, enragé. Si ce bandit-là remet les pieds icitte, c'est à l'hôpital que vous allez le retrouver !

Et les policiers quittèrent la maison sans avoir obtenu plus d'informations, mais en ayant déclenché une discussion houleuse dans le couple Potvin.

Un peu plus tard, Ernest se rendit directement au poste de police de Sainte-Agathe-des-Monts et réclama de voir son fils, privilège qu'on lui accorda puisque Albert n'avait rien requis depuis son arrestation et qu'il était très docile.

— Papa, quossé que vous faites icitte? dit Albert, surpris de regarder ainsi son père à travers les barreaux.

— Je veux juste savoir si t'as trempé là-dedans, demanda-t-il avec un regard furieux.

— Je vous jure que non. Jamais j'aurais pu prendre une cenne noire à personne et surtout pas dévaliser une église. C'est Euclide, c'est certain. Y doit être loin asteure. Y m'a même volé mon argent, mon chèque de paye et la sacoche de madame Dupuis. C'est un maudit menteur, c'est de valeur parce que c'est le gars de madame Adéline, votre femme.

— T'as pas besoin de t'inquiéter pour elle. J'va commencer par te sortir de là. J'va appeler l'avocat Mercier, y m'en doit une. D'habitude, c'est l'avocat des pauvres, mais il sait que j'suis pas riche non plus. Tu pourras coucher chez vous à soir, j't'en passe un papier!

— Merci papa! Vous savez que chu honnête. Maudit Euclide!

— En tout cas, son batinse d'Euclide a pas juste les yeux de croches, c'est sûr qu'y a les doigts aussi!

Ernest n'avait qu'une parole et aurait tout fait pour faire libérer son fils dont il croyait la version. Il n'appréciait pas particulièrement le fait que celui-ci habite en pension en ville et qu'il gagne maintenant son propre argent, mais son orgueil d'homme lui interdisait de laisser son fils incarcéré plus longtemps.

Il n'eut cependant pas à demander l'intervention de qui que ce soit, car dans le même laps de temps, Euclide fut arrêté.

Les agents de l'Office des Autoroutes du Québec

avaient intercepté une voiture dans le secteur de la côte à Marcotte, à Saint-Jérôme, et il s'était avéré qu'il s'agissait d'un véhicule volé dans la cour du garage Mercure, à Sainte-Agathe-des-Monts, durant la fin de semaine précédente. Le conducteur avait été mis en état d'arrestation. En fouillant le coffre arrière de la voiture, on trouva des articles d'église enveloppés dans une nappe blanche, des bijoux de femme, un sac du Dominion avec de l'argent, des cartouches de cigarettes, un chèque de la compagnie J.L. Brissette libellé au nom d'Albert Potvin, ainsi que plusieurs chèques de différents commerces faits au nom de Coca-Cola. Avec ces indices, ils conclurent qu'il était fort probable que l'entreprise J.L. Brissette ait été la cible d'un cambrioleur dernièrement de même qu'un lieu de culte et cet ignoble individu avait sûrement fait plusieurs autres victimes.

Quand les policiers de l'Office des Autoroutes du Québec le mirent en état d'arrestation, il s'identifia comme étant Albert Potvin. Il résista fortement et l'on dut utiliser la force nécessaire pour le contenir et le menotter. Il fut ensuite conduit au poste où l'on procéda à diverses vérifications.

En lien avec les chèques trouvés sur lui, les enquêteurs communiquèrent avec monsieur Masson. Le gestionnaire confirma qu'il connaissait bien un Albert Potvin, mais que celui-ci était présentement en cellule à Sainte-Agathe-des-Monts relativement à différents larcins commis dans le village durant le week-end. Il ajouta que les agents de la police municipale de Sainte-Agathe-des-Monts recherchaient activement un dénommé Euclide

Gagnon, un type qui arrivait de l'Ouest canadien et qui avait également travaillé pour sa compagnie. Il semblait avoir disparu depuis que les vols avaient été déclarés. Il donna la description de Gagnon et les policiers de l'Office des Autoroutes du Québec décidèrent de transférer le prévenu au poste de la police provinciale de Sainte-Agathe-des-Monts, qui participait à l'enquête conjointement avec le service municipal. À leur avis, le dossier pourrait s'avérer assez complexe puisqu'il était possible que le criminel ait commis d'autres délits au Québec et ailleurs au Canada, depuis le temps qu'il errait par les chemins.

C'est ainsi qu'Albert put recouvrer sa liberté vers neuf heures ce soir-là. Il était soulagé, mais à la fois déçu d'avoir été aussi dupe et d'avoir été utilisé par un homme sans scrupule. Il se promit de veiller à ses affaires à l'avenir et de ne pas s'occuper des autres. Il serait peut-être moins charitable, mais il avait payé cher pour apprendre qu'on est vulnérable quand on a le cœur sur la main.

Adéline avait pour sa part eu droit à une violente colère d'Ernest, qui lui avait fait raconter dans les moindres détails la visite de son fils Euclide. Il cherchait à savoir s'il était demeuré dans la cuisine ou s'il avait été ailleurs dans sa demeure, craignant qu'il lui ait subtilisé des biens.

— Je t'avertis Adéline, j'veux pu revoir ton batinse de gars dans ma maison tant que j'va vivre. Dans ma famille, on n'est pas des bandits pis des voleurs. Pis l'argent que tu gagnes, t'es supposé de me la donner.

Si t'avais vingt piastres de cachées, c'est parce que tu me les as volées. Toi aussi t'es une maudite voleuse.

— Cet argent-là, c'est mes enfants qui me l'avaient offert à Noël pour que je m'achète quelque chose et pis je l'avais gardé.

— Pis tu me l'avais pas dit. Une femme qui fait des cachettes à son mari ça vaut pas cher la tonne.

Ernest était sorti de la maison en claquant la porte, bien décidé à resserrer les cordeaux. Il lui faudrait ouvrir les yeux à l'avenir pour éviter de se faire escroquer de la sorte.

Pourquoi s'était-il marié à nouveau? songea-t-il.

CHAPITRE 26

Feuilles d'automne

(Octobre 1965)

L a fin de l'été 1965 avait été plutôt mouvementée à Sainte-Agathe-des-Monts, cette petite ville habituellement calme. Les habitants étaient maintenant plus prudents; les nouveaux arrivants qui se présentaient et envisageaient de s'installer étaient scrutés à la loupe. Avant de leur donner la bénédiction, on leur demandait de faire leurs preuves. Même monsieur le curé avait le pardon un peu plus difficile. Il était toujours sur ses gardes. On n'acceptait plus d'héberger des sans-abri et on les dirigeait plutôt vers le poste de police, où il leur était maintenant possible d'obtenir une place pour dormir quand les cellules n'étaient pas occupées par des détenus.

Ernest avait recommencé à transporter son bois. Ça lui demandait beaucoup plus de temps depuis qu'il n'avait plus ses fils à la maison. Il n'avait que le petit Simon et ça prendrait encore quelques années avant qu'il puisse travailler avec lui. Ernest avait hâte qu'il grandisse pour l'emmener plus souvent quand il faisait ses travaux. Il prévoyait agrandir sa cabane à sucre cette année-là, car il avait eu du bois de surplus lors des rénovations chez monsieur Thompson.

William Thompson laissait maintenant son chalet ouvert toute l'année. Adéline y allait une fois par semaine pour faire le ménage, habituellement le lundi ou le mardi, après que le patron soit reparti à Montréal avec ses visiteurs. Ses voisins avaient pu remarquer qu'il emmenait parfois une dame qui restait avec lui à la maison de campagne, maintenant que sa femme était hospitalisée. Il avait bien tenté de faire croire à Ernest que c'était une cousine, mais celui-ci avait déjà vu neiger et savait bien que l'homme n'est pas fait pour vivre seul. En échange de son silence, monsieur Thompson rémunérait beaucoup plus grassement son employé.

Il se disait parfois qu'Ernest sortirait son caractère de vieil ours s'il apprenait qu'il avait également une relation assidue avec sa fille Rose, qui demeurait maintenant à Montréal. Il profitait des soirs de travail de Luc pour se payer des petites veillées de plaisirs charnels avec la belle brunette quand il n'avait pas de sorties sociales à faire.

Il aimait bien Rose, mais avec le temps, il avait réalisé qu'il ne pouvait assister à des soirées mondaines avec celle-ci. Elle n'était pas de son rang et ce serait mal vu par ses collègues et ses amis.

Il souhaitait à la fois la protéger et ne pas la perdre. Elle était cependant plus exigeante et elle lui posait beaucoup de questions sur ses allées et venues. Il trouvait difficile de devoir rendre des comptes. Il savourait sa liberté et profitait au maximum de cette époque où l'on commençait à prôner l'amour libre.

Rose se contentait de ces visites impromptues, mais en secret, elle priait pour qu'un jour la femme légitime de William décède et qu'il puisse la demander en mariage. Elle savait que c'était pratiquement irréalisable, mais elle voulait tout de même se permettre de rêver.

En attendant, elle s'était inscrite à des cours de sténodactylo le soir et elle espérait d'ici quelques années obtenir un poste mieux rémunéré et plus en vue. Elle souhaitait augmenter sa qualité de vie. Avec une plus grande instruction, elle serait peut-être plus apte à s'afficher ouvertement aux côtés de son bel amoureux.

Luc avait encouragé sa sœur à poursuivre ses études, mais il ne lui avait jamais dit qu'il était au courant des visites que William lui faisait quand il était absent. Il avait bien remarqué l'humeur changeante de celle-ci, selon qu'elle avait vu ou non son amant. Tout ce que Luc souhaitait, c'était que Rose soit heureuse.

Son bonheur à lui semblait impossible, il en était convaincu. Il continuerait à vivre avec Rose et à faire un bon travail chez Canadair. Il amasserait de l'argent et un jour, il aimerait partir ailleurs, loin de tout, un peu comme l'oncle Georges l'avait fait plusieurs années auparavant.

Diane était la plus choyée des femmes depuis qu'elle avait emménagé dans sa petite maison de la rue Giguère, à Fatima. Elle avait fait un ménage de fond en comble, son mari avait peinturé toutes les pièces de la résidence et elle s'occupait de fabriquer de nouveaux rideaux pour toutes les fenêtres. Quand elle en avait l'occasion, elle achetait des meubles de seconde main et elle avait même aménagé un joli logement au sous-sol qu'elle louait à son frère Yvon, qui avait récemment commencé à fréquenter une jeune fille du village. Elle voulait faire tout ce qu'il était possible afin qu'il ait un bon départ dans la vie.

Elle devait également prévoir des couches neuves pour la venue d'un autre poupon au printemps prochain. Jules était tout heureux de la nouvelle. Ils souhaitaient avoir une fillette cette fois-ci, mais ils prendraient ce que la destinée avait imaginé pour eux, pourvu que le bébé soit en santé comme les deux autres.

Albert avait pu reprendre son poste à la compagnie J.L. Brissette, et le patron lui avait même présenté des excuses pour avoir cru un jour qu'il ait pu être mêlé à cette supercherie. Albert comprenait son supérieur, qui avait beaucoup à perdre et ils établirent à nouveau une belle relation basée sur la confiance. Albert avait eu sa leçon et son travail serait maintenant confidentiel. Personne ne pourrait lui soutirer quelque information, il serait muet comme une tombe. Plutôt mourir que de retourner en prison.

L'année 1965 s'achevait sur une note de calme après la tempête. La famille Potvin était dispersée ; chacun à sa façon cherchait à réussir sa vie. Les conjoints ou amis qui se greffaient à eux les rendaient plus ouverts sur certains plans et, la maturité aidant, dans la majorité des cas, cela en faisait de bien meilleures personnes.

L'existence au lac Brûlé n'avait plus vraiment de sens pour la nouvelle génération de Potvin. Trop de malheureux souvenirs s'y rattachaient de près ou de loin.

Ils avaient choisi le village de Sainte-Agathe-des-Monts ou bien la grande ville de Montréal pour s'établir.

Au lac Brûlé, il ne restait que le vieil ours, qui n'avait d'affinités qu'avec son petit ourson. La pauvre Adéline était la gardienne de la cage, mais c'était elle qui vivait derrière les barreaux tandis que les ours circulaient librement.

* * *

Le 12 octobre 1965, on procéda à l'inauguration officielle de l'usine d'assemblage de la compagnie General Motors à Sainte-Thérèse Ouest.

On y construirait les tout premiers modèles de Chevrolet Biscayne, et, en quelques mois à peine, plus de vingt-huit mille voitures sortiraient des ateliers de cette toute nouvelle manufacture.

Georges Potvin serait-il tenté de revenir au Canada maintenant que la compagnie pour laquelle il travaillait aurait un emplacement bien établi en banlieue de Montréal?

Aurait-il également le goût de régler ses comptes avec son frère, qui l'avait un jour chassé du lac Brûlé?

C'était maintenant aux enfants d'Ernest d'écrire quelques pages de leurs vies et de décider si la terre du lac Brûlé devait être déclarée zone interdite ou s'il était possible d'y faire à nouveau pousser des fleurs.

Sur les berges du lac Brûlé

TOME 2

Entre la ville et la campagne

Qu'est-ce que le vieil ours, Ernest Potvin, a inculqué à ses enfants pour qu'ils soient si détachés de leurs origines familiales et qu'ils tentent de fuir la réalité?

Les enfants sont peut-être tout simplement incapables d'accepter la mort tragique de leur maman qu'ils imputent, consciemment ou non, à leur père.

Rose cherche le bonheur là où elle présume que personne ne pourra plus jamais la faire pleurer, mais par la même occasion, elle blesse amèrement sa sœur Diane et ses frères, qui jamais n'auraient cru qu'elle puisse poser un tel geste.

Albert et Yvon entreprennent leur vie d'adulte avec un bagage de connaissance, plutôt restreint. L'amour, le travail et les amis seront entremêlés par la destinée de chacun.

Pendant ce temps, le petit Pierre grandit sous la supervision de sa tante Fernande, qui lui donne l'affection que tout enfant mérite de recevoir pendant que sur le chemin Ladouceur, au lac Brûlé, Simon prend doucement plus de place dans la tanière.

Avec la technologie, on s'ouvre sur le monde. Le lac Brûlé sera-t-il ouvert au changement?

REMERCIEMENTS

Mes plus sincères remerciements à Monsieur Sylvain Labelle, président de J.L. Brissette, un homme fier de ses racines agathoises et très engagé dans plusieurs domaines de sa communauté.

Sans hésitation, il a accepté d'être le «parrain» de ce tome 1 de ma trilogie intitulée *Sur les berges du lac Brûlé*.

MARQUIS

Québec, Canada

Achevé d'imprimer le 24 février 2016

RECYCLÉ
Papier fait à partir
de matériaux recyclés
FSC® C103567

Imprimé sur du papier Enviro 100% postconsommation
traité sans chlore, accrédité ÉcoLogo et fait à partir de biogaz.